Universitat Autònoma
de Barcelona

Joaquín Gairín
Miquel Àngel Essomba
Daniel Muntané
(Coordinadores)

# LA CALIDAD EN LA FORMACIÓN PROFESIONAL EN EUROPA, HOY

ISBN: 978-84-7197-924-7
Depósito Legal:  BI - 3184 - 09
*Printed in Spain*
Impreso en España por: RGM, S.A.
Pol. Industrial Igeltzera Pabellón 1 Bis Zona A
48610-Urduliz (Bizkaia)

## PROYECTO LEONARDO DA VINCI QUALIVET:

**Desarrollo y garantía de calidad vinculada al mercado laboral para los sistemas de enseñanza y Formación Profesional (FP) en el sector del metal**

### Desarrollo del proyecto:

Brenig Davies y Coleg Morgannwg. Reino Unido.

Helmut Dornmayr. IBW –Institut für Bildungsforschung der Wirtschaft–. Austria.

Klara Ermenc. Centro de la República de Eslovenia para VET. Eslovenia.

Miquel Àngel Essomba Gelabert. UAB –Universidad Autónoma de Barcelona–. España.

Joaquín Gairín. UAB –Universidad Autónoma de Barcelona–. España.

Michael Gessler. ITB –Institut Technik und Bildung–. Alemania.

Alexander Maschmann. Berufliche Schulen des Kreises Schleswig-Flensburg. Alemania.

Stanislav Michaek. NUOV –Instituto Nacional de Educación Técnica y Profesional–. República Checa.

Daniel Muntané. UAB –Universidad Autónoma de Barcelona–. España.

Steve John. Coleg Morgannwg. Reino Unido.

John Phelps. Coleg Morgannwg. Reino Unido.

Theo Reubsaet. Revice. Holanda.

Slava Grm Pevec. Centro de la República de Eslovenia para VET. Eslovenia

**Edición en castellano:** Joaquín Gairín, Miquel Àngel Essomba y Daniel Muntané

QualiVET – Desarrollo y garantía de calidad vinculada al mercado laboral para los sistemas de enseñanza y Formación Profesional en el sector del metal.
Proyecto piloto (D/05/B/F/PP 146 274) del programa Leonardo Da Vinci de la Comunidad Europea.

El contenido del texto no necesariamente refleja la opinión oficial de la Comisión Europea en estas cuestiones.

# Índice

---

\* Publicado en Guía para la Formación Profesional (on line). Barcelona: Wolters Kluver, enero 2008.

---

[*] Publicado en Guía para la Formación Profesional (on line). Barcelona: Wolters Kluver, enero 2008.

\* Publicado en Guía para la Formación Profesional (on line). Barcelona: Wolters Kluver, enero 2008.

# PRESENTACIÓN

El objetivo de esta publicación es ayudar a profesores y otros profesionales de centros de formación profesional, escuelas técnicas universitarias y centros de realización de prácticas profesionales en el desarrollo de la calidad. Al respecto, se recogen, en su primera parte, reflexiones y prácticas de varios sistemas europeos de formación profesional, haciendo especial referencia al contexto español; en la segunda, orientaciones y ejemplificaciones relacionadas con la mejora de la calidad. Se trata así tanto de aportar fundamentos como de proporcionar herramientas para la acción.

La función de los materiales del Marco de Desarrollo de la Calidad (MDC) QualiVET que aquí se presentan es aportar a los colectivos docentes de las instituciones formativas los medios auxiliares necesarios que les permitan mejorar la calidad de los procesos de aprendizaje. El espíritu del Marco de Desarrollo de la Calidad pasa por concebir a profesores e instructores como figuras fundamentales en la mejora de la calidad. Con la presente guía teórica pueden adaptar tanto los indicadores de calidad de orientación estructural como el concepto de equipo, de manera directa y en función de cuáles sean sus áreas específicas.

Se trata, por lo tanto, de un enfoque del desarrollo de la calidad concebido "de arriba a abajo": el refuerzo de los niveles de dirección o gestión de los centros es beneficioso, pero no imprescindible, puesto que el desarrollo de la calidad se hace realidad allí donde tienen lugar los procesos de aprendizaje: en la práctica de la formación por parte de profesores e instructores.

El presente MDC ha sido desarrollado y probado en siete países diferentes por profesores, instructores, entidades sociales, expertos sectoriales y científicos del área profesional del metal como proyecto piloto europeo del programa Leonardo Da Vinci. Además de la investigación empírica, se han completado fases de examen y evaluación en centros de formación profesional. El concepto de equipo y el marco teórico son transferibles a otros sectores; también los indicadores pueden constituir propuestas interesantes de cara a desarrollar la calidad en otros sectores. Para 2008 y años sucesivos se proyecta transferirlos a otras áreas profesionales, pudiendo encontrar información en varios idiomas sobre los avances realizados (www.qualivet. info).

Queremos dar las gracias a todos quienes han trabajado con nosotros en su preparación, inscrita en el marco del proyecto QualiVET de desarrollo y aseguramiento de la calidad orientada al mercado laboral para la formación profesional del sector del metal. Confiamos en que los usuarios del MDC cosechen grandes éxitos en la mejora de los proyectos de aprendizaje en centros educativos y laborales.

*Matthias Becker, Jessica Blings, Brenig Davies, Helmut Dornmayr, Joaquín Gairín, Michael Gessler, Theo Reubsaet y Georg Spöttl*

# PRÓLOGO

La **relación educación-trabajo** ha sido objeto de muchas discusiones y contro-versias, centradas en la naturaleza de la relación y en la forma como se condicionan ambas opciones: ¿quién determina a quién?; si el trabajo permite la socialización, ¿por qué la educación no ha de preparar para él?, ¿hasta qué punto tiene sentido el subordinar los intereses de la formación a las necesidades de las empresas?, etc. Pero más allá del debate, lo cierto es que la dinámica socio-económica exige profesiona-les preparados y actualizados y, si no los tiene, los busca en otros contextos distintos al de referencia.

La preparación para el trabajo se configura así como una nueva referencia para los sistemas educativos, junto a las tradicionales vinculadas con el desarrollo de la per-sona y la construcción de la ciudadanía. Así lo reconoce el borrador del Informe de la Comisión sobre futuros objetivos precisos de los sistemas educativos (Comisión de las Comunidades Europeas, 2001), cuando señala:

> *En conjunto, los Estados miembros opinan que la educación debe ayudar a conseguir tres objetivos principales: el desarrollo del **individuo**, para que pueda desplegar todo su potencial y llevar una vida feliz y fructífera; el desa-rrollo de la **sociedad**, en particular reduciendo las disparidades y desigual-dades entre individuos o grupos, y el desarrollo de la **economía**, haciendo lo necesario para que las capacidades de la mano de obra correspondan a las necesidades de las empresas y los empleadores* (pág. 4).

Las **preocupaciones**, al respecto, son importantes y hacen referencia a mejorar la calidad del aprendizaje, facilitar y ampliar el aprendizaje a cualquier edad, actualizar la definición de capacidades básicas, abrir la educación y la formación al entorno local, europeo y mundial y aprovechar al máximo los recursos. Las acciones vinculadas nos conectan con cambios curriculares y organizativos, mejora de la formación del profesorado, apertura de las instituciones el máximo de tiempo y al máximo de personas, promoción del desarrollo de las TIC, fomento de la movilidad formativa y de las prácticas en empresas y aplicación de sistemas de aseguramiento de la calidad.

Particularmente, es importante considerar la necesidad de que los sistemas educativos se adapten a un mundo de aprendizaje permanente, abriendo los espacios formativos a cualquier edad y a cualquier momento, potenciando el trabajo colectivo pero también la orientación individualizada, desarrollando itinerarios formativos flexibles e interrelacionados, aceptando la experiencia laboral como un aprendizaje convalidable y estableciendo ayudas concretas (becas, guarderías, transporte, etc.) para situaciones especiales (trabajadores con familia, minusválidos, emigrantes, etc.). Se conforma así la formación como un factor, a la vez, de desarrollo personal/ profesional y de cohesión social.

La importancia del tema y su complejidad no es de extrañar que hayan generado **respuestas diversas**. Por una parte, hablamos de tres subsistemas de formación (reglada, ocupacional y continua); por otra, de instancias y lugares muy diversos de formación (centros de formación profesional, centros de formación ocupacional, programas formativos como Escuelas Taller, centros de formación en la empresa…; también, de formación presencial, programas virtuales, etc.).

La trascendencia de lo que se hace es tan grande y la variedad de respuestas tan amplia que no extraña la preocupación de la sociedad por arbitrar mecanismos de ordenación y control. Se justifica así la creación de Programas Nacionales de Formación Profesional, la existencia del Consejo General de FP con representación de administraciones, sindicatos y empresarios, el desarrollo reciente de la histórica Ley Orgánica de Cualificaciones y de la Formación Profesional (BOE de 20 de junio de 2002) o el establecimiento del Catálogo Nacional de Cualificaciones Profesionales y el procedimiento de acreditación.

Las intenciones son buenas, pero no garantizan por sí mismas los resultados. De hecho, los Programas Nacionales de Formación Profesional han tenido una implantación irregular y, en muchos casos, insatisfactoria. Reconocemos, asimismo, la importancia de avanzar en el catálogo de cualificaciones, aunque no podemos deducir que su puesta en funcionamiento solucione por sí misma las dificultades que conlleva un sistema integrado de formación profesional. Nuevamente, parece que hay más preocupación por los aspectos de carácter administrativo, al focalizar la atención más en cóomo se certifica una competencia que en señalar cómo se puede adquirir.

La **problemática real** son las instituciones, lo que hacen y cómo lo hacen. La falta de instalaciones y maquinaria actualizada, de personal preparado, de flexibilidad curricular y de posibilidad para contratar técnicos, son losas que burocratizan la formación reglada; también inciden negativamente una baja estabilidad de los programas y una falta de agilidad administrativa en la distribución de fondos en la formación ocupacional y la consideración de la formación como un beneficio individual antes que como un interés estratégico de la empresa, en el caso de la formación continua.

Cabe considerar, además, los verdaderos aspectos ligados a la calidad como pudieran ser las competencias que necesariamente deberán asumir los estudiantes, niveles y formas de atender la diversidad, estrategias dirigidas a mejorar la calidad de la formación, reformulación permanente de los contenidos, etc. El peligro de burocratizar excesivamente la formación es real y prueba de ello es el bajo grado de profesionales de las empresas que están incorporados parcial o totalmente a programas formativos.

Pero, lo que hay que garantizar, sobre todo, es que el sistema formativo y los centros mantengan los **principios asumidos** y los respeten en su orientación y en su acción.

| PRINCIPIOS RECTORES | EJEMPLOS DE ACTUACIONES |
|---|---|
| Igualdad de oportunidades de acceso a las acciones formativas | Campañas dirigidas a comunicar posibilidades formativas. Subvenciones o ayudas individuales destinadas a ciudadanos con un bajo poder adquisitivo (becas, transporte, permisos de trabajo...). |
| Discriminación positiva a favor de colectivos especiales | ❑ Atención individualizada en función de las características personales. ❑ Ofertas dirigidas a colectivos con especiales dificultades de inserción laboral. Desarrollo de políticas activas de inserción. |
| Participación de los implicados | Creación de Mesas Locales de Ocupación, Consejos Territoriales.... |
| Complementariedad y coordinación de las acciones formativas | Redistribuir la oferta formativa en el territorio. Mantener y crear centros de formación profesional integrados y de referencia. |

| Gratuidad en las acciones formativas | Coste cero para el usuario. |
|---|---|
| Calidad del servicio que se presta | Evaluación sistemática de la oferta realizada por los equipos docentes, comisiones de participación y agentes externos. Evaluación interna continua vinculada a los objetivos de eficacia, eficiencia, comprensividad y satisfacción de las personas usuarias. |
| Proximidad en la prestación del servicio formativo | Descentralización de las ofertas formativas. Proximidad a los usuarios y empleadores. Promoción de actividades "a la carta". |
| Adecuación a las personas usuarias | Adecuación de programas a los niveles de entrada. Análisis sistemático de necesidades (normativas, personales, comparativas...) y capacidades personales. Servicios de acogida personalizada dirigidos a personas inmigrantes (niños, jóvenes y personas adultas). |
| ........................... | .................................................................................................... |

**Cuadro 1**: Ejemplo de revisión de algunos principios rectores de la formación para el trabajo

Hay que considerar, además, que la actuación práctica sea coherente con los principios que se asumen. A este nivel, las estrategias y procesos de desarrollo y de gestión resultan ser, a veces, contrarios o contradictorios con los compromisos públicos adquiridos o los principios defendidos.

Sucede esto cuando, por ejemplo, la toma de decisiones que demanda la práctica se ve ralentizada por procesos burocráticos y poco personalizados, la falta de coordinación entre servicios o la puesta en funcionamiento de procesos de externalización de servicios sin el suficiente estudio previo o control posterior.

Insistimos, por tanto, en la necesidad de clarificar los valores de referencia que la organización u organizaciones deben asumir en coherencia con el contexto socio-cultural-económico de referencia pero también el analizar si las prácticas son pertinentes a los propósitos deseados y a menudo enunciados públicamente.

La situación deseable no puede perder de vista la importancia que en el siglo XXI tendrá **el conocimiento** y **la información**. La progresiva sustitución de los factores clásicos orientadores de los procesos productivos (mano de obra, energía, materiales...) por el conocimiento, comportará cambios en la realidad económica, social y cultural que deberán ser abordados con nuevas ideas y procedimientos.

La educación, y ésta es la buena noticia, vuelve a ser una pieza clave y un elemento estratégico en el desarrollo de la sociedad del conocimiento y de la información. El capital humano y la formación serán esenciales si saben aprovechar las capacidades de las personas y hacen de la creación, transmisión y aplicación de los conocimientos la materia primera y el material más preciado.

El mayor peligro a evitar es la fracción, y ésta es la mala noticia, que se puede producir entre el desarrollo del conocimiento y el desarrollo social. Los centros de formación deben ser, al respecto, instituciones promotoras de la conciencia social, a partir de la promoción y desarrollo de los valores democráticos, reconociendo su influencia limitada, no olvidando la necesidad de contar con las otras instancias educadoras y desarrollando nuevos planteamientos.

La formación centrada en el trabajo debe partir de los **objetivos estratégicos** que actualmente asume la educación (reforzar el sentido de ciudadanía y promover el desarrollo socio-económico, entre otros), considerar los cambios que genera el dinamismo económico, tener en cuenta las prioridades marcadas por el entorno europeo y respetar los principios de la formación de adultos y permanente.

Se puede presentar así, más allá de su sentido intrínseco como formación personal y profesional, como una segunda oportunidad para los individuos y las sociedades en el sentido de que puede actuar compensando déficit de la formación inicial. Avanzar en las direcciones marcadas supone coadyuvar algunos de los peligros que le acechan y que hacen referencia a la burocratización y rigidez de las instituciones formativas, al desarrollo de nuevas propuestas que alteran los principios básicos aceptados, al mantenimiento de programas formativos desactualizados y no centrados en competencias y a la no consideración del período crítico de las transiciones ente etapas educativas y entre éstas y el mundo laboral.

Debemos insistir, por último, en que la formación vinculada a la realidad laboral no es algo aislado sino parte del **proyecto de desarrollo personal y social** en el que estamos inmersos. La referencia a la formación permanente nos parece de nuevo sustancial, en la medida en que ubica la formación para el trabajo en el marco de una preocupación permanente por situarse en una realidad cada vez más cambiante.

Joaquín Gairín

Education and Culture

**Leonardo da Vinci**
Pilot projects

# PRIMERA PARTE

# LA FORMACIÓN PROFESIONAL EN EUROPA.

## Una visión general y sobre el sector del metal

# Capítulo I
# EL SISTEMA DE FORMACIÓN PROFESIONAL EN ALEMANIA*

**Michael Gessler**
Institut Technik und Bildung
Bremen

* Publicado en Guía para la Formación Profesional (on line). Barcelona: Wolters Kluver, enero 2008.

# 1. MARCO CONTEXTUAL

Cuando se habla de la formación profesional en Alemania, a menudo se hace referencia (tanto nacional como internacionalmente) al sistema dual de formación profesional. En principio, el acceso a dicho sistema es abierto y no está restringido a ningún certificado escolar concreto[1].

Las características fundamentales del sistema dual son: (1) los lugares de aprendizaje son la empresa y la escuela profesional; (2) la responsabilidad y los costes se reparten entre ambas organizaciones[2]. Mientras que la formación en la empresa es fundamentalmente práctica, la escuela profesional imparte los conocimientos teóricos. Los aprendices están vinculados a una empresa mediante el contrato de formación profesional y reciben una remuneración mensual de la empresa cuya cantidad

---

1. Para evaluar la capacitación inicial para el aprendizaje, se han desarrollado una serie de criterios aprobados por el comité directivo del "Pakt" el 30 de enero de 2006. Además de los conocimientos escolares básicos, los criterios definen las características necesarias del trabajo y el comportamiento social deseable. Esta selección de criterios sirve de orientación laboral, pero no estipula condiciones formales de acceso.

2. Los costes de la formación profesional en la empresa van, sobre todo, a cargo de la empresa y los costes de la formación en la escuela son de financiación pública. Más adelante se describirá la distribución de responsabilidades.

varía según sea la profesión, con una media de 600 euros. Los aprendices reciben permisos para asistir a las clases de su escuela profesional.

En la actualidad, el sistema dual ofrece formación para 342 profesiones reconocidas oficialmente (1 de agosto de 2006). Desde 1998 se han desarrollado alrededor de 160 especialidades de formación profesional y se han creado nuevas profesiones, particularmente en el campo de las tecnologías de la información y la comunicación, datos que ilustran el alto nivel de adaptabilidad del sistema a los cambios de la demanda económica.

Sin embargo, los datos de los últimos años permiten apreciar unas tendencias obvias: mientras que el número de graduados por año en centros de educación general ha aumentado en 174.900 entre 1992 y 2005, hasta un total de 948.200 (2005), en el mismo período, el número de jóvenes que inician la formación profesional en el sistema dual ha disminuido de 595.215 en 1992 a 550.180 en 2005[3]. La proporción de jóvenes que iniciaron la formación profesional en el sistema dual en 2005 es del 58%. En comparación con este dato, en 1992 más del 75% de los alumnos iniciaron la formación profesional en el sistema dual (BMBF 2006, Parte I, p. 5).

A pesar del aumento considerable de la cifra de graduados en centros de educación general y de la disminución de alumnos de formación profesional en el contexto del sistema dual, el número de jóvenes desempleados se redujo en 13.200 personas y pasó de 88.300 (1992) a 75.100 (2005). Así pues, se produjo un cambio de tendencia. Los graduados, y especialmente los estudiantes sin ningún certificado de estudios, cambiaron principalmente a los llamados "sistemas de transición". El "Konsortium Bildungsberichterstattung" incluye en estos sistemas:

1.  el curso de formación profesional básica (Berufsgrundbildungsjahr, BGJ)[4];
2.  el curso de formación preprofesional (Berufsvorbereitungsjahr, BVJ);
3.  las medidas de la Bundesagentur für Arbeit destinadas a mejorar las condiciones individuales para iniciar la formación profesional; y
4.  las ofertas de las escuelas profesionales a tiempo completo que, aunque no facilitan una formación profesional completa, ofrecen las competencias profesionales básicas y, además, ofrecen la oportunidad de adquirir el certificado de educación general y de este modo aumentan las posibilidades de encontrar trabajo de los jóvenes (Konsortium 2006, p. 80).

---

3.  Desde 2005, el Bundesinstitut für Berufsbildung distingue por primera vez la formación profesional "en la empresa" (a cargo sobre todo de la empresa) y "fuera de la empresa" (de financiación pública, sobre todo). La proporción de contratos de formación profesional en empresas es del 91,8% (505.191). (BMBF 2006, Teil I, S. 29; Berufsbildungsbericht Teil II, S. 3).

4.  Bajo ciertas condiciones, el curso de formación profesional básica puede convalidarse por un año de formación profesional más avanzada.

En el período entre 1998 y 2005, el número de estudiantes[5] que asistieron a:

1. el curso de formación profesional básica a tiempo completo (BGJ) aumentaron en 9.281 (un 22,7%) y pasaron de 40.856 (1998) a 50.137 (2005);
2. el curso de formación preprofesional (BVJ) aumentó en 38.425 (un 97,7%) y pasaron de 39.242 (1992) a 77.667 (2005) (Statistisches Bundesamt 2006, p. 20). Por otro lado, desde 1992 el número de estudiantes;
3. las clases de formación preprofesional ofrecidas por el Bundesagentur für Arbeit aumentaron en 100.100 personas (un 142%) desde 1992 hasta llegar a 170.500 (2004); y
4. a cursos que permiten obtener una formación profesional totalmente cualificada, a estudiantes provenientes de escuelas profesionales a tiempo completo, aumentó en 84.700 (un 77%), hasta llegar a 195.000 (2004)[5]; (BMBF 2006, Parte I, p. 5).

En Alemania, aparte del sistema dual y del "sistema de transición", existen otros tipos de escuelas profesionales menos conocidas internacionalmente, que tienen como objetivo ofrecer experiencia profesional y certificados superiores de educación general (requisito de admisión para la educación superior en una universidad o en una escuela técnica superior). Entre dichos centros se encuentran: (1) el instituto de formación profesional, (2) el instituto de formación profesional especializada y (3) el instituto técnico. En el período entre 1992 y 2004, por ejemplo, el número de estudiantes de institutos técnicos aumentó en 50.496 (un 66,9%) y pasó de 75.461 (1992) a 125.957 (2005); (Statistisches Bundesamt 2006, p. 20).

Por lo tanto, las tendencias decisivas han sido:

- Desde 1992, el número de aprendices de formación profesional en el contexto del sistema dual ha disminuido en relación al número de graduados por año.
- El número de estudiantes de "sistemas de transición de la formación profesional" está aumentando de forma considerable.
- El número de estudiantes que optan a un certificado superior de educación general asistiendo a una escuela profesional a tiempo completo está aumentando.

Si además tenemos en cuenta que entre 1992 y 2005 el número de estudiantes de primer año en las universidades y escuelas superiores ha aumentado en 61.100 (un 21%), hasta llegar a los 351.900 de la actualidad, debemos prever la tendencia futura a una creciente academización.

---

5. Algunos de estos estudiantes intentan mejorar sus oportunidades en el mercado laboral consiguiendo un certificado superior de educación general.

## 2. LA ESTRUCTURA DEL SISTEMA DE FORMACIÓN PROFESIONAL

El sistema educativo de la República Federal de Alemania está estructurado en los niveles de Educación elemental, Educación primaria, Educación secundaria (primer ciclo[6] y segundo ciclo), Educación terciaria y Educación superior. El gráfico 1 ilustra los distintos tipos de enseñanzas:

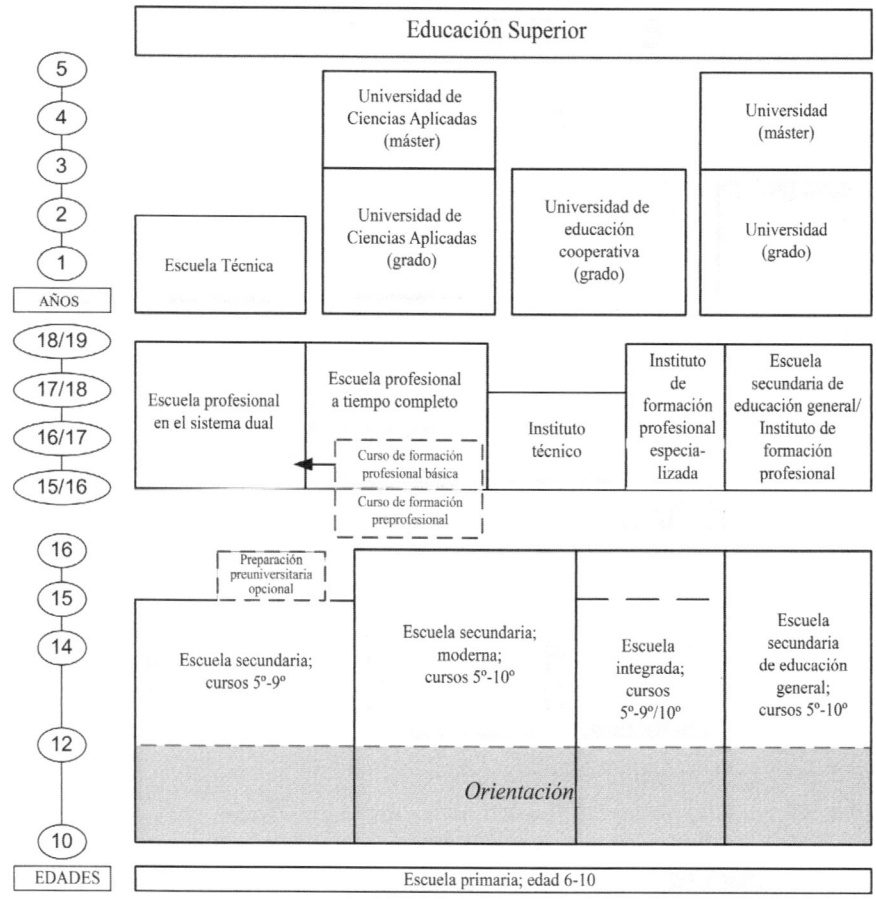

**Gráfico 1**: Sistema escolar y educativo en Alemania[7]

---

6. Para los que asisten a la escuela secundaria o a la escuela secundaria moderna, el primer ciclo finaliza con el certificado de educación general "Hauptschulabschluss" o "Mittlere Reife" (certificado de enseñanza secundaria moderna). Actualmente, en algunas escuelas secundarias se puede conseguir el "Mittlere Reife".

7. Después de Münch 1994.

El cuadro 1[8] muestra los principales niveles de formación profesional según los estándares de la CINE (Clasificación Internacional Normalizada de la Educación; en inglés, ISCED):

| Nivel 6 de la CINE: Segundo ciclo de la educación terciaria | |
|---|---|
| Universität / Universidad (Habilitación/Doctor) | Habilitación: título postdoctoral. Programa de estudios doctorales (2 a 5 años). Casi siempre se requiere haber finalizado la titulación universitaria. Los doctorados se conceden a los licenciados sobresalientes. |
| **Nivel 5A de la CINE:** Primer ciclo de la educación terciaria | |
| Universität / Universidad (Magister, Diplom, Máster, Examen Estatal, Bachelor/grado) | Programa universitario (en disciplinas académicas) que prepara para ocupaciones que requieren la aplicación de conocimientos y métodos científicos. |
| Fachhochschule / Universidad de ciencias aplicadas (Diplomado, Máster, Bachelor/grado) | Programa universitario que prepara para ocupaciones que requieren la aplicación de hallazgos y métodos científicos. Para acceder, los estudiantes deben haber completado al menos los estudios en una escuela técnica o un nivel similar. |
| **Nivel 5B de la CINE:** Primer ciclo de la educación terciaria | |
| Berufsakademie / Universidad de educación cooperativa (Diplomado, Bachelor/grado) | Programa dual de 3 años que abarca tanto formación profesional científica como formación práctica en academias y empresas de formación. Los estudiantes deben poseer un título que les permita entrar en un programa de nivel 5A. Diseñado para incorporarse directamente al mercado laboral. |
| Fachschule / Escuela técnica superior | Programa de formación profesional avanzada (1-3 años), principalmente a tiempo parcial. Se cursa al completar el sistema dual y acumular varios años de experiencia laboral, para obtener un título de maestro/técnico o para cualificarse para las ocupaciones del sector social. Orientado a la incorporación directa al mercado laboral. |
| **Nivel 4A de la CINE:** Programas para acceder al nivel 5A | |
| Berufsoberschule / Instituto de formación profesional especializada | Programa general de segundo ciclo (2 años). Para acceder se requiere tener el certificado escolar de nivel medio y haber completado la formación profesional (CINE 3B). |

8. Las descripciones se han extraído de Mönks, F.J. y Pflüger, R. (2005).

| | |
|---|---|
| Fachoberschule / Instituto técnico, 1jährig / 1 año | Programa general de segundo ciclo (1 año). Para acceder se requiere tener el certificado escolar de nivel medio y haber completado la educación en el sistema dual. Los graduados de este nivel sólo pueden matricularse en escuelas técnicas superiores (CINE 5A). |
| Combinación de los niveles 3A y 3B de CINE | Por ejemplo: escuela secundaria de educación general y escuela profesional (sistema dual). |
| **Nivel 4B de la CINE:** Combinación de dos programas de formación profesional del nivel 3B. | |
| Nivel 3A de la CINE Los graduados de este nivel pueden matricularse en estudios del nivel 5A. | |
| Gymnasium Escuela secundaria de educación general (cursos 11º-13º) | Educación general. |
| Berufliches Gymnasium, Instituto de formación profesional (cursos 11º-13º) | Educación general y formación profesional. |
| Fachoberschule, Escuela técnica, 2jährig / 2 años | Programa general de secundaria superior (2 años). Para acceder hay que tener el certificado escolar de nivel medio. Los graduados de este nivel sólo pueden matricularse en escuelas técnicas superiores. |
| **Nivel 3B de la CINE:** Los graduados de este nivel pueden iniciar estudios de nivel 5B. | |
| Berufsschulen (Duales System) Escuela profesional (sistema dual) | Tipo especial de aprendizaje que abarca educación y prácticas en escuela profesional y en empresa. |
| Berufsfachschulen mit Berufsabschluss / Escuela profesional a tiempo completo: capacitación ocupacional | Programa escolar de formación profesional que proporciona una capacitación ocupacional. |
| Berufsfachschulen: Berufsgrundbildungsjahr (BGJ) / Escuela profesional a tiempo completo: curso de formación profesional básica | Programa de formación profesional de 1 año con educación básica general y especializada. Este programa substituye al primer año del sistema dual (CINE 3B). Para acceder deben haberse completado los estudios de nivel 2 de la CINE. |

| Nivel 2A de la CINE: Los graduados de este nivel pueden iniciar estudios de nivel 3A o 3B de la CINE. | |
|---|---|
| Gymnasium | Escuela secundaria de educación general: cursos del 5° al 10°. |
| Realschule | Escuela secundaria moderna: cursos del 5° al 10°. |
| Hauptschule | Escuela secundaria: cursos del 5° al 9°, con 10° curso opcional (preparación preuniversitaria opcional). |
| Berufsfachschulen: Berufsvorbereitungsjahr (BVJ) / Escuela profesional a tiempo completo: curso de formación preprofesional | Programa preprofesional de 1 año para estudiantes con 9 ó 10 años de educación general que no hayan obtenido un contrato en el sistema dual. |
| **Nivel 1:** Educación primaria | |
| Grundschule | Escuela primaria: cursos de 1° a 4°. |
| **Nivel 0:** Educación preprimaria | |
| Kindergarten | Opcional: de los 3 a los 6 años de edad. |

**Cuadro 1**: Niveles educativos en Alemania según la CINE (Konsortium 2006, S. 206)

El gráfico 2 ilustra posibles trayectorias educativas, sólo incluye algunos de los tipos de escuelas y posibilidades. En el siguiente apartado se presentarán las escuelas de formación profesional y las trayectorias tal como aparecen en el gráfico.

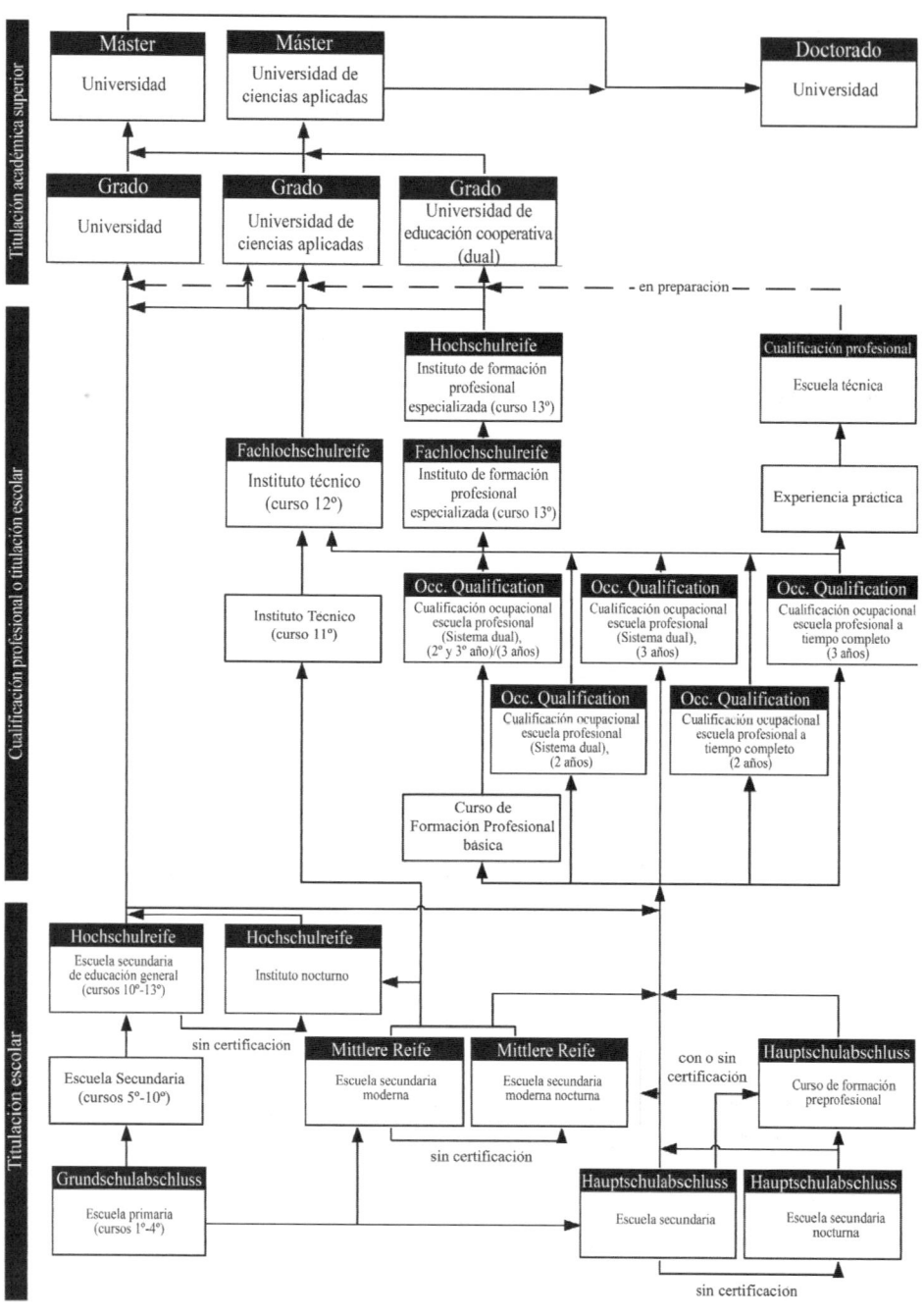

**Gráfico 2**: Trayectorias educativas en el sistema educativo alemán

## 2.1. La escuela profesional en el contexto del sistema dual[9]

En el contexto del sistema dual, la escuela profesional y las empresas desempeñan una tarea educativa común. En este contexto, la escuela profesional es un centro de aprendizaje independiente que coopera con los otros colaboradores en la formación profesional, disfrutando de los mismos derechos que éstos. Los objetivos de la escuela profesional son:

1. proporcionar al alumno aptitudes profesionales combinando los conocimientos especializados con capacidades generales de naturaleza humana y social;
2. desarrollar la flexibilidad profesional del alumno para afrontar la demanda cambiante del mundo laboral y de la sociedad, también respecto a la tendencia a la unificación europea;
3. estimular la disposición del alumno a adquirir una educación superior; y
4. apoyar las capacidades y la preparación del estudiante para que actúe de forma responsable a la hora de organizar su propia vida y en sociedad.

La enseñanza en la escuela profesional se imparte uno o varios días a la semana en períodos continuos (enseñanza en bloques). Incluye un mínimo de 12 clases por semana y consiste en una enseñanza relacionada con una profesión y enseñanza general. La enseñanza se organiza según el plan de estudios y los horarios de cada estado federado. Normalmente, la enseñanza específicamente profesional ocupa 8 clases por semana.

La Conferencia Permanente de los Ministros de Educación y Cultura de los Estados Federados aprueba el plan de estudios marco para la formación profesional que se impartirá en las escuelas y que los estados federados adoptan en la ley federal. El plan de estudios marco establece objetivos y ofrece recomendaciones didáctico-metodológicas. Los contenidos a impartir se estructuran según los campos de enseñanza.

La República Federal, que se encarga de la parte de formación profesional que corresponde a la empresa, establece regulaciones para las prácticas, define el perfil del trabajo y configura el horario marco de las prácticas. La regulación de la formación práctica define el nombre de la profesión, la duración de las prácticas, las aptitudes y los conocimientos (perfil del trabajo) que deben adquirirse. Además, las regulaciones para las prácticas incluyen pautas para la estructuración temática y cronológica

---

9. Acuerdo marco sobre la escuela profesional, aprobado por la Conferencia Permanente de los Ministros de Educación y Cultura de los Estados Federados el 15 de marzo de 1991.

de las aptitudes y los conocimientos (horario marco de las prácticas), así como los requisitos de examen. En las nuevas regulaciones de prácticas aprobadas, los perfiles que se establecen para las prácticas figuran en tres idiomas (alemán, inglés y francés).

## 2.2. Escuela profesional a tiempo completo[10]

Las escuelas profesionales a tiempo completo son escuelas diurnas. En particular, los cursos de los campos de economía y administración, higiene personal, salud y ciencias domésticas se imparten en escuelas diurnas a tiempo completo.

Según el acuerdo marco de escuelas profesionales a tiempo completo (CMAC), estas escuelas ofrecen los siguientes cursos:

1. *Curso de formación preprofesional: cursos en escuelas profesionales a tiempo completo que no equivalen al período de formación para profesiones reconocidas oficialmente.*

Estos cursos ofrecen a los estudiantes una extensa formación profesional básica que los prepara para adquirir la formación profesional específica de su campo. Los cursos duran uno (a tiempo completo) o dos años (a tiempo parcial). El certificado de estudios que se obtiene equivale a la finalización de la enseñanza secundaria básica obligatoria. Para que el certificado equivalga a la finalización de la enseñanza secundaria, los estudiantes deben aprobar un examen que incluye las asignaturas de lengua alemana y una lengua extranjera, así como dos asignaturas relacionadas con su campo de especialización en su parte escrita.

Como ejemplo, presentamos a continuación el reglamento del Ministerio de Educación y Cultura del Estado Federado de Baden-Wurtemberg para la enseñanza y los exámenes del curso de formación preprofesional, del 22 de julio de 2004[11].

El reglamento dispone que el objetivo de la enseñanza en el curso de formación preprofesional es ampliar la educación general y facilitar la adquisición de aptitudes básicas. El curso proporciona conocimientos profesionales básicos para un máximo

---

10. Acuerdo marco sobre la escuela profesional a tiempo completo, aprobado por la Conferencia Permanente de los Ministros de Educación y Cultura de los Estados Federados el 28 de febrero de 1997; versión válida desde el 10 de octubre de 2006.

11. Reglamento del Ministerio de Educación y Cultura del Estado Federado de Baden-Wurtemberg sobre educación y exámenes en el curso de formación preprofesional, del 22 de julio de 2004.

de tres campos profesionales, lo que ofrece cierta orientación profesional para que los estudiantes encuentren una profesión adecuada. Los estudiantes pueden adquirir un nivel educativo equivalente a la finalización de la escuela secundaria básica obligatoria si estudian ciertos contenidos adicionales y aprueban un examen adicional. La formación dura un año y se completa con un examen final. Durante el curso de formación preprofesional debe realizarse un período de formación práctica dirigido por la escuela. La escuela debe organizar y diseñar temáticamente dicha formación teniendo en cuenta el contexto local. La formación puede incluir hasta dos días de prácticas por semana, que también pueden ofrecerse en bloque.

2. *Curso de formación profesional básica: curso en la escuela profesional a tiempo completo que ofrece formación profesional básica y que equivale al período de formación profesional para profesiones reconocidas oficialmente.*

Estos cursos ofrecen a los estudiantes una formación profesional básica cuya duración equivale, total o parcialmente, a los períodos de formación profesional de ciertas profesiones reconocidas oficialmente, de acuerdo con uno de los reglamentos del curso de formación preprofesional o con el reglamento de la escuela profesional. Los cursos duran uno (a tiempo completo) o dos años (a tiempo parcial). El certificado de estudios que se obtiene debe incluir una mención de validez para el período de formación profesional para profesiones reconocidas oficialmente, según el reglamento vigente que corresponda.

3. *Cursos en escuelas profesionales que brindan la capacitación para una profesión reconocida oficialmente*

Estos cursos proporcionan la capacitación necesaria para ejercer una profesión reconocida oficialmente, según la Ley de Formación Profesional o el Código de Artesanía. La duración de dichos cursos equivale a la duración de una formación equiparable en el sistema dual. Si se proporcionan aptitudes adicionales, los cursos pueden durar más tiempo. Habitualmente, los cursos se estructuran en el nivel básico y los niveles de asignaturas basados en éste. La enseñanza se basa en disposiciones de formación y el plan de estudios marco lo define la Conferencia Permanente de los Ministros de Educación y Cultura de los Estados Federados. La parte obligatoria debe constar de un mínimo de 32 clases por semana e incluir una enseñanza general (interprofesional) y una específica (en caso necesario, dividida en teórica y práctica).

4. *Cursos en escuelas profesionales a tiempo completo que ofrecen una capacitación profesional que sólo puede adquirirse asistiendo a una escuela*

En este punto debemos distinguir entre los cursos relacionados con profesiones cuya formación y cuyos exámenes están regulados por (1) la legislación federal (profesiones de servicios sanitarios como enfermeros geriátricos, enfermeros obstetricoginecológicos, ATS o fisioterapeutas), y los cursos relacionados con profesiones cuya formación y cuyos exámenes están regulados por (2) la legislación de cada estado federado (en particular, asistentes técnicos y económicos, como por ejemplo auxiliar informático, especialista en tecnología medioambiental, secretario europeo o secretario multilingüe).

## 2.3. *El Instituto técnico*[12]

El instituto técnico ofrece la capacitación necesaria para estudiar en una escuela técnica superior. Los estudios en el instituto duran 2 años y en el primer año destaca la importancia del aprendizaje práctico (800 clases de un total de 1.280).

Para acceder a los cursos de dos años del instituto técnico, deben finalizarse los estudios en la escuela secundaria moderna. Los candidatos que han completado la formación profesional necesaria o tienen suficiente experiencia profesional relacionada con su campo pueden acceder directamente al segundo curso del instituto técnico.

El instituto técnico se estructura en los siguientes campos: economía y administración, tecnología, servicios sanitarios y sociales, diseño, ciencias domésticas y de la nutrición, y agricultura.

Existen institutos técnicos en 14 estados federados (excepto en Baden-Wurtemberg y Renania-Palatinado, donde sin embargo hay institutos de formación profesional). En Baviera y Renania del Norte-Westfalia, también se pueden obtener los requisitos de admisión para la universidad en los institutos técnicos.

## 2.4. *El Instituto de formación profesional especializada*[13]

Con dos años de enseñanza a tiempo completo en un instituto de formación profesional especializada, se consiguen los requisitos para entrar en la escuela superior

---

12. Acuerdo marco sobre la escuela técnica, aprobado por la Conferencia Permanente de los Ministros de Educación y Cultura de los Estados Federados el 16 de diciembre de 2004.

13. Acuerdo marco sobre el instituto de formación profesional especializada, aprobado por la Conferencia Permanente de los Ministros de Educación y Cultura de los Estados Federados el 16 de junio de 2000.

técnica o para entrar en la universidad si la enseñanza incluye un segundo idioma extranjero. Así, el instituto especializado posibilita el acceso a una escuela técnica superior o a la universidad.

Para acceder al instituto de formación profesional especializada se requiere:

1. haber finalizado la escuela secundaria moderna o un nivel educativo equivalente; y
2. haber finalizado al menos dos años de formación profesional, según establece la Ley de Formación Profesional, el Código de Artesanía o la Ley de Marinería, o la legislación respectiva de la República Federal y los estados federados; o bien
3. contar con al menos cinco años de experiencia profesional en el campo correspondiente.

El instituto de formación profesional especializada está estructurado en las disciplinas de tecnología, economía, agricultura, ciencias domésticas y de la nutrición, servicios sociales y diseño. En dicha escuela se imparte un mínimo 2.400 clases, además de un mínimo de 320 clases de un segundo idioma extranjero.

Los institutos de formación profesional especializada sólo existen en seis estados federados (Baden-Wurtemberg, Baviera, Berlín, Baja Sajonia, Renania-Palatinado y Schleswig-Holstein).

## 2.5. La Escuela secundaria general y técnica

Normalmente, la escuela secundaria general y técnica dura 3 años. Permite el acceso a la universidad y requiere completar el "Mittlere Reife" (finalización de la escuela secundaria moderna). Este tipo de escuelas existe en 15 estados federados (excepto en Renania del Norte-Westfalia).

## 2.6. La Escuela técnica[14]

Las escuelas técnicas son instituciones de formación profesional superior. Los cursos ofrecen tanto formación como experiencia profesional. Estos centros propor-

---

14. Acuerdo marco sobre la escuela técnica de formación profesional, aprobado por la Conferencia Permanente de Ministros de Educación y Cultura de los Estados Federados el 7 de noviembre de 2002.

cionan las aptitudes para desempeñar funciones ejecutivas y la preparación para trabajar por cuenta propia. Los estudios en la escuela técnica pueden incluir también la preparación para el examen de maestro-artesano. Existen escuelas técnicas en las siguientes disciplinas: agricultura, diseño, tecnología, economía y servicios sociales.

El acuerdo marco de la Conferencia Permanente de los Ministros de Educación y Cultura de los Estados Federados incluye:

1. escuelas técnicas con al menos 2.400 clases en los ámbitos de agricultura, diseño, tecnología y economía;
2. escuelas técnicas con al menos 2.400 clases y 1.200 horas de trabajo práctico en los ámbitos de educación terapéutica y enfermería, y educación social en el campo de servicios sociales; y
3. escuelas técnicas con al menos 1.800 clases en el ámbito de educación terapéutica, del campo de servicios sociales.

Las profesiones a las que se accede mediante una escuela técnica son, por ejemplo, ingeniero, graduado en gestión empresarial o educador. Este tipo de escuelas existe en todos los estados federados.

## 2.7. La Universidad de educación cooperativa[15]

La universidad de educación cooperativa se basa, desde 1971, en la iniciativa de Daimler-Benz AG, Robert Bosch BmbH y Standard Elektrik Lorenz AG. El sistema de formación profesional dual debía transferirse al nivel de las universidades para ofrecer a los estudiantes una alternativa orientada a la práctica y para posibilitar la formación académica de los aprendices. Esta idea, conocida como el "Modelo de Stuttgart", se introdujo en 1972 y en 1974 se inauguraron las primeras universidades de educación cooperativa como plan piloto en Stuttgart y Mannheim. El plan piloto finalizó en 1982 y el parlamento del estado federado aprobó la "Ley de la Universidad de Educación Cooperativa del Estado Federal de Baden-Wurtemberg". Desde 1982, coexiten 2 sistemas duales en Alemania: el conocido "sistema dual" que corresponde al segundo ciclo de secundaria y el de la universidad de educación cooperativa, que forma parte de la educación terciaria.

---

15. Inclusión de cursos de grado (*bachelor*) en universidades de educación cooperativa, en la estructura consecutiva de estudios, aprobada por la Conferencia Permanente de Ministros de Educación y Cultura de los Estados Federados el 15 de octubre de 2004.

El modelo de la universidad de educación cooperativa de Baden-Wurtemberg obtuvo, en un breve período de tiempo, un gran éxito. De 164 estudiantes en 1974, pasó a 5.000 en 1982, 12.140 en 1990, hasta alcanzar los 20.000 estudiantes en 2005. En la actualidad, esta universidad cuenta con ocho sedes y tres especialidadess.

Siguiendo el modelo de Baden-Wurtemberg, se han fundado en los últimos 20 años universidades de educación cooperativa en Berlín, Sajonia y Turingia se encarga de la parte de formación profesional que corresponde a la empresa. Existen universidades privadas de educación cooperativa reconocidas por el Estado en Hesse, Baja Sajonia, Sarre y Schleswig-Holstein.

Los cursos de las universidades de educación cooperativa duran 6 semestres y abarcan los campos de (1) servicios sociales, (2) ciencias informáticas y tecnología, y (3) economía. Los estudiantes están matriculados como estudiantes de la universidad y a la vez son aprendices en una empresa. Al igual que en el sistema dual, los estudiantes reciben una remuneración.

Cada semestre se divide en 3 meses de estudios y 3 meses de trabajo práctico. No hay vacaciones semestrales (como en las universidades o en las universidades de ciencias aplicadas), pero los estudiantes pueden pedir hasta 30 días de vacaciones por año.

## 2.8. Las Escuelas nocturnas (2º curso de educación)

Este tipo de escuelas permite la obtención de certificados de educación general y no forma parte del sistema de la formación profesional, pero se incluyen en este apartado por vincularse al fenómeno de las clases nocturnas.

El 15% de los alemanes de entre 20 y 24 años no dispone de ningún certificado de estudios (OECD 2004, p. 382). Si dicho certificado no se obtiene en el sistema educativo habitual, puede obtenerse en las escuelas nocturnas de educación general.

Además, las escuelas profesionales ofrecen la posibilidad de conseguir el certificado de educación paralelamente al desarrollo de la formación profesional. Esta posibilidad existe tanto en el instituto técnico (capacitación para acceder a la escuela técnica superior), en el instituto de formación profesional especializada (capacitación para acceder a la universidad) y en la escuela profesional del sistema dual ("Mittlere Reife", capacitación para acceder a universidades de ciencias aplicadas)[16],

---

16. Esta posibilidad no existe en Baviera, Berlín, Bremen, Hamburgo, Renania-Palatinado ni Sajonia-Anhalt (Konsortium 2006, p. 317).

así como en la escuela profesional a tiempo completo ("Mittlere Reife", capacitación para acceder a universidades de ciencias aplicadas, universidades y universidades de educación cooperativa)[17].

Así, además de las escuelas nocturnas de educación general, el sistema de formación profesional de Alemania se encarga de ofrecer oportunidades adicionales para conseguir el certificado de estudios mediante un segundo curso de educación. En otras palabras: en las escuelas profesionales, si no se obtiene el certificado de educación general en el primer curso, puede obtenerse en el segundo.

### 2.9. La Formación profesional superior

Existe un sistema diferenciado de educación superior, en la República Federal de Alemania regido por una estructura plural de organismos responsables y de diferentes fuentes de financiación. A diferencia de la estructura claramente definida del sistema dual de formación profesional, la educación superior presenta una variedad que se ha desarrollado, históricamente, con una orientación pragmática.

## 3. COLABORADORES IMPORTANTES EN LA FORMACIÓN PROFESIONAL

### 3.1. Ámbito de la República Federal

El Ministerio Federal de Educación e Investigación (BMBF) es responsable de la formación profesional en empresas en el contexto del sistema dual. La ley más importante aprobada por el BMBF es la Ley de Formación Profesional de 1969, que organiza, en toda la República Federal, las cuestiones relacionadas con las prácticas en empresa de la formación profesional. El Ministerio Federal de Economía también aprobó un código para regular las profesiones relacionadas con la artesanía (Ley del Artesanado).

Desde el 1 de abril de 2005, hay una nueva ley de formación profesional vigente que permite, por ejemplo, que los aprendices pasen hasta una cuarta parte de su

---

17. Esta posibilidad no existe en Sajonia ni en Baviera, pero sí en el resto de estados federados (Konsortium 2006, p. 317).

período de aprendizaje en el extranjero. Para tal fin deben solicitar un permiso en la escuela profesional dónde reciben formación.

En el ámbito de la República Federal existe el Instituto Federal de Formación Profesional (BIBB). En el comité principal del BIBB, las empresas, los empleados y los estados federados disponen de 16 representantes por cada colectivo. El comité principal asesora al Gobierno Federal sobre cuestiones fundamentales relativas a la formación profesional en las empresas. Además del comité principal, existe un subcomité (según el artículo 9, Ley de Promoción de la Formación Profesional) que se estableció para enmendar las disposicionesórdenes de formación profesional, válidas para toda la República Federal (ámbito empresarial), y el plan de estudios marco de las escuelas de cada uno de los estados federados (ámbito escolar).

## 3.2. Ámbito de los estados federados

Los ministros de educación y cultura de los estados federados son los responsables de la educación en las escuelas, tanto de la formación profesional como de la educación general (incluidas universidades y escuelas superiores).

Para garantizar la estandarización y la equivalencia en el ámbito nacional, los ministros de educación y cultura de los estados federados cooperan en la Conferencia Permanente de los Ministros de Educación y Cultura de los Estados Federados (KMK). Las decisiones de la KMK son recomendaciones marco que sólo entran en vigor cuando se transforman en leyes o reglamentos de los estados federados. Por un lado, la coordinación entre los ministros de educación y cultura garantiza la equivalencia en toda la nación y, por el otro, da carta blanca a los estados federados para crear regulaciones específicas.

Los estados federados establecieron comités para la formación profesional, que constan de representantes de las empresas, de los empleados y de las autoridades superiores del estado. Estos comités asesoran a los gobiernos de los estados federados (de forma análoga al comité principal del BIBB) sobre cuestiones de la formación profesional en la escuela.

## 3.3. Ámbito regional

El ámbito regional está controlado por las organizaciones de autogestión empresarial, llamadas "organismos competentes". Se trata de la Cámara de Industria y

Comercio en el ámbito comercial, la Cámara del Artesanado en el campo de los gremios, así como de las respectivas cámaras de comercio de las profesiones en los estados federados. Los "organismos competentes" evalúan la adecuación de las propuestas de formación, supervisan la formación en las empresas, asesoran a las empresas, a los formadores y a los aprendices, gestionan el registro de aprendices y son los responsables de organizar los exámenes finales.

Los organismos responsables están legalmente obligados a establecer un comité de formación profesional, con seis representantes para las empresas, seis para los empleados y seis profesores de las escuelas profesionales (éstos últimos, sólo en calidad de asesores). El comité debe estar informado sobre las cuestiones importantes relacionadas con la formación profesional, debe emitir un criterio sobre dichas cuestiones y puede decidir sobre la normativa legalmente vinculante sobre la práctica de la formación profesional en su especialidad (artículo 77ff., Ley de Formación Profesional/BbiG 2005).

## 3.4. Ámbito de los emplazamientos para la formación

La función, el estatus, la formación y la actividad de los formadores en las empresas y de los profesores en las escuelas profesionales están claramente definidos en el sistema dual.

En el contexto de los estudios en la universidad, que normalmente duran cinco años, los profesores de la escuela profesional realizan el "primer examen estatal". Los contenidos del examen abarcan los temas de educación, educación científica en sus campos o especialidades y didáctica específica.

Pasado el "primer examen estatal", sigue un período de formación de dos años, el "Referendariat". Esta fase incluye el estudio práctico en un seminario y la experiencia práctica en una escuela. La educación se completa con el "segundo examen estatal". Los profesores enseñan las bases teóricas de las profesiones en las que son especialistas.

Los formadores de las empresas deben estar cualificados profesional y educativamente, y deben presentar además un perfil adecuado para su función. Normalmente, su aptitud profesional se demuestra con el examen del título de maestría o completando la formación necesaria para su profesión. Hasta el 2003, su aptitud como educador en relación con su profesión se certificaba mediante el examen de formador. Este examen todavía está en vigor (y se solicita), pero en la actualidad ya no es un requisito indispensable para trabajar como formador. Los organismos responsables se encargan de garantizar la calidad profesional dentro de la empresa.

## 4. ANÁLISIS DE LA SITUACIÓN Y PERSPECTIVAS

### *4.1. Interés del sistema dual*

Para estudiar la orientación profesional de los jóvenes y su proceso para elegir una profesión, el Instituto Federal de Formación Profesional, en colaboración con Forsa, Berlín, llevaron a cabo un sondeo entre 1.500 graduados de escuelas de educación general. El sondeo se realizó entre principios de septiembre y finales de noviembre de 2005, mediante una encuesta telefónica asistida por ordenador. Los resultados se basaron en una muestra aleatoria representativa (BMBF 2006, Parte II, p. 79).

Divididos según los tipos de escuelas, la mayoría de los graduados de las escuelas secundarias (72,9%), las escuelas integradas –"Gesamtschule"– (60,2%) y las escuelas secundarias modernas (59,9%) declararon su deseo de recibir formación profesional en una empresa. De los graduados de las escuelas técnicas y de las escuelas secundarias de educación general y técnica, más de dos tercios [sic] (38,8%) estaban interesados en la educación dual y una proporción casi igual deseaba iniciar sus estudios (37,1%). Más de la mitad (52%) de graduados de escuelas secundarias de educación general querían ir a la universidad; igual que en el año anterior, un 17,1% deseaba recibir una educación dual. Los jóvenes de las escuelas profesionales a tiempo completo demostraron un mayor deseo de recibir una educación dual (76,9%). Dichos jóvenes ya habían abandonado la educación general el año anterior (o varios años antes) y habían estudiado un curso de formación profesional básica, un curso de formación preprofesional o bien habían estudiado uno o dos años en una escuela profesional a tiempo completo (BMBF 2006, Parte II, p. 81).

El gráfico 3 ilustra la distribución real de los graduados (estructurada según los niveles de certificación) entre los tres sectores del sistema de la formación profesional en 2004.

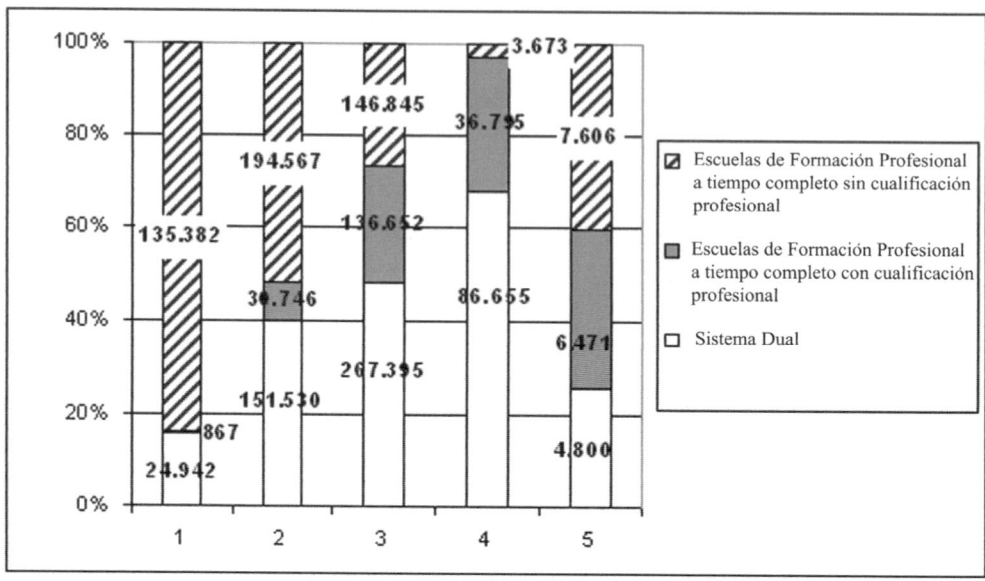

**Gráfico 3**: Relación de graduados en el sistema de formación profesional según los niveles de certificación en 2004 (Konsortium 2006, S. 83)

Se incluyen los siguientes cuatro grupos:

- 1 = estudiantes sin certificado de escuela secundaria
- 2 = estudiantes con certificado de escuela secundaria
- 3 = estudiantes con certificado de escuela secundaria moderna
- 4 = estudiantes con calificación para ingresar en universidades/escuelas superiores
- 5 = otros

Este gráfico muestra que 135.382 personas que no poseen el certificado de la escuela secundaria entran en el llamado "sistema de transición"[18]. Entre las personas que poseen el certificado de la escuela secundaria, 194.567 graduados, la proporción

---

18. Entre éstos, el "Konsortium Bildungsberichterstattung" cuenta: (1) el curso de formación profesional básica, (2) el curso de formación preprofesional, (3) las medidas tomadas por la Bundesagentur für Arbeit para mejorar las condiciones individuales para iniciar la formación profesional, así como (4) las ofertas de las escuelas profesionales a tiempo completo que no conducen a una formación profesional completa pero que, además de facilitar los conocimientos profesionales básicos, ofrecen la posibilidad de compensar el certificado de educación general y mejoran así las oportunidades de los jóvenes de encontrar una plaza de aprendizaje (Konsortium 2006, p. 80).

de los que entran en el "sistema de transición" es muy alta. Según estos datos, en el sistema de transición se encuentran sobre todo personas con o sin certificado de la escuela secundaria; por el contrario, 267.395 de las personas que poseen el certificado de la escuela secundaria moderna entran en el sistema dual. En dicho contexto, son el grupo más numeroso.

La mayoría de los graduados capacitados para entrar en la universidad/escuela superior inician sus estudios en la universidad (más de 350.000, no incluidos en el gráfico). Sin embargo, los que se decantan por la formación profesional eligen o bien la formación profesional en el sistema dual o la formación en una escuela profesional a tiempo completo.

El gráfico 4 ilustra la distribución real de los graduados (estructurada según los sectores) que se encuentran entre los tres sectores del sistema de formación profesional en 2004.

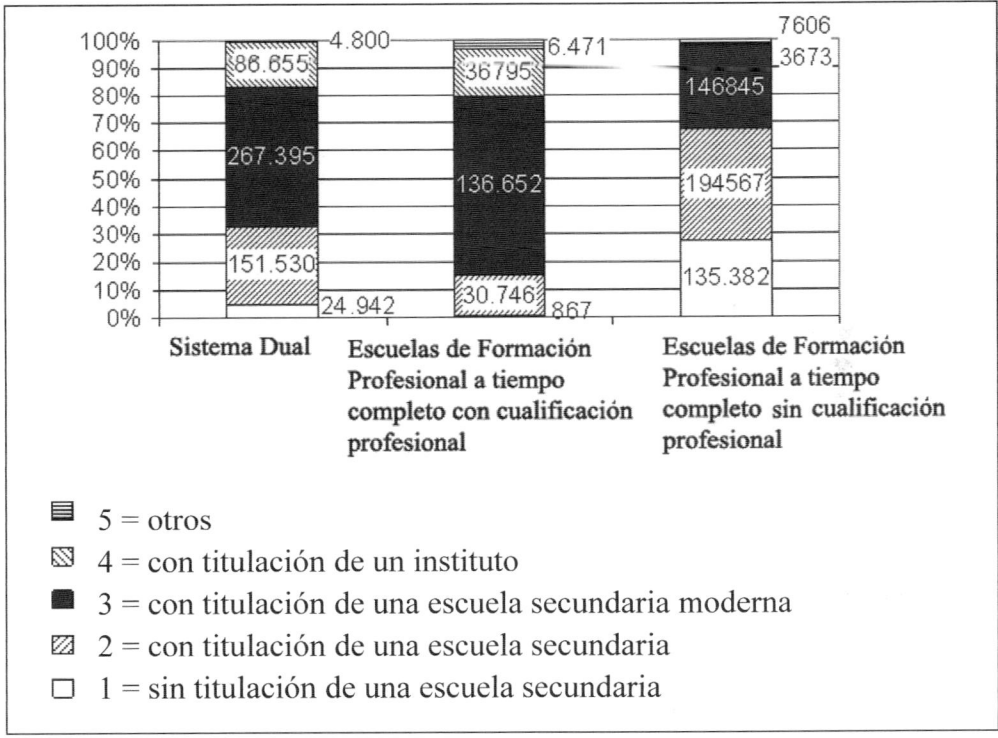

**Gráfico 4:** Relación de graduados en el sistema de formación profesional según los niveles de certificación en 2004 (Konsortium 2006, S. 83)

Un análisis más detallado de los datos del "Konsortium für Bildungsberichterstattung" revela que de los estudiantes del sistema dual, el 0,9% no finalizó la escuela secundaria, el 16,2% se graduó en la escuela secundaria y el 50% se graduó en la escuela secundaria moderna. Sólo un 4,6% de estudiantes del sistema dual obtuvo la capacitación para entrar en la universidad/escuela superior. Según estos datos, el sistema dual atrae principalmente a los graduados de la escuela secundaria moderna.

## 4.2. Variedad entre los estados federados

En cuanto a las dimensiones de los distintos cursos, existen diferencias notables entre los 16 estados federados. Para poner algunos ejemplos, en el estado federado de Bremen hay 770 plazas de formación en el sistema dual por cada 1.000 graduados de la población local; en Brandenburgo hay 494. Por otro lado y en comparación, Brandenburgo ofrece un número elevado de plazas en escuelas profesionales para profesiones reconocidas por BbiG/HwO (69 plazas por cada 1.000 graduados). En Sarre no existe ninguna oferta de plazas de este tipo; sin embargo, hay un gran número de plazas a tiempo completo para el curso de formación profesional básica (223 estudiantes por cada 1.000 graduados en escuelas de educación general). Además, en relación con su población hay muchas personas que estudian en la escuela técnica (BMBF 2006, Parte II, p. 108).

## 4.3. Relación de puestos de trabajo

El cuadro 2 ilustra la relación de empresas que ofrecieron puestos de trabajo para aprendices, según el porcentaje de los que finalizaron la formación en los viejos estados federados (primera cifra) y en los nuevos estados federados (segunda cifra) de 2000 a 2004, divididas según el tamaño de la empresa (Konsortium 2006, p. 266f).

|  | 2000 | 2001 | 2002 | 2003 | 2004 |
|---|---|---|---|---|---|
| **1-9 empleados** | 45,7/48,8 | 44,3/41,3 | 46,6/39,6 | 49,3/30,2 | 39,1/37,1 |
| **10-49 empleados** | 59,7/49,5 | 50,6/45,9 | 51,4/49,8 | 53,9/43,8 | 51,7/48,7 |
| **50-499 empleados** | 65,3/40,7 | 65,5/43,7 | 61,8/42,4 | 57,5/39,4 | 59/41,4 |
| **> 500 empleados** | 72,4/48,3 | 76,9/35,9 | 72,1/43,5 | 69,4/36,9 | 66,2/33,2 |
| **Total** | **60,4/46** | **58,8/42,7** | **57/44,1** | **56,7/38,7** | **53,8/41,2** |

**Cuadro 2**: Relación de empresas que ofrecieron puestos de trabajo a sus antiguos aprendices

Este cuadro muestra que: (1), tanto en los viejos estados federados como en los nuevos, el número de empresas que ofrecieron puestos de trabajo a sus antiguos aprendices ha disminuido de forma continua entre 2000 y 2004; cifras como 53,8 y 41,2 muestran un nivel de satisfacción mediocre; (2), la relación de empresas de los viejos estados federados y de los nuevos presenta una diferencia notable. Con un 53,8%, la proporción de 2004 de viejos estados federados es considerablemente superior a la de los nuevos, con sólo un 41,2%; y (3), mientras que en los viejos estados federados la proporción es mejor en empresas de más de 500 empleados, en los nuevos estados federados la proporción es mejor particularmente en empresas pequeñas, de 10 a 49 empleados.

La disminución del porcentaje, así como la disminución del número de nuevos contratos de formación profesional, demuestra hasta qué punto el sistema dual depende de la situación de la economía.

## 5. RETOS DE FUTURO

El punto fuerte del sistema de formación profesional en Alemania reside en el hecho de que un gran número de jóvenes tenga la posibilidad de completar una formación cualificada, gracias a la cual el mercado laboral se abastece de un potencial continuo de trabajadores preparados.

Sin embargo, el deseo de ofrecer formación profesional a todos los que estén interesados en ella (dada la disminución en la oferta de plazas de formación en el sistema dual) ha provocado el desarrollo de campos no coordinados y que son disfuncionales. Así, se produce en las intersecciones entre el sistema de formación profesional y el sistema de educación general, y entre el sistema de formación profesional y el mercado laboral:

- Sistema de formación profesional/sistema de educación general: en este ámbito se ha desarrollado el "sistema de transición", que no hace posible completar debidamente la formación profesional y no cuenta, a menudo, para una formación profesional posterior (en las escuelas profesionales y en las escuelas profesionales a tiempo completo). En este punto, el reto será estructurar de nuevo este sector de modo que permita utilizar las aptitudes adquiridas posteriormente para la formación profesional superior.
- En cuanto a la transición al mercado laboral, resulta evidente que está disminuyendo, por un lado, la proporción de aprendices que obtienen un puesto de trabajo en la empresa al finalizar su formación y, por el otro, el número de

contratos de formación profesional para comerciales/técnicos y ejecutivos cualificados. Respecto a los próximos años, la baja tasa de natalidad puede hacer que la formación profesional pierda su atractivo y, por lo tanto, disminuyen el número necesario de jóvenes profesionales.

En cuanto a la financiación del sector de la formación profesional, es necesario plantearse cuál debería ser la relación de la formación en la escuela (de financiación pública) y la formación en la empresa, o de si la inversión (en especial teniendo en cuenta los sistemas de transición) es más un recurso provisional que una medida que apoya la estructura del sistema.

Respecto a las escuelas profesionales a tiempo completo, cada vez resulta más importante que no sean un callejón sin salida y que hagan posible la transición a la educación terciaria. De este modo, el sistema de formación profesional no sólo estaría conectado a la educación terciaria mediante los certificados de educación general (obtenidos, por ejemplo, en la escuela técnica), sino por una trayectoria profesional-educativa propia, que permitiría llegar desde la formación profesional hasta la universidad, pasando por la escuela profesional a tiempo completo. Los primeros planes piloto para conseguir dicho objetivo ya están en funcionamiento.

Además y en el ámbito internacional el EQF (Marco Europeo de Cualificaciones) aprobado en 2006 plantea un reto decisivo, al igual que el ECVET (Sistema Europeo de Transferencia de Créditos para la Formación Profesional), que actualmente se encuentra en fase de desarrollo. Con estas medidas se pretende, principalmente, conseguir una mayor igualdad entre la educación general y la formación profesional (Konsortium 2006, p. 100).

## 6. REFERENCIAS BIBLIOGRÁFICAS

BBiG (2005): Bundesministerium für Bildung und Forschung (Hrsg.) (2005) Berufsbildungsgesetz vom 23. März 2005. http://www.bmbf.de/pub/bbig_20050323.pdf

BMBF (2006): Bundesministerium für Bildung und Forschung (2006): Berufsbildungsbericht 2006. Berlin.

KMK (1991): Sekretariat der Ständigen Konferenz der Kultusminister der Länder in der Bundesrepublik Deutschland (Hrsg.) (1991): Rahmenvereinbarung über die Berufsschule, Beschluss der Kultusministerkonferenz vom 15.03.1991, http://www.kmk.org/doc/beschl/rvbs91-03-15.pdf

KMK (2000): Sekretariat der Ständigen Konferenz der Kultusminister der Länder in der Bundesrepublik Deutschland (Hrsg.) (2000): Rahmenvereinbarung über die Berufsoberschule, Beschluss der Kultusministerkonferenz vom 25.11.1976 i.d.F. vom 16.06.2000, http://www.kmk.org/doc/beschl/rvbos00-06-16.pdf

KMK (2002): Sekretariat der Ständigen Konferenz der Kultusminister der Länder in der Bundesrepublik Deutschland (Hrsg.) (2002):Rahmenvereinbarung über Fachschulen, Beschluss der Kultusministerkonferenz vom 07.11.2002, http://www.kmk.org/doc/beschl/rvfachschul.pdf

KMK (2004a): Sekretariat der Ständigen Konferenz der Kultusminister der Länder in der Bundesrepublik Deutschland (Hrsg.) (2004a): Einordnung der Bachelorausbildungsgänge an Berufsakademien in die konsekutive Studienstruktur, Beschluss der Kultusministerkonferenz vom 15.10.2004. http://www.kmk.org/doc/beschl/EinordnungBachelorausbildunganBA_AS_Ka.pdf

KMK (2004b): Sekretariat der Ständigen Konferenz der Kultusminister der Länder in der Bundesrepublik Deutschland (Hrsg.) (2004b):: Rahmenvereinbarung über die Fachoberschule (Beschluss der Kultusministerkonferenz vom 16.12.2004, http://www.kmk.org/doc/beschl/RVFOS04-12-16.pdf

KMK (2006a): Sekretariat der Ständigen Konferenz der Kultusminister der Länder in der Bundesrepublik Deutschland (Hrsg.) (2006): Rahmenvereinbarung über die Berufsfachschulen, Beschluss der Kultusministerkonferenz vom 28.02.1997 i.d.F. vom 10.10.2006, http://www.kmk.org/doc/beschl/RVBFS06-10-10.pdf

KMK (2006b): Sekretariat der Ständigen Konferenz der Kultusminister der Länder in der Bundesrepublik Deutschland (Hrsg.) (2006): Das Bildungswesen in der Bundesrepublik Deutschland 2004. Darstellung der Kompetenzen und Strukturen sowie der bildungspolitischen Entwicklungen für den Informationsaustausch in Europa. http://www.kmk.org/dossier/dossier_dt_ebook.pdf

Konsortium (2006): Konsortium Bildungsberichterstattung (2006): Bildung in Deutschland. Ein indikatorengestützter Bericht mit einer Analyse zu Bildung und Migration. Bielefeld. http://www.bildungsbericht.de/daten/gesamtbericht.pdf

Kultusministerium Baden-Württemberg (2004):Verordnung des Kultusministeriums des Landes Baden-Württemberg über die Ausbildung und Prüfung im Berufsvorbereitungsjahr (BVJVO) vom 22. Juli 2004, http://www.leu.bw.schule.de/bild/BerufsvorbereitungsjahrVO.pdf

Mönks, F.J.; Pflüger, R. (2005): Gifted Education in 21 European Countries: Inventory and Perspective. BMBF (Hrsg.). Nijmegen, Berlin. http://www.bmbf.de/pub/gifted_education_21_eu_countries.pdf

Münch, J. (1994): Das Berufsbildungssystem in der Bundesrepublik Deutschland. CEDEFOP (Hrsg.). Luxemburg: Amt für amtliche Veröffentlichungen der Europäischen Gemeinschaft.

Statistisches Bundesamt (2006): Bildung und Kultur. Berufliche Schulen. Schuljahr 2005/2006. 3.November 2006, korrigiert am 14. November 2006. Wiesbaden. https://www-ec.destatis.de/csp/shop/sfg/bpm.html.cms.cBroker.cls?cmspath=struktur,vollanzeige.csp&ID=1019423

# Capítulo II
# El sistema de formación profesional en Gales*

**Brenig J. Davies**
Vicedirector de Coleg Morgannwg

---

* Publicado en Guía para la Formación Profesional (on line). Barcelona: Wolters Kluver, enero 2008.

Esta aportación describe el sistema de formación profesional en Gales, mostrando su alcance, su diversidad y su complejidad, al mismo tiempo que evidencia la importancia que le atribuye el Gobierno de la Asamblea de Gales (WAG) como factor relacionado con la mejora del Producto Interior Bruto (PIB). La aportación presenta varios casos que ilustran la pluralidad de la oferta educativa, describe la esencia del sistema de calidad externa existente y concluye con ejemplos de contribuciones importantes al sistema de formación profesional tomando la experiencia de 3 escuelas.

# 1. MARCO CONTEXTUAL

## 1.1. La referencia administrativa

El Departamento de Educación, Formación Permanente y Habilidades (DELLS) del WAG, creado en abril de 2006, administra el sistema de formación profesional (VET) de Gales. El Consejo Nacional de Educación y Formación de Gales (ELWa) fue su antecedente immediato. Utilizaremos en esta aportación información tanto del DELLS como del ELWa; también, aportaremos información sobre el organismo complementario Estyn[19], el cuerpo que se encarga de supervisar la calidad de la oferta educativa. La otra fuente principal de información utilizada será el fforwm, la Asociación de Centros de Formación Complementaria de Gales.

---

19. En Gales *Estyn* significa 'alargarse' o 'extenderse'.

El sistema de formación profesional post-16 de Gales, denominado "Sector de Aprendizaje y Habilidades", abarca instituciones de educación superior, escuelas secundarias, proveedoras de aprendizaje para el trabajo y proveedoras de aprendizaje comunitario. En 2004-05, se planificó la creación de 245.000 plazas para escuelas de formación complementaria (*ELWa's Corporate Plan 2004/07*, "Plan Corporativo del ELWa 2004-07"). Este dato puede compararse con los planes del DELLS para la creación de 335.000 plazas en 2006-07 (*DELLS Operational Plan 2006/07*, "Plan Operativo del DELLS 2006-07").

## 1.2. La formación profesional y el PIB

El Gobierno de la Asamblea de Gales considera al sistema de formación profesional como un factor importante para incrementar el Producto Interior Bruto (PIB). Aproximadamente, un 63,6% de la población de Gales reside en una zona Objetivo del Fondo Social Europeo (FSE) y, más recientemente, ha reunido los requisitos para recibir ayudas del Fondo de Cohesión[20]. En su primer boletín de noticias, el DELLS declaraba que el papel del Sector de Aprendizaje y Habilidades era fundamental para conseguir que Gales "*se convierta en una nación altamente cualificada y de alto rendimiento, en la que las personas y las empresas de todos los sectores desarrollen su máximo potencial*"[21] . Apoya el comentario anterior la siguiente declaración: "*Nuestro objetivo es dotar a Gales de uno de los mejores sistemas de educación y formación permanente del mundo. Queremos que Gales sea un país en constante aprendizaje, donde una formación permanente de alta calidad ofrezca las aptitudes que necesitan las personas para prosperar en la nueva economía*"[22].

## 2. LA ESTRUCTURA DEL SISTEMA DE FORMACIÓN PROFESIONAL

El gráfico 1 muestra la organización del sistema post-16, aplicada recientemente y en fase de desarrollo.

---

20. *WAG: Objective 1 Single Programming Document 2000-2006*, "WAG: Documento Único de Programación del Objetivo 1 2000-2006", 2004, p. 24.

21. *DELLS focus, issue 1: June 2006*, DELLS Focus, tema 1: junio 2006.

22. *The Learning Country – A Paving Document*, "El país en constante aprendizaje: documento básico", 2001, p. 8.

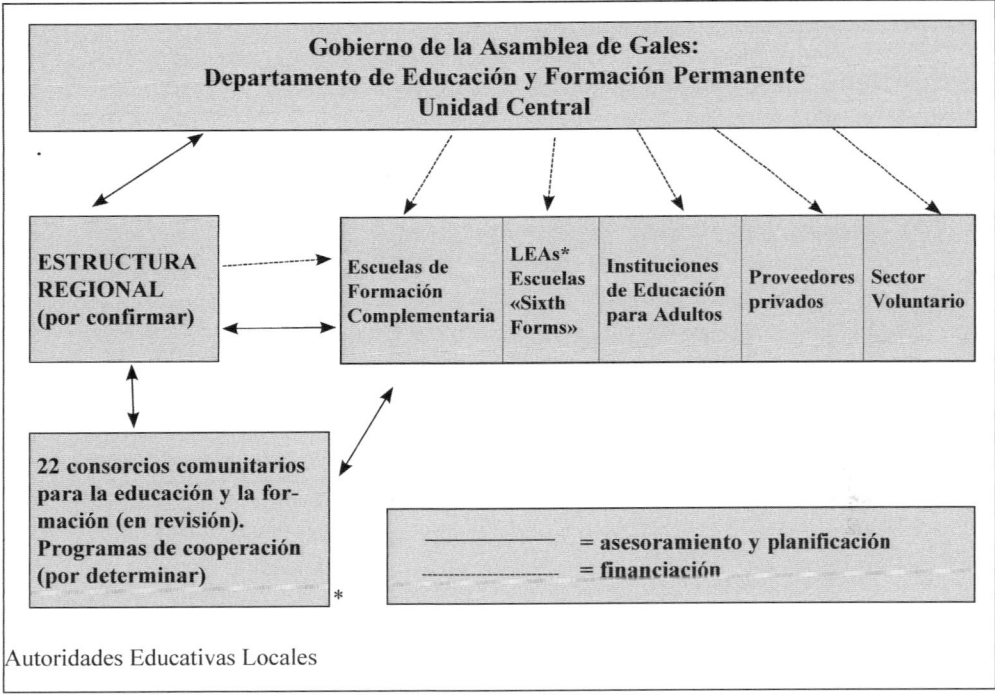

**Gráfico 1**: Sistema post-16 en Gales

## El Sector de Aprendizaje y Habilidades consta de:

- 25 instituciones de formación complementaria
- 172 escuelas y "sixth forms" (escuelas de educación preuniversitaria)
- 10 instituciones de educación superior que ofrecen formación complementaria
- Una amplia red de proveedores de formación del sector privado, del sector voluntario y comunitarios

El cuadro 1 describe las características esenciales de cada una de las tipologías de escuelas implicadas.

| Tipo de escuela | Oferta de cursos y edad de los estudiantes |
|---|---|
| 19 escuelas de formación complementaria general y escuelas terciarias | Ofrecen una amplia variedad de cursos técnicos, académicos y profesionales para estudiantes de todas las edades, a tiempo completo o parcial. |
| Una escuela "sixth form" | Ofrecen principalmente cursos a tiempo completo para estudiantes de 16-19 años; cada vez ofrecen una mayor variedad de cursos de formación profesional. |
| Dos escuelas de agricultura y horticultura (en el campo) | Ofrecen cursos a tiempo completo y parcial para estudiantes de 16-19 años y adultos, en esas especialidades profesionales. |
| Una institución designada especializada de formación complementaria | Cursos destinados a adultos, a tiempo parcial; algunos son a tiempo completo. |
| Dos instituciones especializadas de formación complementaria | Cursos destinados a adultos, la mayoría a tiempo parcial |

Cuadro 1: Oferta de cursos en las diferentes tipologías escolares

Algunas escuelas de formación complementaria tienen la categoría de escuelas terciarias. Este tipo de escuelas se encuentra en las zonas en las que las autoridades educativas locales han organizado escuelas secundarias para el grupo de edad de 11 a 16 años. En dicho sistema, los estudiantes pueden continuar la educación a tiempo completo si ingresan en una escuela terciaria. Como norma general, el plan de estudios de estas escuelas incluye un extenso programa académico, así como un programa de formación profesional. Las escuelas de formación complementaria, aunque también cuentan con un programa académico, se centran más en la formación profesional y técnica. Las escuelas de formación complementaria compiten, en estos casos, con las escuelas secundarias de la zona. Sin embargo, recientemente el WAG ha emitido propuestas para animar a las instituciones a crear convenios de colaboración para conseguir que la oferta de formación post-16 sea más variada y rentable[23].

La escuela de formación profesional atrae a **clientes** como estudiantes desde los 16 hasta los 80 o más años. La mayoría de los estudiantes a tiempo completo se encuentran en la franja de edad de los 16 a los 19 años; mientras que en las escuelas a tiempo parcial o nocturnas la mayoría son adultos. Los adultos son alrededor de un 60% del total de plazas. El 37% de los estudiantes procede de zonas marginadas eco-

---

23. *WAG: The Learning Country 2*, "WAG: El país en constante aprendizaje 2", 2006.

nómica y socialmente; también la mayoría de escuelas ofrece un programa nocturno completo de formación profesional y académica, con clases de 18:00 a 21:00.

Los principales grupos de estudiantes que se matriculan son:

- Jóvenes de 16 a 19 años y adultos que estudian cursos a tiempo completo de formación profesional, relacionados con su trabajo o generales.
- Estudiantes con dificultades de aprendizaje y/o deficiencias, que estudian cursos diseñados para adaptarse a sus necesidades.
- Adultos que trabajan en el sector comercial y de negocios que asisten a clases nocturnas para mejorar sus oportunidades profesionales.
- Adultos que toman cursos breves de actualización (de idiomas, informática y tecnologías de la información).
- Personas que desean actualizar sus habilidades profesionales para reincorporarse al trabajo.
- Jóvenes y adultos desempleados que desean ampliar sus posibilidades de encontrar trabajo.
- Aprendices que reciben formación fuera del trabajo.
- Adultos que desean ampliar su educación y su cultura general.
- Adultos que toman cursos de educación superior y formación profesional.
- Estudiantes extranjeros que desean obtener cualificaciones.
- Cursos especializados para empleados, que reciben formación en el lugar de trabajo.
- Formación en programas financiados por el gobierno; incluyen programas modernos de aprendizaje y programas ocupacionales para personas desempleadas.
- Evaluación del trabajo y ofertas de colaboración con empresas.
- Cursos de ocio e interés general, que no necesariamente ofrecen cualificaciones.

Una preocupación presente en las instituciones es la vinculación con el mundo del trabajo y las organizaciones empresariales. El estudio de caso que presenta el cuadro 2 es un ejemplo típico de la tarea que desempeñan las escuelas para apoyar la economía local.

## Planteamiento del Swansea Collage*

**Formación en el trabajo**

Esta escuela ofrece aprendizaje para el trabajo en 20 campos profesionales y, actualmente, colabora con unas 370 empresas diferentes, con casi 500 estudiantes.

La formación para el trabajo está muy valorada tanto a nivel individual como a nivel empresarial. Las cualificaciones adicionales que adquieren los estudiantes les ayudan a conseguir un puesto de trabajo y también resultan útiles para el funcionamiento de las empresas.

**Trabajo en colaboración**

La escuela estudia las tendencias de contratación y la demanda de los sectores mediante el diálogo con interlocutores externos. Esto garantiza el que la escuela se mantenga al día sobre las necesidades de la industria y el que los estudiantes puedan incorporarse a las organizaciones que ofrecen plazas vacantes. La escuela contribuye así a la prosperidad de la economía local mediante el desarrollo y la ampliación de las competencias profesionales.

El equipo de compromiso empresarial del que dispone la escuela ha creado excelentes lazos de cooperación con numerosas entidades locales. La relación con el Consejo para la Igualdad Racial ha mejorado, asimismo y considerablemente, las oportunidades de experiencia laboral y empleo en los campos profesionales pertinentes.

**Avances innovadores**

Una parte principal de la oferta de la escuela para el aprendizaje en el trabajo incluye programas "sociales" financiados por el WAG. Mediante estos programas, la escuela ofrece a los clientes ayuda y asesoramiento, así como técnicas de búsqueda de empleo y habilidades personales. La escuela se encarga de ayudar a los clientes a incorporarse en puestos de trabajo, asegurándose el que se adecuan bien a sus necesidades particulares. Muchos clientes han conseguido empleo a tiempo completo gracias a la escuela, y los que acaban los estudios sin haberlo encontrado siguen recibiendo ayuda del personal del departamento de empleo de la escuela que, por ejemplo, les organiza pruebas de selección de personal.

*Fuente: fforwm: Asociación de Centros de Formación Complementaria de Gales; "*Meeting your Needs: College Case Studies*", "Adaptación a las necesidades: estudios de caso de centros de formación complementaria", p. 8.

Cuadro 2: Ejemplo de la vinculación entre institución formadora – entorno laboral

Las grandes escuelas de formación complementaria ofrecen una **amplia selección de cursos**. El cuadro 3 muestra el número de estudiantes matriculados en Gales durante el año 2003.

| Disciplina de estudio | Total | | Disciplina de estudio | Total | |
|---|---|---|---|---|---|
| | Número | % | | Número | % |
| Gestión y dirección de empresas | 49.526 | 10 | Hostelería | 23.481 | 5 |
| Ventas/Marketing | 5.279 | 1 | Salud | 36.522 | 7 |
| Tecnologías de la información | 95.745 | 19 | Medio ambiente | 1.811 | 0 |
| Humanidades | 7.697 | 1 | Ciencias/Matemáticas | 39.767 | 8 |
| Ciencias sociales | 6.153 | 1 | Agricultura | 9.168 | 2 |
| Estudios culturales | 39.382 | 8 | Entorno construido | 12.952 | 3 |
| Educación | 13.779 | 3 | Servicios para la industria | 2.187 | 0 |
| Asistencia social | 84.344 | 16 | Fabricación | 5.845 | 1 |
| Artes y oficios | 21.568 | 4 | Ingeniería | 16.164 | 3 |
| Medios de comunicación | 32.705 | 6 | Minería/Química | 231 | 0 |
| Artes escénicas | 4.179 | 1 | Transportes | 1.511 | 0 |
| Deportes | 6.715 | 1 | Sin especificar | 7.570 | |
| | | | **Total** | **524.281** | |

Fuente: fforwm: Asociación de Centros de Formación Complementaria de Gales; *Manifesto: National Assembly for Wales Elections*, "Manifiesto: Asamblea Nacional para las Elecciones de Gales", mayo de 2003

**Cuadro 3**: Matrícula en Gales

Los cursos que ofrecen titulaciones reconocidas en el ámbito nacional cubren los niveles de acceso, básico, 1, 2, 3, 4 y 5. El gráfico 2 se muestra la distribución de las matriculaciones en una escuela de formación complementaria media.

Hay tres categorías principales de **cualificaciones** que ofrecen las escuelas:

- Las que ofrecen formación para ocupaciones específicas
- Las que ofrecen formación profesional general
- Las que se definen como generales o académicas.

Existe una cuarta categoría: los cursos de ocio para adultos, normalmente no acreditados.

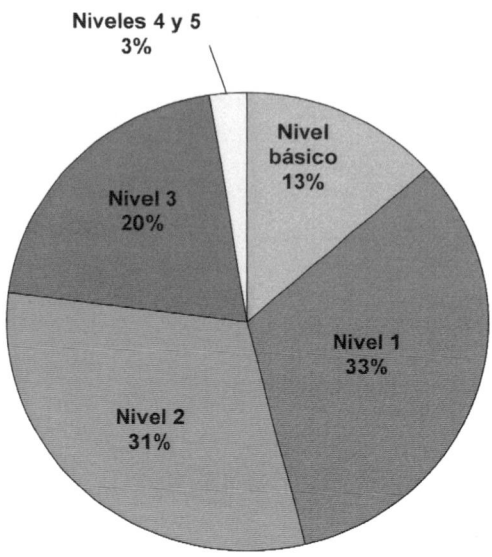

**Gráfico 2**: Distribución de la matrícula en la escuela de formación complementaria media

## 3. EL FUNCIONAMIENTO DE LAS INSTITUCIONES DE FORMACIÓN

Cada escuela de formación complementaria presenta una **organización interna** propia caracterizada por su cometido, tamaño, idiosincrasia, sistema de gestión y las condiciones socioeconómicas reinantes. Sin embargo, en el sector de la formación profesional, existen características similares: por ejemplo, todas las escuelas tienen un jefe ejecutivo que también es el director. El director es el responsable de la gestión cotidiana de la escuela y de su dirección académica.

Las escuelas también suelen disponer de una jerarquía de vicedirectores, que normalmente son dos: uno se encarga de la gestión de recursos y el otro del plan de estudios y de la calidad. Estos dos cargos, junto con el director, forman el equipo ejecutivo de la escuela. Los tres cargos se consideran puestos superiores y son designados por la corporación; es decir, por el consejo escolar. El resto de nombramientos se delegan al director. Mientras que el director es el encargado de dirigir a los vicedirectores, éstos son responsables de sus áreas respectivas.

Normalmente hay dos ámbitos de gestión (la académica y la funcional) por debajo del sistema ejecutivo:

- Los cuerpos de funcionarios son el resultado de la Ley sobre Educación Complementaria y Superior, de 1992. La Ley modificó el estatus de las escuelas de formación complementaria, que pasaron de ser instituciones dependientes de la autoridad educativa local a corporaciones independientes con financiación pública y con el deber de gestionar todos los aspectos de la organización de la escuela. Así, los cuerpos de funcionarios se encargan de: edificios y dependencias, asuntos de personal y empleo, desarrollo profesional continuo, finanzas, estadísticas de gestión, marketing y publicidad, y solicitudes de inscripción y matriculación de los estudiantes.
- La sección académica incluye: diseño y desarrollo de los planes de estudios, gestión de calidad, asistencia al estudiante, organización de cursos y rendimiento estudiantil. La orden rectificada nº 13, 3-1ª de 2003, del WAG, declara que la corporación es responsable de definir el carácter y la misión educativa de la institución, así como de supervisar sus actividades. Muchas de estas responsabilidades se delegan en el consejo escolar de cada institución.

La tercera jerarquía de gestión corresponde a menudo a las unidades de formación profesional y a las asignaturas. Dichas unidades pueden definirse como facultades o departamentos y sus nombres reflejan familias de cursos o sectores industriales similares como, por ejemplo, *"Facultad de ingeniería"*. Normalmente, existe una cuarta jerarquía para la gestión de los cursos, con nombres que corresponden a ocupaciones como, por ejemplo, *"escuela de peluquería"* o *"escuela de hostelería"*. Las unidades con funciones similares tienen terceros o cuartos cargos de gestión en la jerarquía.

Cada curso dispone de un tutor o un director de programa, cuyo rol es asegurarse de que el curso esté bien organizado y los estudiantes reciben una formación adecuada y están debidamente atendidos.

La gran mayoría de los profesores del sistema de formación profesional adquieren varios años de experiencia profesional antes de dedicarse a la docencia. Si no disponen de cualificación pedagógica, se les requiere para que la obtengan en los dos primeros años de la enseñanza y se les facilitan las condiciones que lo posibilitan.

De las recomendaciones dictadas por el Estyn[24], se extrae que una enseñanza y un aprendizaje eficaces se caracterizan por:

---

24. *Guidance on the Inspection of Further Education Institutions*, "Directrices para la inspección de instituciones de formación complementaria" en el Marco Común de Inspección, o CIF en sus siglas inglesas (se describe más adelante).

- Estudiantes comprometidos y motivados. Planes de estudio y clases bien planificados.
- Una docencia de calidad.
- El control y la supervisión del aprendizaje de los estudiantes.
- Un entorno de aprendizaje estimulante y bien dirigido.
- Materiales y equipos para el aprendizaje adecuados, que incluyan tecnologías modernas.
- Un apoyo docente adecuado a las necesidades particulares de los estudiantes.
- Una formación profesional pertinente.
- Una planificación y gestión de los cursos que respete por completo los principios de igualdad y de oportunidades de la escuela.
- Una evaluación del aprendizaje bien dirigida.
- Un buen nivel de rendimiento y continuidad escolar de los estudiantes.
- Mejoras continuas.

Las escuelas reciben aproximadamente un 80% de su **financiación** del DELLS. La cantidad anual depende de las matriculaciones del año anterior y se ajusta teniendo en cuenta el número de estudiantes que finalizaron adecuadamente el curso, así como la previsión de aumento de las matriculaciones. Otras fuentes de financiación serían:

- Consejo de Financiación de la Educación Superior en Gales (para cursos de nivel superior y de grado)
- Tasas de los estudiantes (principalmente de los estudiantes a tiempo parcial y de los de tiempo completo que no pertenecen a la Unión Europea)
- Unión Europea (Objetivo 1 y Fondos de Cohesión)
- Ingresos generados (cursos de coste íntegro, proyectos, solicitudes concedidas, catering, tiendas de granja, etc.).

Las escuelas están implicadas en muchos grupos de trabajo y en redes de **agentes** interesados, que básicamente son: estudiantes, empresas, autoridades locales, organizaciones comunitarias, escuelas secundarias, consejos de habilidades por sector, consorcios comunitarios para la educación y la formación (CCETs), agencias de orientación profesional, agencias de apoyo empresarial, sindicatos, DELLS, organizaciones profesionales, cuerpos organizadores de exámenes y cualificaciones y Estyn (cuerpo de inspección). Los profesores, el personal administrativo y los directores están relacionados de varias formas con los agentes interesados. Se da una gran prioridad al inicio, desarrollo y mantenimiento de las relaciones con contactos individuales y redes, por considerar que resultan de vital importancia para determinar el conocimiento del mercado por parte de cada una de las escuelas. La información adquirida ayuda a la escuela a desarrollar una nueva oferta de cursos y a mantener actualizados los cursos existentes.

El siguiente **estudio de caso** (Cuadro 4) ilustra cómo interactúa una escuela galesa con la comunidad local [25].

---

### Compromisos del Bridgend College

**Gran variedad de opciones**

Esta escuela ofrece un extenso programa de estudios para la comunidad a la que sirve. La oferta se compone de unas 25 áreas profesionales y de más de 500 cursos, que van desde sesiones introductorias hasta titulaciones de grado y postgrado. Colabora estrechamente con varias organizaciones asociadas, incluyendo autoridades locales, escuelas y entidades del sector privado, para garantizar que los estudiantes puedan beneficiarse de una amplia variedad de opciones.

**Ampliación de la participación**

La escuela dispone de 17 centros en todo el país que ofrecen un entorno confortable y atractivo para que los estudiantes se impliquen de nuevo en el aprendizaje. Ofrece oportunidades de aprendizaje flexibles que se adaptan a las necesidades de las empresas y de los estudiantes. La creación de cursos específicamente diseñados para trabajadores por turnos demuestra el compromiso de la escuela por adecuar los cursos a las necesidades de los mismos.

**Al servicio de la comunidad**

Algunos de los servicios que la escuela ofrece a la comunidad son:

- Espectáculos frecuentes a cargo de los estudiantes de artes escénicas.
- Restaurante, peluquería y salón de belleza de prácticas abiertos al público.
- El Centro de Asistencia a las Empresas e Innovación, que ofrece asesoramiento para negocios e instalaciones para conferencias.
- Centro de viajes.
- Guardería.
- Centro de jardinería.

---

**Cuadro 4:** Compromisos de una institución de formación profesional

---

25. fforwm: Asociación de Centros de Formación Complementaria de Gales; *Meeting your Needs: College Case Studies*, "Adaptación a las necesidades: estudios de caso de centros de formación complementaria", p. 2.

Comentamos a continuación, por su relevancia, el **sistema de inspección** establecido.

El Estyn tiene el deber de informar al WAG de la calidad de la oferta de formación complementaria en Gales. Se trata de un organismo independiente, pero fundado por el Gobierno de la Asamblea de Gales en virtud del artículo 104 de la Ley del Gobierno de Gales.

El Estyn realiza inspecciones de las escuelas de formación complementaria para cumplir con los deberes legales atribuidos al inspector general. El artículo 75 de la Ley de Aprendizaje y Habilidades (2000) estipula el compromiso del Estyn de inspeccionar la formación post-16 financiada por el Consejo Nacional de Educación y Formación de Gales, ELWa (DELLS). El artículo 76 establece el deber del inspector general de informar al WAG sobre la calidad de la oferta educativa y los niveles alcanzados, así como de si los fondos proporcionados a los proveedores de educación y formación se gestionan de manera eficiente y óptima.

La *finalidad del Estyn* (**www.estyn.gov.uk**) es:

- Elevar los niveles de calidad de la educación y la formación en Gales mediante la inspección y el asesoramiento, de acuerdo a la visión y la dirección estratégica estipulada por el Gobierno de la Asamblea de Gales.

Tiene como *objetivos*:

- Realizar una inspección de alta calidad de los proveedores de educación y formación de Gales, así como de los servicios relacionados.
- Ofrecer un asesoramiento independiente y adecuado, basado en los resultados de la inspección, para ayudar al Gobierno de la Asamblea de Gales a formular y evaluar las políticas de educación y formación.

Respecto al *proceso de inspección*, las inspecciones de los proveedores de formación complementaria se realizan, al menos, una vez cada seis años. El Marco Común de Inspección (CIF) ocupa la parte central del proceso: el CIF estipula los objetivos de la inspección[26], que son:

- Identificar los puntos fuertes y débiles para ayudar a los proveedores a mejorar la calidad y sus niveles de formación.

---

26. *Guidance on the Inspection process of Further Education Institutions*, "Directrices para el proceso de inspección de instituciones de formación complementaria", 2005, p. 1.

- Ofrecer una evaluación pública independiente de la calidad y de los niveles alcanzados por el proveedor.
- Mantener informados al Gobierno de la Asamblea de Gales y al público en general sobre los niveles de educación y formación.
- Identificar y fomentar las buenas prácticas, y ayudar a los proveedores a alcanzar la excelencia.

La inspección aspira así a responder a la pregunta: ¿Cuan altos son los niveles logrados por los estudiantes y qué efectos tienen sobre ellos la calidad de la oferta formativa y su gestión?

El contenido de la evaluación se centra en:

- Los logros de los alumnos.
- La calidad de la educación y de la formación ofrecidas.
- La eficacia y la eficiencia de la dirección y de la gestión.

La inspección debe centrarse en las experiencias de los estudiantes, y evaluar e informar en base a *siete preguntas clave*, que son:

Niveles:

- ¿Cómo y cuánto aprenden los estudiantes?
- ¿Cuál es el nivel de eficacia de la docencia, de la formación y del asesoramiento?

Calidad de la educación y la formación:

- ¿Cómo se adecuan las experiencias de aprendizaje a los intereses de los estudiantes y de la comunidad en general?
- ¿Cómo son la atención, la orientación y la asistencia que reciben los estudiantes?

Dirección y gestión:

- ¿Cuál es el grado de eficacia de la dirección y de la gestión estratégica?
- ¿Cuál es el grado de eficacia de los directores y de los gestores en la utilización de recursos?

Cada una de las preguntas clave está dividida en varias cuestiones relacionadas con criterios basados en la buena práctica y que ayudan a los inspectores a emitir sus juicios.

El DELLS espera que todas las escuelas aspiren a alcanzar la excelencia y no se conformencon mantener sus niveles de rendimiento actuales ni tomen como norma la mediocridad de la oferta educativa. La intención es que las aspiraciones de la escuela se proyecten en su enfoque de la autoevaluación y en la planificación estratégica subsiguiente. El proceso global debería formar parte de los procedimientos de planificación y desarrollo empresarial habituales y propios de toda escuela. Todo su personal debe ser animado a participar en el proceso de identificar prioridades para la mejora, el control de la oferta y la evaluación de los resultados[27].

Según el Estyn[28] , una *autoevaluación eficaz* tiene las siguientes características:

- Es abierta y veraz.
- Se centra principalmente en los niveles conseguidos por los estudiantes y en la calidad de su educación y formación.
- Se basa en una planificación estratégica y recurre regularmente a procedimientos de control de calidad.
- Involucra a todo el personal de todos los niveles en la evaluación de resultados y de su propio rendimiento.
- Se interesa sistemáticamente por la opinión de los estudiantes y consulta a otros agentes interesados, como empresas, subcontratistas y otros cuando se considera necesario.
- Pretende emitir sus juicios a partir de medidas de rendimiento y de identificar sus tendencias en el tiempo.
- Identifica las virtudes y las deficiencias. Los puntos fuertes deben ser realmente sólidos y no simplemente una práctica normal.
- Conduce al diseño de planes de acción que apuntan a objetivos claros y a criterios de éxito.
- Da lugar a una mejora en los niveles y en la calidad global.

Además de someterse al ciclo de inspecciones del Estyn, las escuelas tienen la obligación de redactar un Informe Anual de Calidad para el DELLS. Dicho informe incluye la información recopilada en la Revisión del Rendimiento de los Proveedores, redactada por el DELLS y los sistemas de calidad internos.

---

27. *Aiming for Excellence: Quality Framework*, "Apuntando a la excelencia: marco de calidad", ELWa NC/C/03/10LPD 2003.

28. *Guidance on the Inspection process of Further Education Institutions*, "Directrices para el proceso de inspección de instituciones de formación complementaria", p. 72.

# 4. EJEMPLOS DE CONTRIBUCIONES IMPORTANTES A LA FORMACIÓN PROFESIONAL EN GALES

Presentamos tres ejemplos: uno describe el compromiso empresarial y los otros,una gestión de calidad excepcional.

## *4.1. El Pembrokeshire College[29]*

Este ejemplo describe el esfuerzo íntegral de una escuela por tomar el compromiso empresarial como objetivo estratégico. Este esfuerzo implicó una reestructuración departamental, la definición de nuevos objetivos y un cambio de filosofía para gran parte de su personal.

### El contexto

Hasta el año académico 2003-04 la escuela disponía de secciones independientes para los programas comunitarios, el aprendizaje mediante el trabajo y la empresa.

Durante el proceso de elaboración del plan institucional de 2002-03, se hizo evidente la necesidad de un cambio radical por dos motivos: en primer lugar, los datos de la investigación local indicaban la creciente importancia y la necesidad de plantear objetivos para apoyar a las empresas y a la economía locales; en segundo lugar, se detectó que la gestión y la estructura departamental vigentes no eran adecuadas para alcanzar dicho objetivo.

En consecuencia, se decidió llevar a cabo una reestructuración para crear una nueva facultad de formación permanente, con un director, directores adjuntos y equipos de personal, con la finalidad de apoyar a los dos sectores objetivo: la comunidad y las empresas. El cometido era disponer de un personal que estuviera en contacto con todas las empresas locales para poder identificar las necesidades formativas, diseñar y distribuir programas de formación y ofrecer asistencia y asesoramiento. Se creó el puesto de director de empresa e innovación, con un equipo a su cargo, con la finalidad de fomentar la participación de las empresas en los cursos existentes y de dar apoyo a los estudiantes, a las empresas emergentes y a las ya existentes, para desarrollar nuevas ideas, oportunidades y planes empresariales.

---

29.  Este ejemplo no publicado consiguió un premio "Beacon Award 2005" de la Asociación de Centros de Formación Complementaria.

### Éxito precoz: un proyecto de colaboración

Uno de los primeros resultados de la reestructuración, y quizá el más ambicioso, fue un proyecto de colaboración con una empresa local de ingeniería mecánica para desarrollar un sistema de radar pionero y una innovadora plataforma marítima flotante para la tecnología del radar. El proyecto implicaba compartir y desarrollar técnicas del campo de la electrónica marítima pionera, para crear un sistema de sónar submarino y una plataforma flotante para la comunicación por satélite que se utiliza en el control de la navegación de las embarcaciones.

La nueva facultad responsable del desarrollo de habilidades y relaciones empresariales no tardó en establecer fuertes vínculos con la empresa, basados en la sinergia de esfuerzos y en objetivos mutuos posibilitados por el director superior. Completaron el proceso la participación de tres profesores, el uso de las instalaciones de la escuela y los recursos técnicos y científicos de la empresa. El proceso también implicó la asociación con universidades y empresas del Reino Unido y extranjeras.

Esta experiencia de colaboración ayudó a ampliar los conocimientos, habilidades y cualificaciones del personal, además de permitir a la empresa desarrollar un ambicioso producto. El proyecto recibió una beca del KEF ("Knowledge Exploitation Fund", un proyecto financiado por el WAG para fomentar la colaboración entre empresas y entidades de formación). Otras ventajas obtenidas fueron:

- El establecimiento de un modelo aplicable a otras empresas asociadas.
- El desarrollo profesional del personal de ambas entidades.
- La oportunidad de la escuela de introducirse en el campo de la electrónica marítima.
- El personal de la empresa facilitó información sobre cómo identificar las necesidades de formación en una empresa y obtener ayuda financiera mediante becas.

Sobre las **lecciones aprendidas,** podemos señalar que:

El personal de ambas entidades colaboró estrechamente para identificar problemas en el sistema prototipo y encontrar soluciones a dichos problemas. Ambas partes consignaron recursos para el proyecto: espacio, maquinaria, equipos y personal. Todo el proceso se caracterizó por una colaboración madura que hizo posible el éxito del proyecto.

Las refinerías locales producen casi el 20% del combustible necesario en el Reino Unido y son la industria local más importante. El éxito temprano del compromiso empresarial animó a la escuela a seguir desarrollando su nueva estrategia mediante un conjunto de redes e iniciativas del FSE (Fondo Social Europeo). Desde entonces, se ha creado una extensa red de vínculos empresariales para apoyar a las industrias locales, y en particular a las refinerías, el principal sector de empleo.

La escuela sigue colaborando con más de 200 pymes de la zona que apoyan a la industria del petróleo. Un ejemplo del compromiso empresarial hizo posible el éxito de un proyecto del FSE que implicó la contratación de 100 beneficiarios en más de 60 empresas, la mayoría de las cuales forman parte de la cadena de suministro de la industria del petróleo. El establecimiento de relaciones empresariales sostenibles es fundamental en la construcción de terminales de gas natural en la zona, que se prevé que darán empleo a 1.000 personas en siete años.

### Los vínculos empresariales y el *networking* innovador

- Además de las redes de la industria del petróleo, la escuela creó vínculos productivos con el Foro Costero, la red de la construcción, productores de alimentos orgánicos, foros de asistencia y una asociación de apoyo empresarial.
- La escuela se ha convertido en el principal proveedor del programa "Welsh Tourist Board Welcome Host" (premios de servicio al cliente organizados por la junta de turismo de Gales).
- Existen vínculos establecidos con proveedores de formación privados y agencias de desarrollo empresarial que dependen de autoridades locales. Estas organizaciones ofrecen asesoramiento a las nuevas empresas que desean acceder a becas del KEF o al servicio de incubación empresarial de la escuela. Los vínculos con empresas y los acuerdos de transferencia de conocimiento (*Knowledge Transfer Partnerships*) de la escuela han permitido crear varios proyectos conjuntos.
- Se organizan seminarios diurnos y nocturnos para las pymes locales, con el apoyo financiero del KEF y de Know How Wales. Los temas de los seminarios incluyen e-marketing, seguridad en internet, diseño asistido por ordenador y *networking* empresarial. A veces, estos seminarios llevan a crear programas de formación para pymes. Para conseguir que esta actividad sea sostenible, la escuela ha lanzado un plan de conferencias comerciales. Algunos ejemplos de conferencias que han tenido éxito son *Commercial Overseas Activity for Colleges* ("Actividad Comercial Internacional para Centros de Formación Complementaria") y *Biotechnology Business Opportunities* ("Oportunidades Empresariales en el Campo de la Biotecnología").
- Esta escuela tiene el mayor número de estudiantes extranjeros matriculados en todo el sector de la formación profesional de Gales. Muchos de estos estudiantes son graduados con una amplia experiencia industrial a los que se ha incorporado a empresas locales para establecer vínculos con los mercados internacionales.

- Un miembro del personal de la escuela visitó Qatar Gas para informarse sobre los requisitos de formación para dar apoyo al proyecto de Pembrokeshire Liquefied Natural Gas.

- La escuela ha desarrollado un nuevo programa de formación en el sector del petróleo y del gas con una refinería local. Esto permite a los jóvenes realizar un aprendizaje de nivel 3 de NVQ (Cualificación Profesional Nacional) y HNC (Certificado Nacional de Estudios Superiores) en una mayor variedad de sectores tecnológicos. Los aprendices son contratados por un grupo de empresas muchas de las cuales son subcontratistas locales.

- COGENT, el consejo de oficios del sector del petróleo y del gas, colabora con la escuela para crear un sistema de formación mixto para las pymes locales.

- La escuela, junto con las entidades asociadas de la zona, desempeña un papel principal en la promoción y la organización del programa anual de premios empresariales "Pembrokeshire Business Awards" y del acto de presentación de dichos premios, enfocados a fomentar una cultura de desarrollo empresarial innovador en las pymes locales.

- Para la comunicación con las empresas asociadas de Irlanda y Singapur se ha utilizado el sistema de videoconferencia.

- Se ha facilitado un análisis de las necesidades de formación a las pymes para ayudarlas a identificar los requisitos de formación y mejorar así su rendimiento empresarial. En un año se ha facilitado este servicio a más de 40 empresas. La mayor parte de los resultados seguían la línea de otras investigaciones regionales, pero entre ellos hubo el importante descubrimiento referido al grave déficit de directores cualificados en el sector de las pymes. Actualmente la Facultad afronta el problema ofreciendo los niveles 4 y 5 de gestión empresarial, en el marco de la NVQ (Cualificación Profesional Nacional).

**Los beneficios para el personal**

El compromiso con las empresas como objetivo estratégico clave, además de la reorganización y de la creación de nuevos puestos, requería también un amplio desarrollo del personal. A continuación se indican las actividades incluidas en dicho desarrollo:

- Un miembro de SMT trabajó dos años en una empresa de ingeniería dirigiendo un proyecto de comunicación marítima.

- Dos tutores a tiempo parcial adscritos a una empresa local obtuvieron una titulación superior en tecnología de señales.

- El director de innovación y empresa obtuvo una titulación superior investigando el impacto de la educación y la formación en la cadena de suministro de la industria del petróleo.

- El personal visitó Irlanda, Singapur, Malasia y China para identificar prácticas óptimas en las unidades de incubación empresarial.
- El personal obtuvo ubicaciones industriales con el Congreso de Sindicatos, el Consorcio Sanitario, los Servicios Sociales y varias pymes locales.
- Varios miembros del personal tomaron cursos para obtener cualificaciones en materia de gestión.

## 4.2. El Colegio Llandrillo Wales

Utilizaremos este ejemplo para ilustrar el impacto positivo de unos buenos sistemas de gestión y control de calidad. El perfil de evaluación de una inspección del Estyn completada en febrero de 2005 mostró las máximas calificaciones posibles en la escala, con la nota de 1 en cada una de las siete preguntas utilizada.

**El informe del Estyn declaraba:**

*"Las calificaciones de inspección otorgadas a la escuela son, en conjunto, muy buenas. Ningún área del programa académico se encuentra por debajo del umbral de calidad. Los niveles de cuatro de las cinco áreas inspeccionadas son buenos, con algunas características destacables. El área restante presenta buenas características y no sufre deficiencias importantes".*

El equipo de inspección juzgó el rendimiento de la escuela de la forma siguiente:

| Pregunta clave | Cualificación |
|---|---|
| 1. ¿Cómo y cuánto aprenden los estudiantes? | 1 |
| 2. ¿Cuál es el nivel de eficacia de la docencia, de la formación y del asesoramiento? | 1 |
| 3. ¿Cómo se adecuan las experiencias de aprendizaje a los intereses de los estudiantes y de la comunidad en general? | 1 |
| 4. ¿Cómo son la atención, la orientación y la asistencia que reciben los estudiantes? | 1 |
| 5. ¿Cuál es el grado de eficacia de la dirección y de la gestión estratégica? | 1 |
| 6. ¿Cómo evalúan y mejoran la calidad y los niveles los alumnos y la dirección? | 1 |
| 7. ¿Cuál es el grado de eficacia de los directores y de los gestores en la utilización de recursos? | 1 |

El informe del Estyn continúa diciendo:

*"En conjunto, el índice de estudiantes que finalizan adecuadamente sus cursos es muy bueno en todos los niveles. Los niveles obtenidos también están por encima de la media del sector en casi todos los niveles de estudios. En general, los índices con los que los estudiantes a tiempo completo y a tiempo parcial completan sus cualificaciones han mejorado en los últimos tres años. Alrededor de un 75% de las áreas del programa académico presentan resultados por encima de la media del sector en la finalización de cursos, tanto en estudiantes a tiempo completo como a tiempo parcial.*

El informe destacaba el inspirador liderazgo del director y del equipo directivo superior. Asimismo, los inspectores del Estyn juzgaron que el director y el equipo marcaban una dirección estratégica clara mediante los valores y los objetivos que comunicaban al personal y a los estudiantes. Se consideró que el equipo directivo superior seguía un estilo de gestión abierto y consultivo, y que tomaba las decisiones de manera transparente. Además, la misión y los valores esenciales de la escuela establecían unos criterios claros para todos los miembros de la comunidad escolar.

La misión de la escuela se centra en ofrecer oportunidades educativas que contribuyan al desarrollo individual de los alumnos y al desarrollo socioeconómico de la comunidad local. Tal objetivo demuestra el compromiso de la escuela por fomentar la excelencia, la igualdad de oportunidades y los vínculos de colaboración. Estos valores se reflejan en los planes operativos de contenidos educativos y áreas funcionales.

El director, el equipo de políticas y el equipo directivo superior se asesoran generalmente mediante estructuras de comités, equipos de análisis y comités consultivos que se reúnen con regularidad. Se sigue un enfoque que permite al personal de todos los niveles contribuir en la planificación y que garantiza que la comunicación fluya libremente. Se constató que la dirección había creado una gran variedad de políticas pertinentes, que se revisaban y actualizaban regularmente. El informe enfatizaba el excelente apoyo que los directores ofrecían a sus equipos y la forma como fomentaban un trabajo de equipo eficaz en todos los niveles de la escuela. Los directores superiores delegaban un alto grado de responsabilidad, pero supervisaban los resultados minuciosamente. Las líneas de responsabilidad eran claras y los niveles en que se delegaba eran apropiados.

## El personal: desarrollo y enseñanza

El Estyn constató que, en general, el personal estaba bien cualificado, experimentado y empleado correctamente. Hay un extenso programa de desarrollo de personal vinculado al plan estratégico de la escuela, al cual se puede acceder *on-line* mediante la intranet.

La inspección evaluó de forma positiva a la mayoría de las sesiones formativas y detectó características sobresalientes en un alto porcentaje de ellas. En casi todas las clases, los estudiantes se muestran muy comprometidos y trabajan de forma productiva. Los profesores tienen grandes expectativas, y utilizan sus competencias y su experiencia con mucha eficacia en sesiones teóricas y prácticas bien planificadas.

En la mayoría de clases, los profesores comunican los objetivos a los estudiantes al empezar y realizan comprobaciones regularmente para asegurarse de que los estudiantes entienden los nuevos conceptos. En muchas clases los profesores se centran en el desarrollo de las habilidades clave y en las complementarias de los estudiantes. La excelente interacción entre estudiantes y profesores permite un aprendizaje eficaz.

**El diseño de planes de estudios**

La escuela presenta una oferta amplia en todos los niveles y áreas del programa educativo, lo que permite a los estudiantes progresar de forma organizada. El personal se sirve de varias fuentes de información sobre el mercado laboral para diseñar los planes de estudios. Tanto en la sede principal como en el resto de centros existe una buena combinación de cursos a tiempo completo y a tiempo parcial. Los estudiantes disfrutan de mucha flexibilidad para elegir las asignaturas. La escuela mantiene vínculos de cooperación útiles con un gran número de organizaciones externas y mantiene buenas relaciones con las escuelas secundarias de su zona de influencia.

En general, los inspectores consideraron que el diseño de los planes de estudio tienen en cuenta las prioridades nacionales de la formación permanente y contribuyen de forma adecuada a la regeneración de la comunidad. La dirección apoya una amplia gama de programas de fomento de la participación comunitaria y promueve un desarrollo sostenible. El departamento de atención al cliente ofrece un extenso programa de formación para el trabajo, así como una gran variedad de cursos y programas de formación breves diseñados a medida.

La planificación y la gestión coherente de los servicios ofrecen una ayuda sobresaliente a los estudiantes en su primer contacto con la escuela. El personal muestra una gran dedicación a la hora de facilitar a los estudiantes la ayuda adecuada a su estilo de aprendizaje. La filosofía de la escuela define un entorno educativo inclusivo en el que los estudiantes son valorados y asistidos.

La escuela hace un uso óptimo de las tecnologías de la información y de las comunicaciones para ofrecer asistencia a los estudiantes. La evaluación básica de habilidades *on-line* y la creación de planes de ayuda personalizados acorta el tiempo necesario para organizar la asistencia adecuada. El innovador sistema de asistencia al estudiante conecta a los tutores personales y a los participantes entre si, así como con los procedimientos de información, lo que permite a los profesores controlar y seguir el progreso de los estudiantes de manera eficiente.

La escuela se beneficia de la participación y la experiencia de un órgano de gobierno fuerte, que representa a un amplio grupo de agentes interesados. Destaca la contribución del órgano de gobierno a la hora de definir y hacer el seguimiento de la dirección estratégica de la escuela, así como la asistencia que presta al equipo directivo.

**La gestión de calidad**

El informe subraya la rigurosa búsqueda de la excelencia, que sustenta todos los aspectos del trabajo de la escuela. Tiene disposiciones globales para gestionar la calidad de la oferta educativa que han sido examinadas y moldeadas en un largo período de tiempo. Todos los datos cuantitativos están disponibles *on-line*, gracias a lo que el personal puede centrarse en gestionar mejoras sirviéndose de datos exactos y actualizados. Se hace un uso apropiado de objetivos para elevar la calidad de la oferta en todas las partes de la escuela.

A continuación, se describen varios ejemplos de buenas prácticas extraídos del informe de inspección del Estyn.

*a) La promoción empresarial*

---

Cada área de programa tiene un *enterprise champion* ("campeón empresarial") que forma parte de un equipo empresarial interescolar, liderado por un director de empresa. El equipo empresarial ha diseñado actividades interesantes y desafiantes para que los estudiantes las utilicen como material didáctico. El equipo organiza conferencias con oradores externos, visitas, seminarios y competiciones para que los estudiantes amplíen sus horizontes. En noviembre de 2004 la escuela celebró una semana de la empresa en la que los estudiantes se centraron en actividades empresariales. Todos los años la escuela excede su objetivo de implicación del estudiantado en actividades empresariales.

---

## b) La asistencia al estudiante

El personal del centro de asesoramiento y orientación ofrece a los estudiantes un servicio de asistencia integral y pertinente. El coordinador de asistencia al estudiante colabora estrechamente con los profesores y las agencias externas para garantizar el bienestar de los mismos. Por ejemplo, la escuela cuenta con una clínica sanitaria para menores de 25 años que ofrece educación sanitaria general y sexual, un servicio esencial para un gran número de estudiantes. El estudiantado de las escuelas de la comunidad también participa en útiles talleres informativos sobre salud. Los consejeros cualificados facilitan asistencia en todo momento.

Para los estudiantes que presentan un "nivel 3 de acceso", hay un programa de asistencia que incluye recursos de "Learndirect – Skills for life"; además, reciben ayuda de su tutor de curso o del personal de habilidades básicas de los centros de aprendizaje. Cuando los estudiantes se niegan a recibir ayuda adicional, los tutores personales les animan regularmente a aceptarla, recordándoles sus beneficios. Los proveedores de "Skills for Life" también ofrecen una ayuda eficaz en la adquisición de habilidades básicas.

## c) El desarrollo del personal

Las actividades de desarrollo del personal se benefician de un sistema de intranet *on-line* de la escuela. La intranet contiene un mapa de información disponible para el personal en formación que le permite planificar su propio desarrollo profesional. La dirección utiliza el mismo sistema para hacer un seguimiento de la acogida y la eficacia de los cursos de formación. El sistema registra todas las actividades de desarrollo del personal y ayuda a la dirección a utilizar y administrar los recursos de la manera más eficiente posible.

## d) Los asesores de calidad

Los profesores que muestran un rendimiento sobresaliente se designan como "asesores de calidad", con la misión de ayudar a otros profesores a mejorar todos los aspectos de su práctica profesional. Estos asesores, que a menudo ofrecen ejemplos de excelencia profesional a través de su propia práctica, consiguen un efecto muy positivo sobre el trabajo de otros profesores supervisándolos y compartiendo con ellos sus buenas prácticas.

### f) El alojamiento para estudiantes

La escuela ha finalizado recientemente la implementación de un plan inmobiliario a diez años. Este proyecto estratégico a largo plazo, minuciosamente planificado, incluye la transformación "Heartspace" del campus principal para añadir una nueva zona de recepción con vestíbulo, restaurantes, áreas de asistencia al estudiante, una agencia de viajes y un centro de conferencias regional. Otras instalaciones importantes añadidas son el Centro de Automoción, el Centro de Innovación Tecnológica y el Centro de Estudios Avanzados. Las nuevas instalaciones son de una calidad destacable y fomentan la motivación de estudiantes y profesores.

### g) Los indicadores de rendimiento del curso

Los objetivos para matriculaciones, asistencia, continuidad escolar y logros académicos se comparan con sus correspondientes indicadores de rendimiento de curso; además, también se analizan los niveles de satisfacción registrados en los cuestionarios que se realizan a los estudiantes. La "tarjeta de puntuación" genera automáticamente una puntuación indicadora en un nivel del 1 al 5. Los equipos de cada curso comentan dichas puntuaciones para buscar respuestas, y después se agregan las puntuaciones individuales para obtener una puntuación global de cada curso. La dirección examina las puntuaciones y las utiliza para detectar los puntos débiles y tomar las medidas necesarias para mejorarlos. Se trata de un método muy efectivo para sintetizar grandes cantidades de datos sobre rendimiento mediante un proceso controlable que permite medir la calidad de los resultados. Una vez analizados los resultados, se procede a intervenir apropiadamente.

### h) Objetivos de gestión

El establecimiento de objetivos, con las consiguientes acciones para alcanzarlos, fomenta la mejora en la organización. Los directores, las unidades de gestión y el órgano de gobierno estipulan y supervisan una serie de objetivos clave que proponen retos en todos los niveles. Dichos objetivos incluyen el aumento de matriculaciones, asistencia a clase, continuidad escolar y logros académicos. La dirección compara el rendimiento con el de otras escuelas y con las medias del sector, e informa con regularidad sobre el progreso en los objetivos.

## 4.3. El Deeside College[30]

Utilizaremos este ejemplo para ilustrar el desarrollo adecuado de programas de seguridad y salud para la industria.

---

30. Este ejemplo no publicado consiguió un premio "Beacon Award 2005" de la Asociación de Centros de Formación Complementaria.

**Formación sobre salud y seguridad para la industria**

La organización de los cursos sobre salud y seguridad va a cargo del Departamento de Servicios Comerciales de la escuela, establecido en 1997 con el único fin de cubrir las necesidades formativas de la industria. Durante un período de ocho años, unas 8.000 personas recibieron formación sobre salud y seguridad laboral. Esta formación está dirigida a empresas, autoridades locales y personas de la zona nordeste y los condados contiguos. Participan en la formación los directores de salud y seguridad, el personal del departamento de seguridad y otros profesionales que ocupan o desean obtener un puesto en materia de salud y seguridad. Algunos empleados realizan la formación para ampliar sus conocimientos, mientras que otros aspiran a conseguir una carrera como empleados de salud y seguridad mediante la adquisición de cualificaciones profesionales como el diploma de nivel 4 de NVQ en Salud y Seguridad en el Trabajo.

La estrategia empresarial del Departamento de Servicios Comerciales consiste en establecer vínculos de cooperación a largo plazo con empresas, para estudiar las necesidades formativas y las circunstancias particulares de cada empresa.

Con el asesoramiento de directores y empleados de empresas de una amplia gama de sectores profesionales, complementado por los resultados de la evaluación realizada por los participantes de anteriores programas, se establecieron una serie de **objetivos** para los programas de salud y seguridad.

El cometido de la unidad de salud y seguridad del Departamento de Servicios Comerciales es:

- Ofrecer una amplia variedad de cursos sobre salud y seguridad que se adecuen a las necesidades de las personas y de las entidades.
- Diseñar una oferta variada que fomente y mejore la concienciación sobre salud y seguridad.
- Ofrecer a los empleados la oportunidad de progresar a la formación complementaria.

Los objetivos de la formación sobre salud y seguridad son:

- Facilitar a las personas información actualizada sobre sistemas de gestión de salud y seguridad, legislación y conocimiento sobre riesgos laborales.
- Reducir los riesgos que atentan contra la salud y la seguridad de las personas.
- Ayudar a las empresas a reducir el riesgo de accidentes y enfermedades.
- Satisfacer las necesidades en materia de salud y seguridad de las personas, independientemente de su género, raza, origen étnico, idioma, incapacidad o nivel educativo.

- Contribuir en el desarrollo profesional continuo de los empleados ampliando sus habilidades transferibles y elevando su potencial de promoción profesional.

Estos objetivos generales se afrontan ofreciendo una serie de cursos a la medida de todos los empleados de una entidad. Los programas se centran, especialmente, en la gestión de riesgos. Todos los programas y objetivos se supervisan y evalúan con regularidad; las valoraciones de los estudiantes se utilizan para modificar los programas sobre salud y seguridad. El equipo directivo superior es responsable del proceso de supervisión, que incluye la evaluación del rendimiento del estudiantado desde una perspectiva estratégica.

Además de los programas mencionados, los **cursos** normalmente cubren las siguientes cualificaciones:

- Certificado Básico de Salud y Seguridad en el Trabajo (nivel 1), que ofrece una visión general básica de la salud y la seguridad en el lugar de trabajo.
- Valoración de riesgos, manipulación y control de sustancias peligrosas
- Certificado de Gestión Segura (nivel 2) para supervisores o directores
- Certificado General de Salud y Seguridad en el Trabajo (nivel 3)
- Diploma en Salud y Seguridad en el Trabajo (nivel 4), para profesionales de la seguridad.

Los programas básicos de salud y seguridad también están incluidos en el programa de enriquecimiento para todos los estudiantes a tiempo completo, e integrados en su programa académico común.

## El equipo de salud y seguridad

El equipo docente se compone de formadores cualificados, a tiempo completo o parcial, que cuentan con distintos tipos de experiencia laboral que se complementan entre sí.

Se anima a todos los formadores a asistir a conferencias, seminarios y cursos como parte de su desarrollo profesional continuo, como parte de un requisito para mantener o conseguir la categoría de técnico oficial en seguridad laboral. Los formadores deben rendir cuenta de sus valoraciones al resto de los miembros del equipo de salud y seguridad.

Además, se anima a los formadores a tiempo completo a ampliar continuamente sus competencias en materia de salud y seguridad, mediante la experiencia profesional en el sector industrial. Esto aporta la ventaja adicional de fortalecer los vínculos con la industria.

## Las ventajas

La iniciativa de salud y seguridad ha ayudado a estudiantes, empleados y empresas de varios sectores profesionales en el norte de Gales y la parte colindante de Inglaterra. Cada vez más empresas adoptan la estrategia de "control total de pérdidas" para gestionar los riesgos laborales y fomentar una cultura de salud y seguridad positiva.

## 5. REFERENCIAS BIBLIOGRÁFICAS

*Aiming for Excellence: Effective Providers of the Future* (2002). ELWa. Welsh Assembly Government, ref NC/C/02/02Q1

Aiming for Excellence: Quality Framework (2003), Amended Welsh Assembly Order No 13, 3-1a, ELWa NC/C/03/10LPD 2003

Annual Report of Her Majesty's Chief Inspector of Education and Training in Wales 2004-2005. Welsh Assembly Government.

DELLS Operational Plan 2006/07. Welsh Assembly Government.

ELWa Corporate Plan (2002-05). Welsh Assembly Government.

ELWa Corporate Plan 2004/07. Welsh Assembly Government.

Estyn: Guidance on the Inspection of Further Education Providers (2005). Her Majesty's Inspectorate For Education and Training in Wales. Welsh Assembly Government.

fforwm – Association of Welsh Colleges, Manifesto: National Assembly for Wales Elections (2003), May.

Further and Higher Education Act 1992 (c13). Londres. The Stationary Office Limited.

Government of Wales Act 1998. National Assembly for Wales. The Stationary Office Limited.

Learning and Skills Act 2000. Londres. The Stationary Office Limited.

Meeting your Needs: College Case Studies, fforwm – Association of welsh Colleges.

Objective 1 Single Programming Document 2000-2006. Welsh Assembly Government.

Provider Performance Review (Second Edition 2006). ELWa. Welsh Assembly Government.

Quality Assessment Handbook (1999). Further Education Funding Council for Wales.

Self-Regulation Pilot: http://www.fforwm.ac.uk/index/services/otherevents.html

The Learning Country – A Paving Document (2001). Welsh Assembly Government.

The Learning Country 2, (2006). Welsh Assembly Government.

www.estyn.gov.uk

# Capítulo III
# El sistema de formación profesional en Eslovenia

**Mag. Slava Pevec Grm**
Instituto Nacional para la Formación Profesional

## 1. MARCO SOCIOECONÓMICO

Eslovenia es un país pequeño y con una población de dos millones de habitantes. Obtuvo su independencia en 1991 y pasó a ser miembro de la Unión Europea en mayo de 2004. El 1 de enero de 2007 asumió la moneda común europea, el Euro.

De acuerdo con el Informe de Desarrollo de 2006[31], Eslovenia ha obtenido durante el período de transición buenos resultados en relación con el estado del bienestar y con una mayor ocupación y ha estrechado la distancia con respecto al nivel medio de desarrollo en la Unión Europea, medido como PIB per cápita. En 2004, Eslovenia obtuvo el 79% del GDP per cápita media de la UE (81% de acuerdo con las estimaciones de Eurostat para 2005). El nivel de empleo aumenta a ritmo constante y ha estado por debajo de la media de la UE, al igual que el desempleo a largo plazo, aunque el porcentaje de este último sigue siendo alto. El bajo nivel de empleo de los ancianos y la alta desocupación de los jóvenes es particularmente causa de preocupación.

En el área de competitividad y de promoción de desarrollo empresarial se registraron unos resultados mucho peores. Eslovenia todavía tiene dificultad con la baja producción, unida a una estructura económica relativamente desfavorable y compuesta por una baja proporción de industrias de trabajo intensivo y de tecnología

---

31. Informe de desarrollo de 2006, p. 11, Instituto de Análisis Macroeconómicos y Desarrollo.

media. El mercado basado en el conocimiento y en el sector servicios se ha reforzado gradualmente desde el 2000 y empieza a crecer con mayor intensidad en 2004. En comparación con otros países de la UE, Eslovenia obtiene una buena puntuación en los indicadores que miden la inversión en desarrollo (los gastos públicos y privados en educación aparecían entre los tres primeros de los países de la UE). Por otro lado, Eslovenia saca una puntuación mucho menos favorable en los indicadores que miden los efectos de la inversión en el desarrollo de la sociedad del conocimiento: en 2002, sólo el 17% de la población trabajadora de 15 a 64 años tenía educación terciaria, de 5 a 7 en la Clasificación internacional normalizada de la educación; también el número de patrones y el número de graduados en ciencia y tecnología son bajos.

Eslovenia se enfrenta a retos parecidos a los de otros países europeos en temas como el envejecimiento de la población (galopante crecimiento de la proporción de la población mayor de 65 años) y la disminución demográfica. El nuevo Plan de desarrollo estatal para 2007-2013 (Državni razvojni načrt 2007-2013)[32] puso un gran énfasis en el desarrollo tecnológico, las innovaciones, la creación de nuevos trabajos y el desarrollo sostenible de toda la sociedad. El desarrollo y la inversión en capital humano por medio de la educación fue una de las prioridades de la política nacional en el período de la transición y permanece en una posición muy alta en la agenda política actual.

## 2. EL SISTEMA DE FORMACIÓN Y EDUCACIÓN

A mediados de los 90, Eslovenia se embarcó en una gran reforma del sistema educativo basándose en las nuevas directrices descritas en el Libro blanco y en la nueva legislación[33]. El programa *Phare*[34] proporcionó el apoyo para esta reforma. El objetivo era modernizar todo el sector superior secundario, especialmente la formación profesional y técnica, introduciendo el sistema de estándares ocupacionales nacionales, reformando las instituciones y los programas educativos, introduciendo nuevos exámenes laborales nacionales ("poklicna matura") y proporcionando una

---

32. El Plan de desarrollo estatal para 2007-2013 está en proceso de preparación, Ministerio de Desarrollo Regional.

33. Bela knjiga o vzgoji in izobraževanju v Republiki Sloveniji / Libro blanco sobre la educación en la República de Eslovenia, Ministerio de Educación y Deporte, Liubliana 1995.

34. El Programa Phare de reforma para la formación profesional de 1994, Evaluación del Programa Phare para la formación, Centro de la República de Eslovenia para la Formación profesional, Liubliana, 1998.

supervisión obligatoria. En 1996, Eslovenia adoptó un conjunto de normas legales en el campo de la educación y de la formación. Las leyes, como la Ley sobre la Organización y Financiación de la Educación (1996)[35], la Ley sobre la Formación Profesional y técnica secundaria (1996)[36], la Ley sobre la Educación para Adultos (1996)[37] y la Ley sobre institutos (1996)[38], reformaron completamente la educación y la formación.

El nuevo sistema era altamente centralizado y proporcionaba una amplia elección de oportunidades de formación después de la escuela obligatoria, que se ha prolongado a nueve años. Como se muestra en el gráfico 1, en la que se matriculan los jóvenes con 15 años, las posibilidades de formación en la educación secundaria han aumentado. La formación y educación secundaria dura entre 2 y 5 años, y permite elegir entre programas de formación profesional, programas con una orientación más técnica y educación general en centros generales y técnicos. Se han introducido exámenes y cursos con maestros artesanos, además de cursos puente como cursos profesionales y de madurez. También se ha introducido una educación técnica postsecundaria y no universitaria como un nuevo segmento en el sistema educativo. En el segmento de la formación profesional, se ha vuelto a introducir el sistema dual, parecido al modelo alemán, que permite a los estudiantes elegir entre dos itinerarios: uno de basado en la escuela o otro que combina formación y empresa (sistema dual). La regulación de la formación profesional se basa en la acción social. Se han establecido nuevos cuerpos, como el Consejo nacional de expertos para la formación profesional y el Instituto nacional de formación profesional.

---

35. Zakon o organizaciji in financiranju vzgoje in izobraževanja, Ur. L. RS,12/96, 115/ 03 / Ley sobre la Organización y Financiación de la Educación, Gaceta Oficial de la RS, 12/96, 115/ 03.

36. Zakon o poklicnem in strokovnem izobraževanju, Ur.l. št. 12/96, 86/04 / Ley sobre la Formación profesional, 12/96, Gaceta Oficial de la RS, Nº 12/96, 86/04.

37. Zakon o izobraževanju odraslih, Ur.l. RS 12/96, 56/94 / Ley sobre la Educación para Adultos, Gaceta Oficial de la RS 12/96, 56/94.

38. Zakon o gimnazijah, Ur.l.RS št. 12/96, 59/01 / Ley sobre institutos, Gaceta Oficial de la RS, Nº 12/96, 59/01.

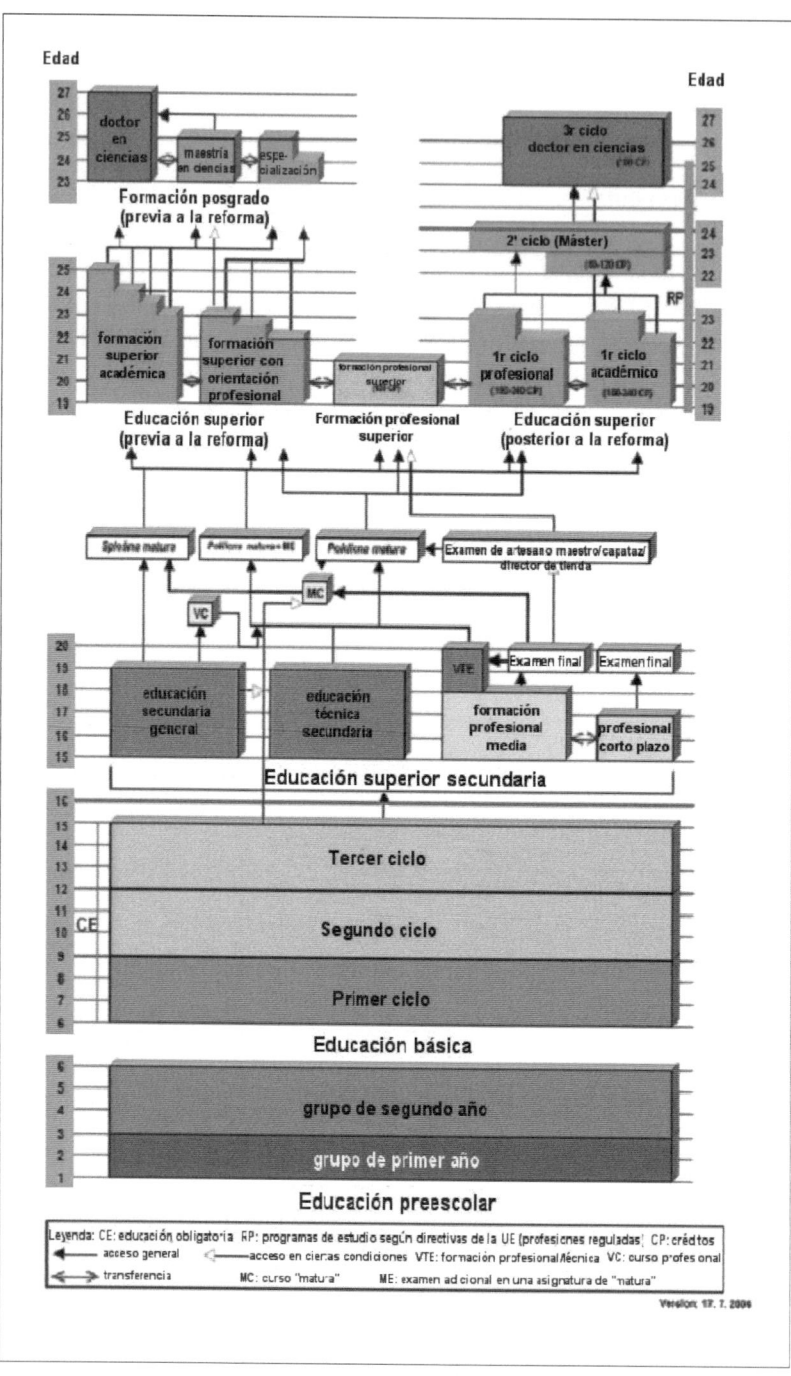

**Gráfico 1**: La estructura del sistema educativo en Eslovenia 2005/2006

Los cambios se centraron en la mejora y el aumento de la calidad en las seis áreas clave siguientes:

– nuevas soluciones para los planes de estudios con una mejor cooperación de los actores sociales, su participación en la preparación y el desarrollo de los programas educativos;
– introducción de elementos de exámenes externos;
– formación acelerada y obligatoria de los profesores;
– acceso más fácil a la educación para todos;
– enfoques modernos de formación; y
– mejorar el ajuste según las necesidades del mercado laboral.

El cambio del sistema de formación profesional ha sido complejo y exigente. Se han revisado todos los programas de formación y se han desarrollado programas nuevos para la educación post-secundaria. Pero, desgraciadamente, la formación profesional y técnica no ha cambiado mucho. Los programas de formación profesional siguieron siendo muy tradicionales y estaban compuestos por tres bloques: asignaturas generales, asignaturas profesionales, conocimientos teóricos de enseñanza en campos profesionales específicos y formación práctica en talleres escolares y/o en empresas. Estos bloques estaban poco relacionados entre sí: las competencias profesionales (como la resolución de problemas, las competencias metodológicas) y las competencias clave (comunicación y habilidades sociales, aprender a aprender) estaban poco desarrolladas. La enseñanza cambió muy poco y los métodos frontales de la formación no proporcionaban la integración necesaria del conocimiento. Los estudiantes estaban poco motivados y el nivel de abandono de los estudios no se había reducido mucho.

La evaluación también mostró, por ejemplo, que las incoherencias estructurales en el mercado laboral aumentaban en lugar de disminuir, que la generación de nuevas ocupaciones y estándares de calificación permanecía baja y que la movilidad de los estudiantes en el sistema de formación profesional, así como la transición de la escuela al trabajo o a niveles más altos de la educación, se había limitado. La educación y la formación en Eslovenia estaban demasiado centralizadas y reguladas muy detalladamente a nivel nacional. La relación entre las escuelas de formación profesional y las compañías a nivel local y regional estaba muy poco desarrollada. Los programas de formación profesional en el sistema dual y el formato basado en la escuela (el énfasis está en la enseñanza en las aulas y la formación en talleres en la escuela) iban en paralelo y llevaban a la misma calificación, pero los graduados adquirían diferentes conocimientos y competencias.

De acuerdo con Meglič (2003), uno de los motivos por los cuales el sistema dual no ha cumplido con las expectativas es la competencia con los programas basados en la escuela, puesto que los estudiantes pueden obtener la misma calificación mediante ambos itinerarios. Las escuelas y los padres están más a favor de los programas basados en la escuela (más enseñanza en la escuela, más trabajos para los profesores y mejores posibilidades para continuar la educación en el nivel superior); además, algunos empresarios dudaban en admitir aprendices por miedo a perder su inversión si los estudiantes decidieran continuar con su formación.

El segundo factor que influyó en el desarrollo de la formación profesional fue el hecho de que la matriculación en las escuelas profesionales y técnicas empezó a disminuir a mediados de los noventa. Por ejemplo, en los sectores del textil y de la piel, el porcentaje de inscripciones en las escuelas profesionales bajó del 6% en 1995 al 0,3% en 2004; en la producción de metal y maquinaria, el porcentaje del 12,8% de todas las inscripciones en 1995 cayó al 8,2% en 2004; en la industria de la madera, el número de matriculaciones bajó del 3,8% en 1995 al 2,2% en 2004[39]. A su vez, la matriculación en programas de educación secundaria general (institutos) ha crecido considerablemente. Cuando en 1995 se introdujo por primera vez la evaluación final general con cinco exámenes, el porcentaje proporcional de estudiantes matriculados en programas en institutos era del 21,7% y aumentó hasta el 38,4% en 2004[40]. Por consiguiente, la matriculación en las instituciones de educación superior y universidades empezó a crecer. Mientras que el número general de niños en el período entre 1995 y 2004 se redujo aproximadamente un 15%, el número de estudiantes que aprobaron el examen final "*splošna matura*" subió de los 7.196 estudiantes en 1995 a 9.040 en 2004[41].

En 2002, se introdujo el examen final "poklicna matura", parecido al examen final del instituto "splošna matura". Si se compara con un examen final de educación general, muestra algunas diferencias: consiste en cuatro exámenes (dos de asignaturas generales y dos que comprueban las competencias laborales). El examen final de formación profesional "poklicna matura" no proporciona un acceso directo a los programas universitarios. Las instituciones de educación superior dan prioridad a quienes hayan aprobado un examen final general. Pero todos los que hayan aprobado

---

39. Podatki o vpisu v srednje šole v šolskih letih 1995/96 do 2004/05 Gradivo za srečanje ravnateljev v Portorožu 29.11.-1.12. 2004, Ministrstvo za šolstvo, znanost in šport, Liubliana / Matriculación en las escuelas de secundaria en el período de los años escolares 1995/1996 hasta 2004/2005. Materiales para la reunión de profesores de escuelas del 29 de noviembre al 1 de diciembre de 2004 en Portorož, Ministerio de Educación, Ciencia y Deporte, Liubliana.

40. Información acerca de la matriculación en escuelas de secundaria. Ministerio de Educación, Ciencia y Deporte, Liubliana, noviembre de 2004.

41. Zupanc, D. Publicación en el 10º aniversario del examen final general (splošna matura), Museo de la escuela eslovena. .

el examen final de formación profesional, el "poklicna matura", tienen la posibilidad de completar el examen final general mediante la quinta asignatura y, por consiguiente, pueden adquirir el derecho a matricularse en la universidad.

Tras cuatro años de exámenes finales en escuelas de formación profesional, se plantea la duda sobre si el examen es realmente un instrumento de alta calidad o si solamente es una prueba de segunda categoría y si realmente aumenta el atractivo del itinerario de formación profesional.

Aparte del motivo mencionado anteriormente, pueden existir otras razones para preferir la educación general. En nuestra cultura, el valor del trabajo manual es muy bajo, algo que no ha cambiado a pesar de las nuevas tecnologías. Un tercio de los padres creen que las escuelas profesionales tienen poco prestigio (Čakš, 2001). El segundo factor (Svetlik, 2006: 45) es muy importante: "el ascenso social intergeneracional, para el cual la educación formal ofrece una de las mejores posibilidades". Los padres y los jóvenes quieren conseguir el mayor nivel educativo posible y este es el motivo por el cual el 60% de los estudiantes que acaban la formación profesional de tres años entran en el denominado +2 (programas profesionales-técnicos) y el 90% de los graduados en educación técnica siguen estudiando en educación superior.

## 3. NUEVOS RETOS – NUEVAS ESTRATEGIAS

La falta de procesos evaluativos y de medidas hizo necesario considerar otro aspecto. Uno de los puntos más importantes ha sido el desarrollo del sistema nacional de cualificación, que promulgaba la Ley de cualificaciones profesionales nacionales, aprobada por el Parlamento el 2001, y que determinaba el procedimiento para desarrollar y verificar los estándares laborales nacionales y permitir la validación del aprendizaje no formal mediante la adquisición informal de conocimientos y competencias y su reconocimiento en la escuela.

En 2001, se adoptaron nuevas Directrices para la preparación de programas educativos en la educación secundaria profesional y técnica[42] para obtener una mejor calidad en los resultados de la formación profesional. Los objetivos de estas directrices son los siguientes:

---

42. Izhodišča za pripravo izobraževalnih programov nižjega in srednjega poklicnega ter srednjega strokovnega izobraževanja, / Puntos de partida para la preparación de programas educativos en formación profesional primaria y secundaria y en educación técnica secundaria, 2001, Instituto Nacional de la RS de la formación profesional, Liubliana, 2001.

- La inclusión de actores sociales en el proceso de preparación de los estándares laborales y su implicación en la formación profesional real en cooperación con las escuelas.
- Modularización de los programas de enseñanza para preparar planes de estudios más flexibles y abiertos, algo que debería permitir a los estudiantes, y especialmente a los adultos, emprender una formación escalonada, elegir y dejar programas sin abandonos, combinar módulos y permitir el desarrollo de itinerarios de aprendizaje individualizados, además de combinar conocimientos y competencias adquiridas de forma oficial, no oficial e informal y reconocerlas y capitalizarlas.
- Definición de los resultados de aprendizaje en forma de competencias clave y profesionales. Incorporación a los planes de estudios de conocimientos y habilidades integrados para permitir a los estudiantes desarrollar sus competencias. Esto incluye abandonar el modelo de planes de estudios basados en asignaturas por otro que crea situaciones de aprendizaje estructuradas en problemas, en las que los conocimientos teóricos y prácticos estén unidos y se desarrollen competencias clave.
- Aumento de la responsabilidad de quienes preparan el plan de estudios escolar, que se está convirtiendo en uno de los documentos básicos para el desarrollo y progreso de una escuela. Incluye todos los elementos, desde la presentación de la visión de progreso hasta el establecimiento de los indicadores, la supervisión del proceso de auto-evaluación y el desarrollo de nuevos métodos de enseñanza y aprendizaje. El objetivo es ajustar programas según sean las necesidades de los empresarios, mantener estándares comunes mínimos y permitir que los planes de estudios cambien rápidamente sin depender de un largo procedimiento de carácter nacional.
- Conexión del nivel local: las escuelas y los actores sociales tienen el derecho de determinar el 20% de los contenidos y de los objetivos nacionales en el marco de los planes de estudios a nivel regional/local.
- Abolición de la diferencia entre los programas utilizados en el sistema dual y en el sistema basado tan sólo en la escuela, con un mínimo de 24 semanas de formación práctica en la empresa.
- Dar soporte con un nuevo tipo de financiación, que se centre en los resultados individuales y de aprendizaje, con la finalidad de aumentar la autonomía a nivel escolar.

### a) Estándares laborales, acción social

La preparación de estándares laborales y de una mejor acción social constituyen elementos importantes para garantizar la calidad de la formación profesional, puesto que aseguran que la formación responda rápidamente a las nuevas necesidades del mercado laboral y de la economía. El Programa de desarrollo[43] ayudó a implementar un sistema de estándares laborales que sustituía la antigua nomenclatura de ocupaciones. Los estándares están preparados por empresarios que conocen las necesidades de formación en el entorno de trabajo y se han convertido en un enlace entre las necesidades económicas y los sistemas educativos. Si el Consejo nacional de expertos para la formación profesional aprueba un estándar laboral, se convierte en una base para un programa formativo aceptado públicamente y para la cualificación profesional nacional, que se puede obtener mediante el certificado de conocimientos, habilidades y competencias adquiridos. El Consejo nacional de expertos para la formación profesional es el organismo más importante para la formación profesional y técnica a nivel estatal y está compuesto por los actores sociales. Entre el 2000 y el 2005, el Instituto nacional para la formación profesional preparó en estrecha colaboración con los actores sociales más de 160 nuevos estándares laborales.

Los empresarios tuvieron el papel más importante en el desarrollo de estos estándares laborales, mientras que los representantes de las secciones de los distintos sindicatos no ejercieron demasiada influencia. El Ministerio de trabajo, familia y asuntos sociales nombró nueve comités de paridad sectorial, que cubrían campos profesionales de acuerdo con la clasificación internacional (ISCED). Este instrumento también es importante para la clasificación en el Marco nacional de cualificaciones. Actualmente, el gobierno esloveno está preparando el Marco nacional de cualificaciones de acuerdo con la agenda de la UE y siguiendo los puntos de partida del Marco europeo de las cualificaciones. El PNR registra todos los estándares laborales y las cualificaciones profesionales y los conecta a los programas de formación profesional.

Desde la perspectiva de la garantía de calidad del sistema de formación profesional, el Estado estableció un marco institucional para la introducción de nuevos estándares laborales, seguidos por los planes de estudios de la formación profesional o por el certificado para adultos.

Recientemente, en 2005, el Gobierno ha preparado una nueva Ley sobre la Cámara de comercio e industria bajo la que se debe abolir la obligación de afiliación, algo que reducirá el poder financiero y organizativo de los empresarios. Sólo podemos asumir que su voluntad de cooperación en la formación profesional y técnica también disminuirá.

---

43. Razvojni program za podporo implementaciji izhodišč za pripravo izobraževalnih programov 2002/03 / Programa de desarrollo para dar soporte a la implementación del punto de partida para la preparación de los programas educativos, 2002/2003, Ministerio de Educación, Ciencia y Deporte.

## b) Plan de estudios, nueva concepción de los programas educativos

El elemento más importante para el aumento de la calidad es la nueva concepción de preparación de los programas educativos en la formación profesional. El Instituto nacional de la RE para la formación profesional ha preparado una nueva metodología para programas de construcción modular y basados en la competencia. Los programas de formación profesional están formulados únicamente de forma indicativa y un 20% de los contenidos se preparan a medida según sean las necesidades locales y regionales. Todas las escuelas que llevan a término un programa deben preparar un plan de estudios en cooperación con empresarios a nivel local. Los programas nuevos enfatizan la adquisición y el desarrollo de las competencias profesionales (integración de teoría y práctica, formación obligatoria en el proceso de trabajo) y la actualización de las principales competencias. El objetivo principal de esta medida es mejorar la flexibilidad, el grado de reacción y el atractivo de la formación profesional, además de proporcionar la formación básica o como mínimo la calificación profesional nacional a todos los estudiantes matriculados en programas de formación profesional.

El Consejo nacional de educación general se opuso a la introducción de los nuevos programas de formación profesional[44]. El Consejo está preocupado por el abandono del enfoque por asignaturas y porque la integración de los conocimientos generales, profesionales y prácticos puedan provocar un descenso del nivel de educación general. Basándose en estas nuevas directrices, se preparó la mecatrónica (mecánica y electrónica) automovilística y otros doce programas de formación profesional. El Instituto nacional para la formación profesional ha supervisado los primeros programas. Los resultados mostraron efectos positivos en: una mejor integración de contenidos y la obtención de competencias profesionales y principales vinculados a la cualificación integral para una profesión. El programa recibió respuestas favorables por parte de los empleados locales. Las escuelas profesionales, que aplicaron la nueva metodología y desarrollaron nuevos conceptos didácticos, introdujeron el trabajo por proyectos y el trabajo por equipos de profesores[45].

La implementación de los nuevos programas de formación profesional está acompañada por profundos cambios en la evaluación de los conocimientos. La nota no es sólo numérica, sino también descriptiva. Para cada unidad de contenidos, se preparan descriptores de los conocimientos y de las habilidades necesarias. Las escuelas

---

44. El Consejo Nacional de Educación General es el responsable de la acreditación final de los estándares para las asignaturas generales en los programas de formación profesional secundaria.

45. Poročilo o poteku poskusnega izvajanja izobraževalnega programa "avtoserviser", Center RS za poklicno izobraževanje, Oktober 2005. / Informe de la aplicación piloto del programa educativo "Mecatrónica automovilística", Centro de la RS para la formación profesional, octubre de 2005.

deben preparar planes de enseñanza individuales para estudiantes que no pueden alcanzar los estándares mínimos de conocimientos.

### c) Abandono de los estudios

El nivel de abandono de los estudios era relativamente alto en los últimos años, especialmente en la formación profesional y técnica, puesto que los programas eran demasiado académicos, particularmente en los programas de formación profesional de tres años. Las evaluaciones demostraron que a los profesores les faltan conocimientos pedagógicos y didácticos y, por consiguiente, no pueden adaptar el programa a los estudiantes y aprendices. Por este motivo, el Instituto nacional para la formación profesional creó un proyecto especial con el objetivo de disminuir los niveles de abandono de los estudios. El informe sobre "poklicna matura" para el año académico 2004/2005[46] muestra que el 92,2% de todos los candidatos (incluidos los adultos) aprobaron con éxito el examen final. El porcentaje es todavía más alto en las escuelas técnicas (94,3%). El resultado medio de toda la cohorte incluida en los programas de las escuelas técnicas entre 1989 y hasta la finalización de su educación en 1998 era del 86,7%. La mejora progresiva debe atribuirse a las diferentes medidas para la garantía de calidad en las escuelas y a un mayor entusiasmo que han aportado los nuevos métodos pedagógicos.

### d) Asesoramiento profesional

Entre los instrumentos para la garantía de la calidad en la formación profesional, hay que destacar el extenso sistema de información y asesoramiento profesional que se organizó siguiendo las directrices de la UE. Se estableció la estrategia nacional para aplicar los principios adoptados para mejorar la información y asesorar a todos los niveles de educación, formación y trabajo. En este contexto, cabría hacer una mención especial al desarrollo de una red de información y asesoramiento para los jóvenes que no participan en el sistema educativo (red ISM). Seis entornos locales han establecido centros de información y asesoramiento en cooperación con escuelas, centros de trabajo social y organizaciones de jóvenes. La red es algo nuevo para Eslovenia en el sentido de que por primera vez y de forma sistemática introduce la supervisión de la población que ha dejado el sistema educativo o ha abandonado los estudios y, por consiguiente, no ha completado los programas de formación profesional básicos.

### e) Formación de educadores/profesores

La formación continuada de los profesores, importante para su desarrollo profesional y para abordar los retos del tiempo, sigue siendo una de las medidas más

---

46. Véase el 17.

importantes que garantiza la calidad. Ya en el período previo a la adhesión, el número de eventos de formación continuada para profesores y educadores de la formación profesional aumentó considerablemente en Eslovenia. La formación de los profesores formaba parte del programa de progreso de la formación profesional, y los esfuerzos realizados estaban presentes en la preparación de nuevos programas educativos. En el período entre 1997/1998 y 2004/2005, el número de eventos educativos para profesores de formación profesional y técnica aumentó de 16 a 137 por año, y el número de profesores/educadores que participaban en ellos se elevó de 461 a 3.013.

En el período entre 2004 y 2006, la formación de los profesores se centró en un proyecto especial. El proyecto fue conducido por el Instituto nacional para la formación profesional a nivel nacional y fue cofinanciado por el Fondo Social Europeo. Los principales temas que se presentaron a los profesores fueron, entre otros: la planificación de los planes de estudios, la integración de las principales competencias, el trabajo en equipo, las conexiones con el mundo del trabajo, el desarrollo del sistema de competencias para las escuelas contemporáneas de formación profesional, el desarrollo del sistema de reconocimiento de habilidades informales y de competencias de los profesores, las especializaciones para el trabajo con personas con necesidades especiales y la especialización para el trabajo con nuevas tecnologías.

### f) Cambios en la financiación de la formación profesional y técnica

El Ministerio de educación y deportes inició, con el apoyo del Gobierno de los Países Bajos, un programa para la modernización de la administración y del sistema de financiación de la educación (MOFAS) en 2004. El programa está relacionado con todos los aspectos de la formación profesional porque enfatiza en primer lugar, en una mejor eficacia y formación profesional; no obstante, los efectos sobre la educación secundaria se deberían hacer visibles en una etapa posterior. Eslovenia debería abandonar su financiación centralizada actual e introducir el sistema "a tanto alzado", que está basado en el número de estudiantes que han finalizado con éxito los programas de formación profesional. Este enfoque, daría un mayor énfasis a la calidad de la educación, mientras que el criterio de cantidad no sería tan importante. Este programa ha previsto una mayor autonomía en la preparación e implementación de los programas educativos, además de una mejor integración de las escuelas en su entorno local/regional. El Ministerio de educación y deportes empezó a aplicar el nuevo modelo de financiación en 5 escuelas piloto de formación profesional y técnica en 2004. No obstante, el éxito de este nuevo modelo de financiación también exige de un nuevo marco institucional para poder dar garantías de calidad. Así, se ha modificado la legislación relevante para cambiar el modo de financiación y definir estándares más flexibles para el personal implicado en la enseñanza.

### g) Modificaciones en la legislación

En 2005, el Ministerio de educación y deportes preparó la nueva Ley sobre la formación profesional, que el Parlamento adoptó en julio de 2006. Esta nueva ley era necesaria para preparar el camino para el desarrollo de la formación profesional siguiendo las recomendaciones europeas y para armonizar el marco legislativo con el desarrollo actual. La nueva Ley sobre la formación profesional llama la atención, entre otros aspectos, sobre la "gestión de la calidad", que debería ser un componente obligatorio en la gestión de la escuela profesional o técnica. Todas las escuelas públicas están obligadas a establecer un equipo responsable para la evaluación de la calidad e incluir sus resultados en el informe de auto evaluación anual. En el futuro, los indicadores de calidad estarán determinados por el cuerpo responsable para la formación profesional, es decir, el Consejo nacional con expertos para la formación profesional. Las evaluaciones del progreso de la calidad a nivel nacional se encargaban a instituciones de expertos independientes o a grupos nombrados por el ministro.

## 4. CONCLUSIONES

El desarrollo de la sociedad del conocimiento, con un desarrollo tecnológico más rápido, más innovaciones y la creación de puestos de trabajo nuevos son objetivos señalados en la Estrategia de Eslovenia para el desarrollo. La formación profesional es un elemento importante que puede contribuir a estos objetivos. Es importante esforzarse por la calidad y la inclusión social. La nueva Ley para la formación profesional proporciona la base para establecer un sistema de formación profesional moderno, flexible y abierto en Eslovenia, que estará en línea con las necesidades de la economía, los individuos y toda la sociedad. De este modo, se espera que la estrategia y algunas de las soluciones mencionadas anteriormente den como resultado un sistema educativo con un mayor grado de reacción. No obstante, para obtener una mayor eficacia y equilibrarla con igualdad se necesitarán más medidas.

# Capítulo IV
# El sistema de formación profesional en los Países Bajos

**Theo Reubsaet**
Centro para el Trabajo: enseñanza y políticas sociales

# 1. FORMACIÓN PROFESIONAL DE GRADO MEDIO EN EL SISTEMA DE EDUCACIÓN NACIONAL

La formación profesional de grado medio (Middelbaar Beroepsonderwijs - MBO) sigue siendo la principal formación para la población empleada en los Países Bajos. En 2004, el 34% de la población activa de entre 15 y 64 años tenía una educación a nivel de formación profesional de grado medio y más del 35% de los estudiantes que se graduaron en el año académico 2003/2004 lo hicieron con un diploma de MBO.

Desde mediados de los 90, el número de estudiantes en educación profesional de grado medio ha crecido, pero desde hace un par de años este crecimiento se ha detenido. El cuadro 1 muestra el desarrollo en el número de estudiantes en el sistema educativo holandés.

| | 1995/1996 | 2000/2001 | 2003/2004 | 2004/2005 |
|---|---|---|---|---|
| Educación primaria y especial: BO/SO | 1.570 | 1.645 | 1.653 | 1.655 |
| *aumento/descenso* | *100* | *104,8* | *105,3* | *105,4* |
| Educación preparatoria para la universidad (VWO), educación secundaria general superior (HAVO), educación secundaria general media (MAVO) y educación científica preparatoria (VBO) * | 894 | 894 | 925 | 938 |
| | *100* | *100* | *103,5* | 104,9 |
| *aumento/descenso* | | | | |
| Formación profesional de grado medio: MBO | 436 | 452 | 479 | 475 |
| *aumento/descenso* | *100* | *103,7* | *109,9* | *108,9* |
| Formación profesional superior: HBO aumento/descenso | 271 | 313 | 336 | 346 |
| | *100* | *115,5* | *124,0* | *127,7* |
| Educación universitaria: WO | 178 | 167 | 190 | 199 |
| *aumento/descenso* | *100* | *93,8* | *106,7* | *111,8* |

**Cuadro 1**. Alumnos/estudiantes en educación en los Países Bajos (x1.000)[47]

El cuadro 1 muestra cómo en la mayoría de los niveles educativos, incluido la MBO, y en la década desde 1995 hasta 2005, el número de estudiantes ha aumentado alrededor del 10% o menos. El número de estudiantes sólo ha aumentado con más fuerza en la formación profesional superior, reflejando algunos progresos importantes en la sociedad y la economía holandesa. Uno de estos es el aumento general del nivel educativo de la población ocupada. Así, mientras que el 34% se graduó en el nivel MBO en 2004, en 1996 era del 43%; También, la proporción de población ocupada con una educación de formación profesional superior o de nivel universitario (HBO y WO) ha aumentado del 25% al 32% en el mismo período.

A nivel institucional, la formación profesional de grado medio (MBO) convive con la educación para adultos. En conjunto, se denomina el sector BVE. La formación para adultos es accesible a todos los adultos desde los 18 años hacia adelante y ofrece varios programas, como, por ejemplo, cursos introductorios para inmigrantes,

---

47. En 1999, los niveles educativos MAVO y VBO se integraron por ley en un nuevo nivel: VMBO. Para el proceso de creación del VMBO se necesitaron un par de años.

cursos de lengua y alfabetización a varios niveles y una segunda oportunidad en la educación secundaria.

En la medida de lo posible y a partir de este momento las cifras que aparecen en esta aportación sólo se refieren a la parte de BVE referente a la MBO. La MBO es la parte principal de la denominada "columna profesional", que integra las tres tipologías escolares (VMBO, MBO y HBO) alineadas para permitir a los estudiantes su ascenso en su carrera educativa.

El Ministerio de Educación, Cultura y Ciencia (OCW) financia las instituciones de formación profesional directamente, en función del número de estudiantes, las características de éstos, los cursos iniciados y el número de diplomas que otorga cada institución. En 2004, la contribución del gobierno nacional se amplió a 2,36 mil millones[48] de euros. Otras contribuciones gubernamentales aportan 470 millones de euros y 124 millones de euros la educación bajo contrato. La contribución real del gobierno por participante supera los 4.400 euros por año.

Además, el ministerio subvenciona los centros de formación profesional y empresarial (KBA; antes de 2002, se denominaban organismos nacionales de formación profesional, LOB), basándose en el número de cualificaciones concebidas, el número de empresas de formación acreditadas y el número de plazas de formación práctica ocupadas.

## 2. LA ORGANIZACIÓN DE LA MBO

La MBO en su forma actual existe desde 1996. Anteriormente, se alternaba la educación profesional basada en la escuela y en la formación y la formación en alternancia. Esta última ofrecía cursos para formar trabajadores con una combinación de aprendizaje en la escuela y en las prácticas. La formación basada en la escuela data de los años 50, cuando se empezó con la escuela técnica secundaria (MTS).

Con el desarrollo de la Ley sobre la formación profesional y para adultos (WEB) en 1996, la educación en alternancia y la educación basada en la escuela se combinaron en una misma institución educativa: el centro regional de educación, el ROC, que también ofrece educación para adultos. En la práctica, esta decisión significó que más de 200 instituciones educativas se vieron involucradas en un proceso de fusión.

---

48. Nota de la traductora: en el original aparece "2,36 billions". En función del origen del autor del artículo, estos *billions* se pueden referir a "mil millones" o "billones".

Las escuelas que anteriormente eran relativamente pequeñas y especializadas, pasaron a formar parte de grandes instituciones. Actualmente, un ROC cuenta por término medio con unos 8.000 estudiantes, pero hay ejemplos que tienen muchos más.

En 2003, el número de personas empleadas en MBO era de 54.413, que descendió en 2005 hasta 52.893. La equivalencia en formadores a tiempo completo en el mismo período disminuyó de 43.181 en 2003 hasta 42.085 en 2005. Estas cifras muestran que un número relativamente elevado de empleados trabajan a tiempo parcial. Un porcentaje creciente de los empleados supera, asimismo, los 45 años (el 64% en 2005).

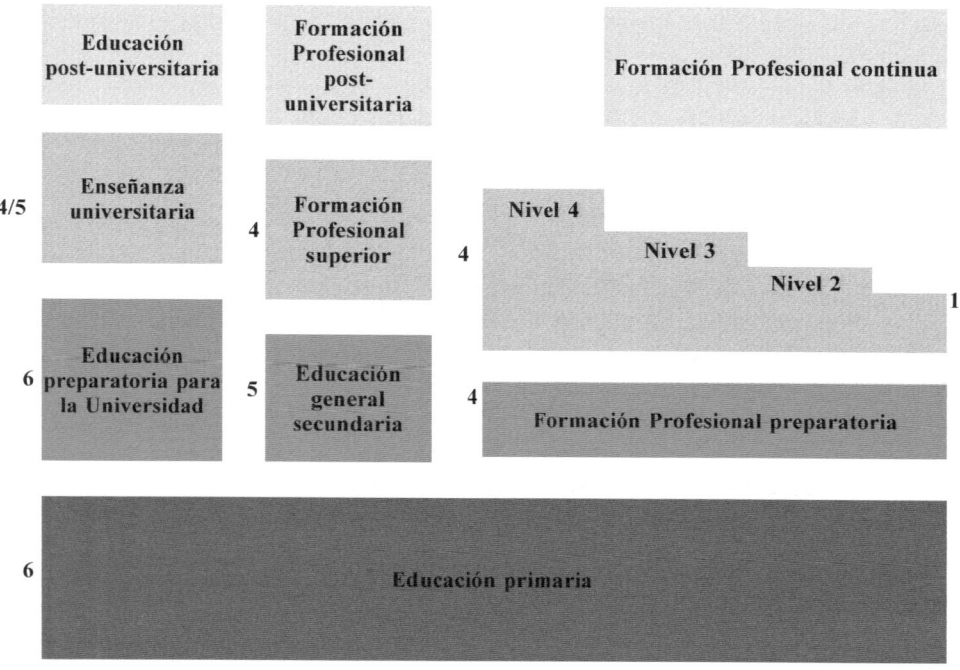

**Gráfico 1**: El sistema educativo en los Países Bajos

Se hace complicado presentar cifras acerca del número de profesores en MBO. Para el sector BVE en general y en 2004, el 63,2% de los trabajadores del sector eran personal educativo. En 2000 era del 67,7% y en 1997 del 74%. Existe una tendencia clara de sustitución del personal educativo por personal auxiliar, una tendencia más fuerte en este sector que en los otros sectores relacionados con la educación.

Los procesos de fusión han dado como resultado un sector BVE, conformada actualmente por 68 instituciones educativas, que comprende centros regionales educativos (ROC), centros de educación agrícola (AOC) y centros de formación profesional. Los ROC y los centros de formación profesional están bajo la jurisdicción del Ministerio de OCW y los AOC dependen del Ministerio de Agricultura, naturaleza y calidad de los alimentos (LNV).

Los ROC proporcionan formación profesional en los tres sectores: tecnología, económica y servicios personales/sociales y sanidad. Los AOC ofrecen educación secundaria pre-profesional y formación profesional en el sector agrícola y en el de tecnología alimenticia. Los centros de formación profesional disponen de programas sólo para una única rama de la industria, como las artes gráficas y el diseño, la carnicería, la pintura, la carpintería, la industria pesquera y los transportes.

Las 68 instituciones educativas cuentan, finalmente, con más de 1.000 establecimientos.

# 3. ESTUDIANTES, CURSOS Y CUALIFICACIONES EN MBO

Desde los 16 años, los **estudiantes** de MBO pueden elegir entre dos "itinerarios de aprendizaje": el sistema basado en la escuela, con formación a tiempo completo o parcial (BOL) o el sistema de alternancia (BBL), en el que los estudiantes combinan el trabajo con el estudio. En realidad, ambos itinerarios cuentan con una parte de prácticas. En el BOL, esta parte práctica puede variar entre el 20 y el 60% de las horas de formación, mientras que en el BBL el mínimo es del 60%

En 2004/2005, el número de estudiantes del BOL fue de 332.000 y en el BBL de 142.000, que señala como el 70% de los estudiantes ha elegido la educación basada en la escuela y el otro 30% la forma dual de formación profesional en el BBL. En 2005/2006, el número de estudiantes de BOL aumentó hasta 347.000; El número volvió a subir después de un descenso, en la segunda mitad de los 90, hasta unos 300.000 estudiantes en 1999/2000.

En el mismo período, el número de estudiantes de BBL mostró un crecimiento regular de 116.000 en 1995/1996 a 165.000 en 2002/2003. Desde entonces, el número descendió a 142.000 en 2004/2005 y todavía más, a 134.000 en 2005/2006. En 2004/2005 el número de graduados en BOL fue de 86.540 y en BBL, de 55.940.

Después de la graduación, casi siete de cada diez graduados en BOL dejó la educación y tres de cada diez continuó con la formación profesional superior (HBO). Generalmente, los graduados en MBO que no continúan sus estudios, tienen éxito en la búsqueda de un trabajo: el 98% de los graduados de nivel 3 o 4 (véase la sección

4) de BBL y el 96% de los graduados de nivel 1 o 2 encuentran trabajos en cuatro meses. Además, el 96% de los graduados en BOL de nivel 3 o 4 encuentran un trabajo rápidamente. Los graduados en BOL de nivel 1 o 2 tienen una perspectiva un tanto inferior: sólo el 84% de ellos prosperan en el mercado laboral poco después de recibir su diploma.

La población estudiantil en MBO cada año escolar se renueva entre un 47% y un 50%. Aproximadamente, el mismo número de estudiantes entra y sale de la MBO. La entrada de estudiantes de primer año proviene de VMBO (del 31% en el 2000, con un aumento ligero hasta el 35% en 2005), de otros programas de MBO (aumentando del 13% en 2001 al 20% en 2005) y sólo una parte muy reducida (1%) de HAVO. No obstante, la mayor parte de la nueva entrada proviene de personas que están/estaban empleados o que, temporalmente, no seguían ninguna formación, (del 54% en el 2000 al 45% en el 2004).

Quienes dejan la educación son, en su mayor parte, aquellos que salen de la MBO. No obstante, su proporción se redujo del 78% en el 2000 al 71% en 2004. Una parte creciente de los estudiantes que acaban continúa su formación en otro programa educativo de MBO (el 14% en el 2000, el 19% en 2004). Durante los últimos cinco años, la salida de estudiantes que pasa a una formación profesional superior se ha estabilizado (entre un 8% y un 9%), y está formada principalmente por graduados de nivel 4 de BOL, un 50% de los cuales continúa su carrera formativa después de la graduación en MBO.

La duración de los **cursos de MBO** varía entre los seis meses y los cuatro años en función del nivel del curso. La formación profesional consta de cuatro niveles:

- Nivel 1: formación asistida (entre medio año y un año)
- Nivel 2: formación profesional básica que lleva a un nivel prospectivo de artesano/trabajador cualificado (entre dos y tres años)
- Nivel 3: formación profesional que lleva a un nivel de artesano/trabajador cualificado (entre dos y cuatro años)
- Nivel 4: mandos intermedios y formación especializada (entre tres y cuatro años y entre uno y dos años respectivamente)

En 2004/2005, algo más de la mitad de los estudiantes optaba a educación de mandos intermedios, más del 20% realizaba una formación profesional para trabajos cualificados y algo menos del 20%, una formación profesional básica. Desde el inicio del tercer milenio, el número de estudiantes que lleva a término una formación de nivel 1 o 2 está disminuyendo (con un 8%) y el número de estudiantes de nivel 3 o 4 aumenta (con un 6%).

Tanto en el sistema basado en la escuela como en el basado en el trabajo, los programas educativos están agrupados en los cuatro sectores: tecnología, economía, servicios sociales/personales y sanidad y agricultura. El sector de la economía era el mayor, durante 2005, con prácticamente un 36% de los estudiantes, seguido por los servicios sociales/personales y sanidad (31%) y la tecnología (28%). La educación agrícola cuenta con un 5% de los estudiantes de MBO.

En BOL, el sector de la economía tiene una proporción del 40% de los estudiantes, el 32% sigue un curso en el sector de los servicios sociales/personales y la sanidad, el 22% en el sector tecnológico y sólo el 5% en agricultura. El número de estudiantes en los sectores de los servicios personales/sociales y sanidad y de la economía ha aumentado claramente en la última década, mientras que los estudiantes de los sectores tecnológico y agrícola han disminuido. La disminución del número de estudiantes de tecnología en BOL causa especial preocupación al gobierno y la industria de los Países Bajos y ha dado como resultado programas de acción para estimular a los estudiantes a elegir un programa de educación tecnológica.

En el BBL, el sector tecnológico cuenta con el mayor porcentaje de estudiantes (44%), seguido por el sector de servicios personales/sociales y sanidad (27%) y el sector económico (22%). El sector agrícola representa como máximo un 7% de los estudiantes de BBL. Alrededor de un 75% de los estudiantes de BBL ha elegido una formación profesional para trabajos cualificados o bien una formación profesional básica.

Los requisitos que deberían poder cumplir los estudiantes al finalizar su programa educativo en los cuatro niveles se describen en términos finales u objetivos de aprendizaje. Los términos finales son descripciones del conocimiento, las habilidades y las actitudes que necesita un profesional (perfil profesional) y que se pueden adquirir en un programa educativo. Los términos finales son puntos básicos para obtener lo que se denomina una cualificación. Cada cualificación consiste en varias cualificaciones parciales con las que se puede construir un programa educativo y otorgan un certificado.

Todas la cualificaciones se recopilan en la denominada **estructura de cualificación** de la formación profesional (KSB). Hasta 2004, existían unas 730 cualificaciones, algo que se consideraba demasiado amplio y detallado. Algunas cualificaciones cuentan con muchos miles de estudiantes, mientras que en otras sólo se forman unas pocas docenas. Actualmente, se está desarrollando una nueva estructura de cualificaciones, basada en las competencias, dónde el número de cualificaciones se reducirá y se limitará entre 250 y 300.

Los 21 centros de conocimiento de formación profesional y empresarial (anteriormente, Organismos nacionales de formación profesional, LOBs) tienen un papel importante en el desarrollo de las cualificaciones. Los Centros son el punto de unión entre la formación profesional y las empresas organizadas. Están organizados por sectores y están regidos por una junta con representantes de las organizaciones de empresarios, uniones y principalmente por las instituciones educativas. Los Centros de conocimiento deben ocuparse de que la formación y la práctica profesional estén fuertemente relacionadas, manteniendo, entre otras cuestiones, la estructura de cualificaciones actualizada, proporcionando aprendizajes acreditados y garantizando la calidad de los exámenes en la MBO.

## 4. EL DESARROLLO DE POLÍTICAS EN RELACIÓN CON LA MBO 1. LA EVALUACIÓN DE LA WEB

Durante diez años, la formación profesional secundaria se encontró en una situación muy dinámica y turbulenta, causada por factores internos y externos. El paso del siglo XX al XXI, ha supuesto muchos cambios.

Desde el 1 de agosto de 1997, la Ley sobre la formación profesional y para adultos (WEB) rige la formación profesional de grado medio en los Países Bajos. La ley pretende acercar la formación profesional y la industria, para mejorar el grado de reacción del sistema educativo, optimizar la flexibilidad en la educación y en el sistema de ocupaciones y proporcionar a cada estudiante una de las denominadas cualificaciones iniciales. Una cualificación inicial es un diploma de HAVO o de nivel 2 de MBO (véase el gráfico 1).

De acuerdo con la Ley, la formación profesional debe de proporcionar una preparación teórica y práctica para el rendimiento de las ocupaciones para las cuales se requiere o es útil una educación cualificada. Además, debe de mejorar la formación general y el desarrollo personal de los participantes contribuir a su funcionamiento en la sociedad. Aparte, las instituciones también tienen la responsabilidad de:

- permitir la accesibilidad a la educación, especialmente para los grupos desfavorecidos;
- ofrecer itinerarios de aprendizaje eficientes;
- ofrecer posibilidades de asesoramiento para los estudios; y
- adaptar los desarrollos en la sociedad a nivel nacional e internacional, en general y, especialmente, en relación con el mercado laboral.

Mediante la WEB, las instituciones educativas (ROC, AOC, escuelas profesionales) obtuvieron una mayor autonomía para desarrollar sus funciones y la Inspección de enseñanza controla su ejecución. Por lo que a la calidad se refiere, la Ley (artículo 1.3.6) expresa que la autoridad autorizada de una institución educativa debe establecer un sistema que asegure la calidad y proporcione una evaluación regular de la misma, involucrando expertos independientes. Esta ley no fija la manera de realizar los ajustes de calidad, ni tampoco define criterios de referencia sobre calidad. El punto de partida es que las instituciones educativas son las responsables de ofrecer y llevar a término una formación que cumpla con las expectativas y los requisitos de los usuarios/clientes, como son los estudiantes, la educación futura, la industria y las autoridades públicas.

Todas las leyes de los Países Bajos evalúan su funcionamiento durante cinco años después de su aprobación por el Parlamento. La evaluación de la WEB empezó en 1999 y fue realizada por el Grupo director de la evaluación de la WEB, basándose en los resultados de ocho proyectos de investigación científica independientes que se centraban también en ocho aspectos diferentes. En 2001, los ocho grupos de investigadores obtuvieron conclusiones y propusieron recomendaciones, además de las elaboradas por el Grupo director.

El Grupo director concluyó que era demasiado temprano para una evaluación completa y final de la Ley, porque abarca una innovación compleja y las organizaciones necesitan tiempo para abordar los desarrollos internos y externos, a veces difíciles de desarrollar cuando falta tiempo y dinero. Sin embargo, el Grupo director señaló que los proyectos de la Ley funcionan correctamente porque los actores han recibido espacio y flexibilidad para operar. El grupo también mencionó muchos progresos positivos.

Había una tendencia a crear cualificaciones excesivas para cada familia profesional y se estaban comprobando las cualificaciones nuevas para que no se solaparan con las existentes. El grado de reacción de los programas respecto a los progresos esperados en el mercado laboral parecía mejorar. La calidad de la preparación de los participantes en las empresas de prácticas profesionales había obtenido una mayor prioridad en varios ROC. Las instituciones educativas trabajaban para satisfacer la demanda de formación individual y para mejorar la accesibilidad, especialmente en lo que se refiere a la oferta educativa dirigida a grupos de riesgo y a prevenir su abandono temprano de los estudios. La oferta de programas de asistencia de nivel 1 seguía subiendo. La WEB había aumentado el sentido de las referencias, especialmente las directivas escolares en los ROC y AOC, dirigidas a garantizar la calidad de la formación y los exámenes. Más graduados en VMBO ascendieron a MBO, especialmente a los niveles 1 y 2 de BOL, y el número de graduados en MBO que pasaban a la formación profesional superior había aumentado de una manera importante. Se estaba desarrollando la cooperación a nivel regional para mejorar la adaptación programática de VMBO y MBO en ramos industriales específicos.

A pesar de todo ello, también hubo fuertes críticas al funcionamiento de la Ley. Se prestó atención a problemas importantes como la insuficiente adaptación de los programas formativos a la demanda de la sociedad y del mercado laboral. La WEB no ofrecía suficientes garantías para que los ROC ofrecieran programas educativos con cualificaciones amplias y duraderas. Otros problemas estructurales estaban relacionados con los exámenes, la poca claridad en la división de tareas entre las partes implicadas, la financiación inflexible, la supervisión y el aumento de barreras administrativas. La creación de los ROC había recibido una mayor prioridad, pero había perjudicado de la innovación de contenidos; asimismo, se deberían respetar más los intereses de los participantes. El ajuste programático entre las diferentes estructuras educativas debería así seguir mejorando.

El Grupo director pensó que las instituciones educativas no habían utilizado de forma óptima el espacio de autonomía. Las tareas y responsabilidades de las instituciones formativas y los otros implicados, como las organizaciones sectoriales, los organismos nacionales de formación profesional (LOB), las empresas de prácticas y las instituciones examinadoras, no siempre eran claras y el equilibrio había desaparecido. La triple cualificación que requería la Ley, para la práctica profesional, para el funcionamiento en la sociedad y para la promoción de la formación profesional superior, se estaba viendo perjudicada.

El Grupo director había seleccionado ocho problemas clave en los que se centraba más o menos la evaluación; se refieren a:

1. la estructura nacional de cualificación de la formación profesional (KSB);
2. la dirección de la formación profesional práctica (BPV);
3. la legitimidad externa y la calidad de los exámenes;
4. la accesibilidad y la formación a medida;
5. la posición del participante;
6. la supervisión interna y externa;
7. la dirección de la educación para adultos; y
8. la aplicación de una legislación temporal

Las conclusiones de la evaluación en relación con los temas 1 a 6 se presentan brevemente a continuación:

## a) La estructura de cualificación de la formación profesional (KSB)

El proceso de desarrollo de las cualificaciones, que involucra a varios implicados de un ramo o sector específico, promueve una mayor diferenciación de su estructura y genera programas educativos que no son suficientemente amplios y sostenibles para el funcionamiento profesional y social de los participantes. Se indican también otros déficits relacionados con la internacionalización, el grado de reacción, la transparencia, las cualificaciones de nivel 1 y un ajuste de las cualificaciones que permita a los participantes ascender a los programas de HBO.

La KSB debe consistir en amplias cualificaciones centrales, una triple cualificación y estar ajustada al contexto europeo. Como los dominios profesionales exceden de forma creciente las fronteras de los sectores, según el Grupo director, se requiere una mayor coordinación entre los LOB. Se deberían reducir de 21 a 4 (para los sectores de tecnología, economía, sanidad y agricultura) con una junta tripartita conformada por las instituciones educativas, las organizaciones de empresarios y las uniones. Para cada nuevo gran sector, deberían existir estructuras de asesoramiento de diferentes ramos profesionales para ajustar la KSB a las necesidades del mercado laboral. La formación agrícola debería estar tambén más integrada en los otros sectores y, por consiguiente, la responsabilidad de este tipo de educación se debería transferir del Ministerio de agricultura al Ministerio de educación.

## b) La dirección de la formación profesional práctica

La WEB cambió algunas responsabilidades importantes de la formación profesional práctica. La preparación de los estudiantes de BBL durante la formación profesional práctica (BPV) ya no es responsabilidad de los asesores de los LOB sino de las escuelas y de las empresas de prácticas. Los LOB siguen teniendo la responsabilidad de acreditar las empresas de prácticas y controlar la calidad de los centros de aprendizaje. La relación triangular entre los LOB, los ROC y las empresas de prácticas profesionales no funciona correctamente. Los ROC no consiguen dirigir la formación práctica, especialmente en BBL. Las instituciones formativas deben mejorar la comunicación con las empresas de prácticas y el ajuste entre la teoría y la práctica. La dirección de las instituciones de formación debe desarrollar una fuerte política estratégica sobre la calidad de la formación práctica, por ejemplo, nombrando profesores de prácticas especializados.

## c) La legitimidad externa y la calidad de los exámenes

Las instituciones educativas son las responsables de los exámenes, en la WEB, mientras que los LOB tienen el rol del control de la calidad. No obstante, la calidad del sistema de exámenes no ofrece la fiabilidad y validez esperadas. A muchos profesores les falta profesionalidad al examinar y el rol de la Inspección de enseñanza no está claro. Se debe de organizar un control sobre la calidad de los exámenes para garantizar el reconocimiento civil de los diplomas, al mismo tiempo que se considera necesaria la participación de un instituto independiente de certificación.

### d) La accesibilidad y la formación a medida

El sistema de financiación de la formación profesional es inflexible. Para obtener una mayor accesibilidad y una formación a la medida, se requiere una mayor flexibilidad de la financiación; además, se deberían aplicar los mismos principios de financiación para la BOL y la BBL. Asimismo, y para permitir a los participantes de la VMBO ascender con mayor facilidad a MBO, los ROC deben proporcionar libertad para realizar ajustes a los programas con las VMBO de la región y así garantizar una formación a la medida tanto como sea posible.

### e) La posición del participante

Los acuerdos de formación entre el participante y la escuela, y el acuerdo de prácticas entre el participante, la escuela y la empresa de prácticas, no garantizan todavía una posición del participante suficientemente fuerte. Para disminuir las barreras administrativas de las instituciones formativas, los artículos generales del acuerdo de formación, el contrato de prácticas y la regulación de los exámenes y de la formación (OER) deben integrarse en un estatuto para los participantes. Este estatuto debe incluir el derecho de reclamación para los participantes.

### f) La supervisión interna y externa

Las instituciones educativas son las responsables de la calidad de la educación. En el marco de trabajo de la WEB, calidad significa que la institución, con la justificación de una comprobación de estándares profesionales, cumple de forma óptima con las necesidades de formación que definen los participantes desde fuera de la institución. Se ha demostrado que existen grandes diferencias en las capacidades de creación de políticas de las diferentes instituciones educativas. En estas instituciones, el cuidado por la calidad no llega al nivel. La capacidad de autocorrección en relación con las garantías de calidad sigue siendo insuficiente. La WEB debe cambiarse de modo que se establezca una responsabilidad administrativa clara entre la junta de la institución educativa y su consejo de supervisión. Las instituciones educativas deberían rendir cuentas de su rendimiento en un informe anual y público al ministro. El informe de calidad actual no es adecuado para mejorar la calidad y podría desaparecer y ser sustituido por un sistema de inspecciones independientes y de acreditación de los programas educativos. La Inspección de enseñanza debería poder responder de los objetivos de las instituciones educativas.

Las conclusiones y recomendaciones del Grupo director pasaron a formar parte de un proceso de desarrollo del que también formaron parte otras iniciativas, no sólo en relación con los problema tratados por el Grupo, sino también por lo que a otros elementos de la formación profesional se refiere. Ciertamente, en el proceso de toma de consideraciones no se han adoptado todas las recomendaciones del Grupo director.

## g) El desarrollo de las políticas relacionadas con la MBO 2. Otras iniciativas

De forma paralela a las actividades de evaluación de la WEB por parte del Grupo director, otros implicados también opinaron acerca del funcionamiento de la Ley. El proceso de desarrollo de políticas no se detuvo a la espera de los resultados de la evaluación. Así, el ministro de educación ya evaluó en el memorándum "Koers BVE", que se publicó el 2000, que el nuevo sistema, que era el objetivo de la WEB, funcionaba bien en términos generales, pero que los objetivos de los contenidos de la WEB no se habían cumplido completamente. Aparentemente, el ministro pensó que algunos temas eran urgentes, puesto que en el "Koers BVE" anunció varios puntos de acción para el año 2001.

De acuerdo con el "Koers BVE", las instituciones formativas seguirán evolucionando hasta convertirse en los diferentes servicios que necesitan los diferentes clientes. El sistema de formación profesional y los ROC individuales deberán ofrecer una amplia gama de cursos, accesibles para varios estudiantes. La región será central en el desarrollo de la política y los colegios deberán ser accesibles para otros participantes de la región.

Se necesitarán, asimismo, nuevos ajustes administrativos para promover ROC eficaces. Estas instituciones son muy autónomas pero deben conseguir una cooperación con otros proveedores de formación, con el comercio y la industria y con los municipios (para la formación para adultos).

Las instituciones deben utilizar su autonomía para aumentar la calidad, la accesibilidad y la eficacia. La administración nacional cuenta con varias responsabilidades de gran importancia, como la legislación, la financiación y otras disposiciones administrativas. Los temas de mayor importancia son el mantenimiento de la estructura de cualificaciones, los exámenes, los sistemas de garantía de calidad, el papel de las inspecciones y las posiciones de los estudiantes y los profesores.

Los puntos de acción de 2001 señalados fueron:

- En 2003, el número de horas efectivas de estudio habrá aumentado gradualmente de 850 a 1.000;
- Se desarrollarán proposiciones para que las organizaciones paraguas (Consejo de BVE para los ROC y COLO para los Organismos nacionales de formación

profesional, los LOB) mejoren la estructura de los exámenes. Los LOB, como representantes del mundo empresarial organizado, están involucrados en el contenido de los exámenes y la Inspección de enseñanza será la responsable de la supervisión.

- La estructura de la cualificación se investigará para comprobar su flexibilidad, la transparencia, las duplicaciones, las omisiones y la coherencia, y se reescribirá en términos de competencias (comunes). La nueva ordenación curricular dejará espacio para la elaboración regional y para la comparabilidad de las competencias que se adquieran en la práctica.
- La posición de los participantes (estudiantes) se verá reforzada al proporcionar a sus consejos una estructura formal. Además, se realizarán esfuerzos para mejorar la provisión de información a los participantes.
- La transición de la educación secundaria pre-profesional (VMBO) a la MBO se facilitará mediante la reducción de los requisitos previos.
- La prueba de macro-eficacia (alineación de la formación según las necesidades nacionales y regionales del mercado laboral) se sustituirá por un sistema de control regional (¿hay una disponibilidad suficiente de personas, medios, métodos y demanda del mercado laboral?).
- Se discutirán las condiciones para la descentralización de procesos implicados en la ocupación de profesionales en el sector de BVE.

Como siempre sucede en los Países Bajos, la evaluación de la WEB y del "Koers BVE" ha estado sujeta a consultas y discusiones con las partes implicadas, solicitando informes al Consejo de educación, al Consejo socioeconómico y a la Fundación para el trabajo (Stichting van de Arbeid). En 2001, el Ministro reaccionó puntualmente a la evaluación de la WEB y a las propuestas del Grupo director con una carta que recogía varias preguntas para los principales implicados, como el Consejo de BVE, el Consejo de AOC, COLO, Paepon, el Consejo de HBO, los actores sociales y JOB, acerca de temas como la estructura nacional de la cualificación, el control de la oferta de programas educativos, el grado de reacción sobre los objetivos finales, las cualificaciones al nivel 1 de la MBO, la dirección de la formación profesional práctica, el ajuste entre la MBO y HBO y la posición del participante. En esta carta, el Ministro de educación señalaba que el sector BVE es muy dinámico y que algunos progresos precisan de una acción rápida. También dejaba claro que las acciones realizadas en el marco de la evaluación de la WEB estarían tan conectadas como fuera posible con los desarrollos que ya se estaban llevando a término.

En el informe de evaluación final de la WEB presentado al Parlamento holandés en noviembre de 2001, el Ministro de educación volvió a insistir en que determinados temas, como el sistema de exámenes, la estructura profesional, la posición del participante y la contabilidad pública múltiple, exigían un rápida intervención. Las discusiones, los acuerdos y la planificación no se podían posponer hasta que los resultados de la evaluación estuvieran disponibles y fueran aceptados políticamente. La conclusión general del Ministro en referencia a la WEB fue que la Ley ofrecía suficiente espacio para que los participantes pudieran conseguir los objetivos, pero que todavía no se había utilizado suficientemente el espacio disponible. Por consiguiente, no era necesario realizar cambios estructurales fundamentales, aunque se debían realizar esfuerzos para mejorar la calidad y la eficacia en el marco legislativo existente. Una futura modificación de la ley se relacionaría con la exploración a medio plazo de la formación profesional. Otras importantes acciones a corto plazo están relacionadas con:

*1) La estructura de las cualificaciones de la formación profesional (KSB)*

Se debía de iniciar la mejora de la coherencia de la KSB desde el punto de vista del contenido, desarrollando las competencias necesarias para solucionar problemas que se presentan en una profesión, algo que sucedía en el Plan de desarrollo de la estructura de las cualificaciones. En la Fase 4 de este plan, la organización paraguas COLO había preparado una propuesta relacionada con el contenido de las competencias, la estructuración administrativa, la implementación y la planificación temporal. La Estructura de la cualificación del Grupo director, compuesto por COLO, el Consejo de BVE, Paepon y el Ministerio de educación, cultura y ciencia, acordaron trabajar en esta propuesta, que implicaba probar los formatos propuestos por el KSB de forma experimental en dos sectores, una demanda antigua relacionada con la viabilidad de los formatos por parte del Consejo de BVE, la preparación y decisión de las responsabilidades de la administración y el contenido y la disposición del material de información para difundirlo entre todos los participantes. Su desarrollo exigió revisar la posición administrativa, incluyendo las modalidades de cooperación y la financiación de los LOB, para fomentar que las cualificaciones del nivel 1 de la MBO permanecerán orientadas al mercado laboral.

*2) La dirección de la oferta del programa formativo*

La política del gobierno en el sector BVE tiene como objetivo la auto-motivación, la auto-dirección y la auto-regulación del sector. Las instituciones de formación pueden decidir establecer nuevos programas educativos o bien abolir los existentes, según las 4 "m" de la región (medios, métodos, personas y mercado). El ajuste de la demanda y la oferta de programas educativos a nivel nacional seguía siendo un tema a resolver. Se solicitó asesoramiento sobre este tema al Consejo social y económico. La responsabilidad de la continuidad de los programas formativos que atraen a relativamente pocos estudiantes se ha otorgado a las especialidades relacionadas con la industria.

### 3) La formación profesional práctica (BPV)

En la WEB se mencionan las responsabilidades de los ROC/AOC, las escuelas profesionales, los LOB y las empresas relacionadas con la formación profesional práctica (BPV). De acuerdo con el Ministro, no existen motivos para cambiar esta división de responsabilidades, pero algunos aspectos son susceptibles de ser mejorados, especialmente la preparación de los participantes por parte de los ROC/AOC y la evaluación de la calidad de las plazas de formación profesional práctica en empresas por parte de los LOB. Se ha solicitado al grupo de aprendizaje para el trabajo (Werkend Leren, formado por COLO, el Consejo de BVE, los actores sociales, JOB y OCW) que presente propuestas para la mejora. COLO y el Ministerio de educación, cultura y ciencia han iniciado un estudio sobre la transparencia de los estándares de calidad de los LOB en relación con la PBV, incluyendo la evaluación de la calidad de los profesores de prácticas en las empresas. Se ha rechazado la posibilidad de pedir una certificación a estos profesores para evitar que las PYME renunciaran a ofertar plazas de formación.

### 4) La estructura profesional

De acuerdo con el Comité asesor Boekhoud y la carta de política de la Profesión, la carrera de los participantes debe ser el punto central de la formación profesional. En el marco de la estructura profesional para ajustar la MBO a HBO, se debe prestar más atención a dos puntos: el acuerdo de afinidad y la conexión entre el nivel 3 de la MBO y la HBO.

El acuerdo de afinidad, que tiene programas educativos relacionados, debe animar a los estudiantes a ascender de MBO a HBO en programas educativos relacionados, permitiéndoles así seguir una trayectoria más corta hacia el HBO. Como consecuencia de todos los tipos de progresos, tanto en el sector MBO como en el HBO, los programas establecidos en el acuerdo ya no tienen una afinidad completa y automática, pudiendo así generar problemas en la carrera formativa de los estudiantes. Se establece así un grupo de trabajo de participantes relevantes para estudiar los efectos y las posibles consecuencias de la abolición de este acuerdo.

De acuerdo con la WEB, los graduados del nivel 3 de la MBO no tienen derecho a continuar su educación al nivel de HBO. Varios programas educativos del nivel 3 de la MBO no tienen ningún programa equivalente en el nivel 4. Para ofrecer la oportunidad de continuar con la carrera formativa a los estudiantes que se hayan graduado en el nivel 3 de este programa educativo, se debe buscar una solución viable para este problema. Al grupo de trabajo mencionado anteriormente también se le ha asignado explorar y buscar esta solución, por ejemplo, mediante la creación de un programa integrado de un año formado por un programa de MBO y HBO que lleve a la obtención de un diploma para poder acceder al programa de HBO.

### 5) Exámenes

Por lo que a los exámenes se refiere, ya existían discusiones políticas e iniciativas. Así, las evaluaciones críticas de la situación de la formación profesional de grado medio al final de siglo abrieron la puerta a nuevos e importantes progresos en las políticas desarrolladas.

En 2002, la Ley sobre la supervisión de la educación (WOT) fue aceptada en el Parlamento. La intención de esta Ley era mejorar el interés por la calidad de la educación holandesa. Se volvió así a describir y clarificar la responsabilidad de la Inspección de enseñanza en relación con la calidad de los programas y de las instituciones educativas, permitiendo desarrollar un amplio conjunto de criterios.

También en 2002, y en reacción al memorándum "Koers BVE", las tres organizaciones paraguas de las instituciones de formación profesional, el Consejo de BVE (para la educación basada en la escuela en los ROC), COLO (para la educación dual) y Paepon (para los educadores privados, que no están financiados por el gobierno), establecieron el Centro para la calidad de los exámenes (KCE). Este Centro tiene como objetivo el de garantizar y estimular la calidad de los exámenes en la formación profesional de grado medio y, de ese modo, contribuir a la confianza de la sociedad en los diplomas de la formación profesional de grado medio.

En agosto de 2004, en la WEB renovada, se designó el KCE como el organismo legal responsable del control externo de la calidad de los exámenes en la formación profesional de grado medio basándose en los estándares de calidad nacionales.

En relación con los tres temas mencionados anteriormente, el Ministro de Educación solicitó asesoramiento al Consejo social y económico (SER) acerca de: la macro-eficacia de la oferta y la demanda de programas de formación profesional a nivel nacional; las posibilidades de intercambio de conocimientos en la estructura profesional dirigidos mejorar tanto la capacidad de innovación de la industria como de la educación; y acerca de los problemas y las soluciones respecto a las relaciones entre las instituciones formativas y las empresas de prácticas en relación con la formación profesional práctica.

### h) El desarrollo de políticas relacionadas con la MBO 3. El seguimiento

A finales de 2002, el panorama de la formación profesional de grado medio, como mínimo a nivel de desarrollo de políticas, había cambiado mucho en comparación a la de 1999. En muchos proyectos piloto y programas experimentales, los profesionales de la formación trabajaban para llevar a la acción las intenciones y las declaraciones políticas, un trabajo que no se haría de la noche a la mañana. Varios grupos directores, comités de trabajo y comités asesores trabajaban en temas parciales importantes, como la reestructuración de la KSB, la estructura profesional, los exámenes, etc. Estos participantes seguían produciendo un flujo infinito e incesante de memorandos y reacciones a éstos, al igual que las organizaciones paraguas, los colegios asesores y también el Ministerio de educación. Los informes de garantía de calidad de la Inspección de enseñanza mostraron que los programas y las instituciones formativas habían tenido algunas dificultades para interiorizar estos cambios en su práctica diaria.

Después de la aceptación del "Koers BVE" en el Parlamento, continuaron los turbulentos progresos externos. El gobierno holandés puso más énfasis que nunca en el significado de la formación profesional para la sociedad del conocimiento. Hasta entonces, los objetivos de Lisboa de la Unión Europea habían sido poco más que un papeleo en los Países Bajos. El Consejo Social y Económico concluyó, al asesorar el gobierno, que los Estados miembros no habían tomado los retos suficientemente en serio y que, en los Países Bajos, la agenda de Lisboa no se había traducido en una agenda para realizar los esfuerzos necesarios a nivel nacional.

Bajo la influencia de las discusiones en varios Consejos europeos, creció una sensación de urgencia a nivel político y en los círculos de todos los tipos de organizaciones paraguas, actores sociales, instituciones de asesoramiento y algunos partidos políticos.

El término "innovación" se convirtió en una de las palabras principales en las líneas principales del acuerdo de gobierno después de las elecciones de 2003. En mayo de 2003, el Ministerio de educación, cultura y ciencia, la plataforma para la formación profesional y la Fundación del trabajo, en nombre de los actores sociales, firmaron el pacto "Cooperación para la innovación en la formación profesional". Este pacto contiene acuerdos generales acerca de la forma y el contenido del denominado convenio de innovación. El objetivo de este convenio es crear, de forma ascendente, nuevas actividades en la formación profesional en forma de proyectos experimentales que refuercen la capacidad innovadora de la formación profesional y que se lleven a término mediante colaboraciones de como mínimo una institución de MBO, una institución de VMBO y/o HBO y el mundo empresarial regional y/o del sector. El refuerzo de la relación entre la formación profesional y la industria se convierte así en el marco de trabajo general del convenio de innovación.

El convenio de innovación contó con una co-financiación del gobierno de 10 millones de euros en 2003 que debían de aumentar a 20 millones de euros en 2006. Las compañías de una región o un sector deben contribuir con un 40% de los costes de un proyecto y la institución educativa, con un 20%. Cada año, las partes implicadas acuerdan los puntos de innovación. En 2003 fueron la reducción del abandono temprano de los estudios, la mejora del flujo en la esctructura profesional y la renovación pedagógica y didáctica.

A finales del 2003, se estableció la Plataforma nacional de innovación, presidida por el primer ministro, tomando como referencia el Consejo de política tecnológica y científica de Finlandia, con la tarea de preparar planes para una estrategia dirigida a la explotación y el desarrollo de los conocimientos. La misión de la Plataforma es la de reforzar el poder innovador de los Países Bajos, aportando propuestas para el máximo desarrollo del potencial económico y humano holandés. Con referencia a los objetivos de Lisboa, muchos memorandos contienen sentencias como:

> *"una economía dinámica y competitiva necesita medidas concretas dirigidas al desarrollo y la aplicación del conocimiento innovador. Las empresas europeas y sus trabajadores deben poder defender los requisitos del mercado. Se necesitan inversiones en educación y formación, la adquisición de habilidades a todos los niveles profesionales (incluida la formación profesional de grado medio) y un uso eficiente y efectivo del conocimiento".*

El parlamento holandés era un instigador importante para la "gestión mediante memorandos". Ya en abril de 2002, el Ministerio de educación había publicado el titulado "Exploración a medio término de la formación profesional", pero durante la discusión acerca de la evaluación de la WEB y de "Koers BVE" algunos meses antes, el parlamento había instado al Ministro de educación a que preparara un nuevo memorando "Koers BVE 2". La agenda de este nuevo memorándum se abrió en enero de 2003 y, después de pasar por un proceso de discusiones con participantes sobre el campo de la formación profesional, se publicó en junio de 2004.

A finales de 2003, y como una de sus primeras actividades, la Plataforma para la innovación inició un grupo de trabajo: "Dinamizar la formación profesional" (Dynamisering beroepsonderwijs). Este grupo de trabajo se centró en la estructura profesional (VMBO-MBO-HBO) y publicó su informe con propuestas para la innovación de la formación profesional en octubre de 2004.

Fundamentalmente, el "Koers BVE 2" debía reflexionar sobre el futuro progreso de la formación profesional y desarrollar una visión a medio y largo plazo. No interfería en los procesos políticos que ya se estaban llevando a término, (por ejemplo, la estructura de cualificaciones de la formación profesional, los exámenes, la formación profesional práctica y la dirección entre la oferta y la demanda de los programas educativos), ni tampoco con las trayectorias estratégicas (como el flujo y la prevención del abandono escolar temprano en la columna profesional, el convenio de innovación, el programa de liberalización, la garantía de calidad y la contabilidad pública y el ajuste de los itinerarios de aprendizaje). No obstante, el "Koers BVE 2" debía incorporar estas trayectorias concretas en una perspectiva coherente de desarrollo y en un proceso interactivo de consultas a todas las partes implicadas.

El voluminoso memorándum "Koers BVE 2" se publicó en junio de 2004. Estaba formado por un análisis de tendencias, la determinación de una agenda política y un plan de acción relacionado con los temas de la agenda.

Como punto central innovador en la formación profesional, se determinó que la educación estuviera mucho más relacionada con la práctica profesional. Por tanto, se requería una implicación activa de las empresas y otras organizaciones laborales; también la realización de itinerarios de aprendizaje continuos, desde VMBO, pasando por MBO, HBO y la formación continua, que tomen el interés y la carrera formativa del participante como punto de salida y no sólo el interés de las instituciones de formación. Otras innovaciones que espera conseguir el Ministerio son el desarrollo de procesos pedagógicos y didácticos reconocibles para la formación profesional, la consolidación del asesoramiento y la orientación para la carrera y el refuerzo del componente práctico en la formación profesional.

El subtítulo de "Koers BVE 2", "La red regional se debe desplazar", ilustra la innovación más importante en las relaciones administrativas del sector MBO. La agenda de "Koers BVE 2" sólo se puede cumplir mediante un enfoque de acción conjunta en la región, aclarando la responsabilidad de cada una de las partes implicadas. La institución formativa debe realizar un acuerdo transparente con su entorno que recoja las ambiciones y los resultados que se deben cumplir.

Se presentan a continuación y de forma resumida las tendencias, los temas de la agenda y, como ejemplos, algunos de los puntos de acción que se describen en el memorándum.

**a.** *La transición hacia una sociedad del conocimiento: la economía del conocimiento exige que las personas realicne un aprendizaje continuo.*

El tema de la agenda para la MBO hace referencia en este caso a:

*1. Mayor innovación y rendimiento porque las instituciones educativas cooperan con su entorno*, con acciones, entre otras de:

– cofinanciación: el Ministerio de educación, cultura y ciencia inicia una nueva línea de subvenciones para experimentos regionales conjuntos de las PYME y de las instituciones de formación dirigidas a convertir el conocimiento existente en aplicaciones innovadoras;

- de futuro: las instituciones de formación implementarán la estructura de cualificaciones basada en las competencias que se está desarrollando;
- innovación: los convenios de 2003 continúan en 2004;
- desarrollo: establecer una Plataforma de *bètatechnics* para llevar a cabo las medidas del "Deltaplan bètatechnics" y evitar la falta de técnicos e ingenieros.

2. *Mayor atención a varios itinerarios de aprendizaje,* con acciones como:

- intensificar la información y el asesoramiento para participantes que deseen promocionar;
- mejorar las prácticas de formación profesional desarrollando programas de formación para los profesores de prácticas en el lugar de trabajo; e
- iniciar experiencias con programas formativos de asistencia del nivel 1 basados en amplias competencias.

3. *Contenido educativo atractivo que se ajuste al mercado laboral,* con acciones como:

proporcionar un entorno seguro en el que los participantes de los centros de formación puedan establecer sus primeros pasos hacia la iniciativa empresarial; y
- la iniciativa empresarial formará parte de los requisitos de competencias de los profesores.

4. *Amplia accesibilidad de las instituciones educativas,* con acciones como:

- iniciar consultas con los centros de formación profesional y empresarial (KBA, antiguamente los LOB), sobre el número extra de plazas de formación profesional práctica que pueden generar;
- explorar las posibilidades que permitan mayor atractivo, simplificando los procedimientos de acreditación y los costes administrativos; y
- preparar un memorándum sobre "El aprendizaje continuo" y establecer una "Plataforma para el aprendizaje continuo".

**b.** *Tendencia: una sociedad compleja para el individuo. Los participantes deben poder operar en la sociedad compleja.*

El tema de la agenda para la MBO hace referencia a:

5. *El papel emprendedor del personal educativo en la carrera de formación,* con acciones, entre otras, como:

- llevar a término desde los centros de formación una política de personal más integrada: gestión de competencias, desarrollo de las competencias del personal y diferenciación de tareas y recompensas; y

– ofrecer financiación desde el gobierno para la preparación de personal nuevo: un presupuesto para la gestión de la formación en el presupuesto de la institución.

6. *Aumento de la eficacia de los resultados mediante la implicación de todos los participantes,* con acciones como:

– el gobierno invertirá más en la preparación y el apoyo a actividades para jóvenes entre los niveles 1 y 2 de la MBO; y
– se realizarán acuerdos a nivel nacional entre el Consejo de BVE y el Consejo de HBO acerca del flujo de estudiantes de la formación profesional de grado medio a la superior, disponiendo, a partir de 2007, de una financiación extra de 17,5 millones de euros.

7. *Mayor responsabilidad para los participantes,* con acciones como:

– mejorar la orientación y el asesoramiento para la carrera; e
– introducir una beca de rendimiento para participantes que estudien a tiempo completo en los niveles 3 y 4 de BOL y que hayan cumplido los 18 años[49].

**c.** *Tendencia: reposicionar el gobierno nacional entre Europa y la región.*

El tema de la agenda para la MBO hace referencia a:

8. *Más espacio para la región,* en acciones como:

– abolir la obligación de solicitar licencias para nuevos programas educativos, a nivel regional, los ROC pueden decidir la oferta de programas educativos, en el Registro central de programas de formación profesional (CREBO); y
– realizar una investigación sobre si la Ley permite, o no, una diversidad regional

9. *Acuerdos de rendimiento: marcos de referencia claros y conexión con las ambiciones regionales,* con acciones como:

– definir las metas nacionales para la formación profesional; e
– invitar desde el gobierno a las instituciones de formación a formular sus propias metas (de acuerdo a su perfil y región) y las de la red regional en relación con las metas nacionales.

---

49. Con la obtención del diploma, la beca se convierte en un regalo que no tienen que devolver.

*10. Contribución activa a la agenda de la UE, incluidas las referencias europeas,* con acciones como:

- las metas europeas se traducirán en referencias relacionadas con el aprendizaje continuo, el descenso del abandono escolar temprano y el aumento del porcentaje de participantes con un diploma de cualificación inicial; su progreso se medirá y comparará a nivel nacional y europeo; y
- desarrollar e implementar el Europass y presentarlo en la conferencia de la UE en Maastricht.

El completo plan de acción se acompañó de una planificación a corto plazo de prioridades hasta el inicio de 2006.

En septiembre de 2004, en una carta al Parlamento acerca de "Koers BVE", el Ministro de educación enfatizaba con fuerza el nuevo sistema directriz de dirección mediante ambiciones a nivel nacional y regional. Desarrolla en un memorando posterior los objetivos de Lisboa en cuatro indicadores (tres relacionados con el abandono escolar temprano y otro con el aprendizaje durante toda la vida) y se traducen en objetivos para los Países Bajos.

Tal y como ya se ha indicado, un grupo de trabajo, "Dinamizar la formación profesional", estaba trabajando en su informe con propuestas para la innovación de la formación profesional, en paralelo al proceso de desarrollo del "Koers BVE 2". Este informe se publicó en octubre de 2004 y contiene referencias de interés. La filosofía principal del grupo de trabajo es que la formación profesional debería acercarse más al mundo del trabajo a nivel regional. Los cambios en la práctica profesional se debían de seguir de cerca, pero la formación también puede ser un importante caldo de cultivo para la innovación de las profesiones y de las industrias. Se debe reforzar la cooperación a nivel regional entre las instituciones de formación y las empresas y otras organizaciones laborales. Se deben preparar los profesores y los directores de las instituciones de formación para que cumplan otros roles. El grupo de trabajo aconseja más detalladamente nombrar innovadores a nivel básico de la escuela y el establecimiento de una financiación para la innovación como una facilidad genérica y estructural para permitir a las instituciones educativas realizar innovaciones.

## I. Desarrollo de políticas en relación con la MBO 4, la agenda para el futuro próximo

El último memorándum se publicó en noviembre de 2005, como co-producción del Consejo de BVE y el Consejo de AOC por un lado y los Ministros de educación y agricultura por el otro. Está relacionado con la agenda directriz para la formación profesional de grado medio entre 2005 y 2010 y se denomina "Ruimte voor ambitie en innovatie in het MBO" (Espacio para la ambición y la innovación en la MBO). En este memorándum, relativamente conciso, se formulan ajustes basados en los planes presentados en "Koers BVE 2" y también en las propuestas realizadas por el grupo de trabajo "Dinamizar la formación profesional" de la Plataforma para la innovación. Para poder conseguir la educación a medida y poder responder a los cambios en la sociedad, se considera necesaria la innovación del sistema educativo. El nuevo sistema se caracteriza por una educación profesional basada en las competencias, una educación más a la medida y el refuerzo de la conexión con la práctica profesional. Los planes y los ajustes están agrupados alrededor de tres temas principales: formación profesional basada en las competencias, innovación y gobierno transparente.

### a. *Formación basada en las competencias*

La formación y el mercado laboral deben ajustarse mejor y la primera debe ser más atractiva para evitar que los participantes abandonen sus estudios. La formación basada en las competencias debe generar una estructura de programa formativo y de cualificaciones que sea más sostenible y que pueda reaccionar con mayor rapidez a los cambios en el mercado laboral. Hará, además, que la formación esté más orientada a la práctica, mejorando la motivación de los participantes, disminuyendo el número de abandonos de los estudios y ampliando fuertemente el número de estudiantes implicados en la mejora profesional. La formación basada en las competencias también exigirá modelos organizativos centrados en el estudiante.

Algunas consideraciones que harán posible este desafío serían:

- el Grupo director deberá continuar hasta que este tipo de formación esté ampliamente implementado en 2008 y aconsejará acerca de un sistema coherente de gobierno y supervisión en 2006.
- El gobierno deberá financiar una gestión del proceso de MBO, que estimule y guíe la implementación de la formación basada en las competencias.
- El Grupo director aconseja que en agosto de 2008 se haya implementado completamente la educación basada en las competencias. La implementación completa deberá estar precedida por un período experimental que pruebe la viabilidad de los perfiles de cualificación para desarrollar la educación basada en las competencias (CBE), la importancia de la CBE para la administración interna y el modo de ajuste de los exámenes y de la garantía de calidad.
- El Ministerio de educación proporcionará financiación para realizar el ajuste mejorado de la formación y de la práctica profesional mediante una caja para la innovación con 81 millones de euros destinados a nuevas herramientas educativas, estancias de los profesores en empresas a personas que dejaron los estudios prematuramente.

- Las instituciones de BVE deben trabajar para un aumento del flujo de estudiantes de VMBO a MBO (por ejemplo, mediante un buen asesoramiento acerca de los programas educativos de MBO y de las posibilidades del flujo) y de MBO a HBO (mediante la co-organización de trayectorias de flujo en MBO y experiencias con programas de dos años en HBO).
- Las instituciones de BVE deben reducir la tasa de abandono de los estudios ajustando los requerimientos de entrada y el contenido de los programa.
- El Consejo de BVE y el Ministerio de Educación deben mejorar la imagen del itinerario de aprendizaje de VMBO-MBO-HBO y el Ministerio garantizan que este itinerario sea legalmente posible. Las instituciones educativas deben asegurarse de que los exámenes se ajusten a la nueva formación basada en las competencias y que cumplan los estándares para la calidad de los exámenes. Progresivamente, se irán incorporando exámenes a la práctica profesional.
- Los programas de formación de profesores deben preparar a los futuros profesores para la educación basada en las competencias.
- COLO y el Ministerio de educación, cultura y ciencia se ocuparán del reconocimiento internacional de los perfiles de cualificación.
- Se explorarán nuevos instrumentos para reducir el abandono escolar temprano.
- A largo plazo, se investigarán las posibilidades para hacer el sistema educativo más flexible, por ejemplo, las posibilidades en el sistema de financiación.
- Donde sea posible, se estimulará el flujo de estudiantes entre los niveles educativos mediante la revisión de las normas, los sistemas de financiación, los servicios de información, los requisitos de los programas y la supervisión.

**b.** *Innovación*

La cooperación entre la formación y el mundo empresarial contribuye a la innovación en las instituciones educativas y en las empresas. La colaboración con los actores sociales y los socios de la estructura profesional, se desarrollarán muchas iniciativas:

- El sector BVE participará en la agenda nacional de innovación mediante consultas con los socios de la estructura profesional, los actores sociales y el gobierno contribuyente en el refuerzo de la economía del conocimiento y en la extensión de la participación en la educación.
- La formación será más flexible y estará más orientada a la demanda.
- Las instituciones de BVE serán centros de formación que participarán en el aprendizaje continuo.
- Se reforzará el aprendizaje para la práctica profesional proporcionando a los estudiantes tareas reales desde el principio.

- Se fomentará la iniciativa empresarial de los estudiantes y de la escuela.
- Las instituciones de BVE participarán en los itinerarios duales extra y en el refuerzo de los procedimientos de Acreditación de Aprendizaje Previo (APL).
- Para reforzar la capacidad de innovación, la financiación actual, se agrupará gradualmente en una caja única para la innovación, conectada con la financiación de las instituciones de formación.
- A partir de 2006, el Ministerio de educación dispondrá de una cantidad anual de 20 millones de euros para que el convenio para la innovación, estimule nuevas formas de cooperación entre la formación y la industria.
- El Ministerio de agricultura aplicará un sistema comparable para la formación agrícola.
- El Consejo de BVE tomará decisiones acerca de los temas de la agenda para la innovación, mientras que las instituciones educativas serán responsables del rendimiento y del informe (horizontal).
- El Consejo de BVE promoverá la circulación del conocimiento entre las instituciones educativas y entre las instituciones y la industria.

**c.** *Gobierno transparente*

- La formación basada en las competencias y la innovación requieren unas instituciones fuertes que trabajen muy unidas con los participantes de la región, realizando ajustes regionales sobrc temas como los resultados y la eficacia, el flujo, el aprendizaje continuo y las innovaciones.
- Las instituciones de BVE determinarán factores de un buen gobierno y realizarán ajustes para reforzarlo.
- A largo plazo, el Ministerio de educación y el Consejo de BVE desarrollarán de forma conjunta una nueva regulación adecuada para las supervisiones, que contemple el informe horizontal, la supervisión interna y la supervisión vertical. Así, la Inspección de enseñanza mitigará su supervisión en instituciones que cuenten con una supervisión interna que funcione correctamente.
- La garantía de calidad interna no está al nivel suficiente en muchas instituciones de BVE. El Ministerio de educación y el Consejo de BVE discutirán sobre como mejorar la calidad.
- En la proposición de ley sobre la "Desregulación y la reducción de los costes administrativos" aparece la abolición de la regulación de los exámenes y de las solicitudes de licencias en el CREBO.
- A largo plazo, se debe revisar, ajustar y restringir la legislación de VMBO, MBO y HBO a las líneas principales.
- Para hacer visibles los rendimientos del sector BVE, el Consejo de BVE, junto con las instituciones educativas, los participantes y los ministros de OCW y LNV, desarrollarán referencias, con el objetivo de aumentar la capacidad de

aprendizaje basándose en las buenas prácticas y en una comparación con otras instituciones.

- Para reforzar las comprobaciones y el equilibro en las instituciones, se renovará y reforzará la intervención de los participantes.
- A largo plazo, el Consejo de BVE y las uniones del sector presentan una propuesta de participación que cuente con el apoyo de los empresarios, los empleados y los participantes.

# 5. EPÍLOGO

La formación profesional de grado medio (MBO) es una parte importante del sistema educativo holandés. La Ley sobre la formación profesional y para adultos tiene variados planes para promover cambios que hasta el momento, 10 años más tarde, todavía no han concluido. Este flujo continuo de cambios y de planes ha causado una enorme turbulencia, que caracteriza la MBO durante la última década.

El proceso de reestructuración mediante el cual muchas escuelas de formación profesional especializada se han fusionado en grandes ROC prácticamente ha finalizado, pero los objetivos esperados de otros cambios todavía no se han cumplido. El memorándum más reciente, "Ruimte voor ambitie in innovatie in het MBO", revela que, por ejemplo, la introducción de la Ley sobre la supervisión de la educación todavía no ha alcanzado uno de sus objetivos (mejorar la garantía de calidad interna); el cambiar de estructura basado en las competencias y su puesta en práctica no finalizará, como mínimo, hasta 2008; además, siguen habiendo quejas sobre los planes de mejora de la calidad de la formación profesional práctica (BPV).

Una gran cantidad de memorandos dirigen los cambios en la formación profesional de grado medio; sin embargo, la no consecución de algunos objetivos plantea la pregunta de si los responsables políticos no trabajan desde una distancia demasiado lejana de las escuelas. Las políticas cambian la administración educativa, pero son los profesores quienes ven especialmente limitada la práctica educativa; además, y a menudo, los planes de cambios están concebidos por teóricos y responsables políticos que no tienen ninguna experiencia pedagógica y didáctica. Un buen ejemplo es el énfasis que da la política de formación profesional a la educación basada en las competencias y a la combinación de aprender y trabajar en la formación profesional.

En un estudio reciente, la Oficina de planificación cultural y social (SCP), un organismo independiente de investigación y asesoramiento del gobierno holandés, se critican las asunciones no probadas de estas políticas. Citamos por ejemplo:

*"El aprendizaje basado en las competencias se está ampliando claramente, lo que significa que gran parte de la práctica profesional determinará el contenido y la modelación de la formación. En HBO, sólo una tercera parte del tiempo de formación se pasa dentro de la escuela. Durante los últimos años, el tiempo de contacto con los profesores se ha reducido fuertemente. En gran medida, la formación se ve dominada por el aprendizaje independiente y por la realización de proyectos en grupos de estudiantes. Además, también se reduce el tiempo de educación efectiva en la MBO. Sólo una parte restringida de las 850 horas de contacto obligatorias por año se dedica a la transferencia de conocimientos y de instrucciones orientadas por asignaturas. La mayor parte del tiempo se dedica a habilidades generales y orientadas a prácticas profesionales.*

*Cada vez más, la MBO recibe alumnos de VMBO que necesitan una atención especial. En HBO, el porcentaje de estudiantes con un diploma de VWO desciende, mientras que el porcentaje de estudiantes con un diploma de HAVO o MBO aumenta. Al inicio de sus estudios, los estudiantes tienen una carencia cada vez más alta de conocimientos en aritmética, lectura y escritura. A su vez, la cantidad de tiempo dedicada a la transferencia de conocimientos en MBO y HBO desciende. La combinación de una mayor dedicación de tiempo al aprendizaje mediante prácticas fuera de la escuela y la amplia inclusión del aprendizaje basado en las competencias dentro de la escuela amenaza el nivel de la formación. El cambio de la población estudiantil pide más bien una intensificación que una extensificación de la formación".*

Quizás sería útil para la formación profesional de grado medio que parte de los responsables políticos abandonaran la idea de que cualquier innovación de la educación supone una mejora. Como mínimo, aumentaría la posibilidad atender más las formas sobre como hacer efectivos los cambios en la práctica educativa. La introducción de cambios se debe realizar con cuidado. Es necesario que las condiciones contextuales sean idóneas, el personal motivado y que esté bien preparado. Como organizaciones profesionales autónomas, las instituciones de formación se deberían preguntar si los nuevos modelos educativos están siempre suficientemente basados en experiencias previas (el Inspector general de educación, 2006).

# 4. REFERENCIAS BIBLIOGRAFÍCAS

Bronneman-Helmers, R., Duaal als ideaal? Leren en werken in het beroeps- en hoger onderwijs. Den Haag, Social and Cultural Planning Office, 2006

Vogels, R., and R. Bronneman-Helmers, Wie werken er in het onderwijs? Op zoek naar het 'eigene' van de onderwijsprofessional. Den Haag, Social and Cultural Planning Office, 2006

BVE Raad, BVE op weg naar 2005. Strategisch beleidsplan BVE Raad 1999-2005. De Bilt, BVE Raad, 1998

BVE Raad, Van versterken naar herontwerpen. Op weg naar een competentie gerichte kwalificatiestructuur. Bunnik, BVE Raad, 2002

BVE Raad, Beroepsonderwijs en volwasseneneducatie in beeld. Jaarbericht 2004. Bunnik, BVE Raad, 2005

BVE Raad, Jaarbericht 2005. Beroepsonderwijs en volwasseneneducatie voor iedereen. Bunnik, BVE Raad, 2006

BVE-Raad, AOC-Raad, ministerie van LNV, ministerie van OCW, Ruimte voor ambitie en innovatie in het MBO. Bestuurlijke agenda 2005-2010. Den Haag, Ministerie van OCW, 2005

Centraal Bureau voor de Statistiek, Jaarboek onderwijs in cijfers 2006. Voorburg, CBS, 2006

Colo, Samen werken aan leren: naar een competentiegerichte kwalificatiestructuur voor het middelbaar beroepsonderwijs. Zoetermeer, COLO, 2002

Colo, Tijdens verbouwing geopend: competentiegerichte kwalificatieprofielen als basis voor dynamisch en uitnodigend beroepsonderwijs. Zoetermeer, COLO, 2004

Colo, BVE Raad and Paepon, Aan de slag met dynamisch en uitnodigend beroepsonderwijs. Zoetermeer. COLO, 2003

Colo, Stuurgroep competentiegericht beroepsonderwijs, Kwalificaties voor competentiegericht beroepsonderwijs. Kwalificaties ontwikkelen in een samenhangende structuur voor het middelbaar beroepsonderwijs. Zoetermeer, COLO, 2006

Commissie Arbeidsmarkt en Onderwijsbeleid, Beroepskwalificaties en domeinen in het MBO: twee kanten van dezelfde medaille. Advies aan het bestuur COLO. Zoetermeer, COLO, 2005

Commissie Boekhoud, Doorstroomagenda beroepsonderwijs, Zoetermeer, Ministerie van OCW, 2001

Inspectie van het Onderwijs, Onderwijsverslag 2003/2004. Hoofdstuk 9 De staat van het beroepsonderwijs en de volwasseneneducatie. Utrecht, Onderwijsinspectie, 2005

Inspectie van het Onderwijs, De staat van het onderwijs. Onderwijsverslag 2004/2005. Hoofdstuk 13 De staat van het beroepsonderwijs en volwasseneneducatie. Utrecht, Onderwijsinspectie, 2006

Minister van OCW, Voortgang Koers BVE. Zoetermeer, Ministerie van OCW, 2000

Minister van OCW, Gespreksnotitie evaluatie WEB. Zoetermeer, Ministerie van OCW, 2001

Minister van OCW, Agenda Koers BVE 2. Zoetermeer, Ministerie van OCW, 2003

Minister van OCW, Koers BVE, inclusief reactie op advies Onderwijsraad. Den Haag, Ministerie van OCW, 2004

Minister van OCW, Transparante regionale ambities. Den Haag, Ministerie van OCW, 2004

Ministers van OCW and LNV, Evaluatieverslag WEB. Zoetermeer, Ministerie van OCW, 2001

Ministers van OCW and LNV, Evaluatieverslag WEB. Bijlage bij BVE/B2001/43436. Zoetermeer, Ministerie van OCW, 2001

Ministerie van OCW, Koers BVE 1. Perspectief voor het middelbaar beroepsonderwijs. Zoetermeer, Ministerie van OCW, 2000

Ministerie van OCW, Beroepsonderwijs loont. De 'Beroepsbrief'. Brief aan de Tweede Kamer over de ontwikkeling van de beroepskolom. Zoetermeer, Ministerie van OCW, 2002

Ministerie van OCW, Van binnen naar buiten. De innovatie van het beroepsonderwijs in een hogere versnelling. Middellange termijnverkenning beroepsonderwijs. Zoetermeer, Ministerie van OCW, 2002

Ministerie van OCW, Voortgangsrapportage autonomie en deregulering. Zoetermeer, Ministerie van OCW, 2002

Ministerie van OCW, [et al.], Convenant samenwerking ten behoeve van innovatie in het beroepsonderwijs. Zoetermeer, Den Haag, De Bilt, Ministerie van OCW, mei 2003

Ministerie van OCW, Koers BVE 2. Het regionale netwerk aan zet. Den Haag, Ministerie van OCW, 2004

Ministerie van OCW, Actieplan EU-benchmarks onderwijs. Den Haag, Ministerie van OCW, augustus 2004

Ministerie van OCW, Regeling innovatiebox beroepsonderwijs 2006 tot en met 2009. Den Haag, mei 2006

Onderwijsraad, Advies Koers BVE: doelgericht zelfbestuur. Den Haag, Onderwijsraad, 2004

Procesmanagement herontwerp MBO, Domeinen in het MBO: meer ruimte voor regio, leerling en school, Advies aan de BVE Raad. Ede, Procesmanagement, 2005

Social and Economic Council, Koersen op vernieuwing: advies over macrodoelmatigheid, innovatiebeleid en beroepspraktijkvorming in het (middelbaar) beroepsonderwijs. Advies nr. 02/12. Den Haag, SER, 2002

Social and Economic Council, Evaluatie van de Lissabon-strategie. Advies nr.04/10. Den Haag, SER, 2004

Stuurgroep Evaluatie WEB, De WEB: naar eenvoud en evenwicht. Zoetermeer, Ministerie van OCW, 2001

Stuurgroep Impuls Beroepsonderwijs en Scholing, Naar een stevig fundament voor de kennissamenleving. Beroepsonderwijs en scholing op weg naar 2010. Zoetermeer, Ministerie van OCW, 2002

Werkgroep Dynamisering Beroepsonderwijs, Beroepswijs beroepsonderwijs. Voorstellen voor vernieuwing van het beroepsonderwijs. Den Haag, Ministerie van Algemene Zaken, 2004

Werkgroep Interdepartementaal Beleidsonderzoek BVE, Risicoleerlingen en hun leerloopbanen in het MBO. Den Haag, 2006

**Referencias web**

http://statline.cbs.nl/Stat Web/

www.bveraad.nl

www.colo.nl

www.herontwerpmbo.nl

www.innovation.platform.nl

www.koersbve.nl

www.owinsp.nl

# Capítulo V
# El sistema de formación profesional en España: tendencias y debates

Rafael Merino Pareja
Grup de Recerca Educació i Treball[50]
Universidad Autónoma de Barcelona

50. www.uab.es/gret

# 1. INTRODUCCIÓN

El objetivo de este capítulo es analizar la evolución reciente de la formación profesional en España. En concreto nos referimos a la formación profesional reglada (FPR), es decir, la que está regulada y organizada por el Ministerio de Educación y las consejerías de educación de las comunidades autónomas, y que conducen a la obtención de títulos oficiales. Para este análisis hemos utilizado los datos de la estadística oficial de educación, para tener una referencia cuantitativa de la evolución de la formación profesional. Hay que decir que los datos oficiales son parcos en algunas informaciones relevantes, como describiremos más adelante, pero son los datos que tenemos disponibles. En parte por las lagunas estadísticas, y en parte también por razones epistemológicas, hemos completado los datos cuantitativos con datos cualitativos obtenidos en diferentes investigaciones realizadas en el GRET[51]. Después de analizar los datos, se enumeraran las cuestiones clave para entender la formación profesional española y para situar los debates de política educativa.

# 2. UN APORTE HISTÓRICO

Pero antes de entrar a analizar los datos, es imprescindible hacer un apunte histórico. En otro texto hemos profundizado en la historia de la formación profesional (Merino, 2005a), aquí nos limitaremos a situar una perspectiva general para situar y

---

51. Grup de Recerca Educació i Treball, Grupo de Investigación del Departamento de Sociología de la Universidad Autónoma de Barcelona, donde el autor desarrolla su labor investigadora.

poder contextualizar la formación profesional en el siglo XXI. La idea central es que la formación profesional ha tenido muchos problemas a lo largo del siglo XX para incorporarse al sistema educativo, y su proceso de institucionalización ha sido largo, muy precario y con muchas dificultades (Casal et al., 2003). Todo ello se debe fundamentalmente a tres factores. En primer lugar, al academicismo de los sistemas educativos, que han construido la enseñanza secundaria con un carácter marcadamente propedéutico. Esta es una característica no sólo española, en numerosos países la introducción de estudios conectados con el mundo del trabajo ha tenido numerosas resistencias porque se consideraba que se rebajaba el nivel de la enseñanza. En segundo lugar, y esto sí que es una característica más propia de nuestra historia, a la secular debilidad del sector industrial en la economía española, que no necesitaba grandes contingentes de mano de obra cualificada o que se cualificaba en el puesto de trabajo. En tercer lugar, al también tradicional escaso desarrollo del estado del bienestar, con muchas dificultades en aplicar políticas educativas por falta de presupuesto y por falta de iniciativa, lo que ha dado lugar a la gran distancia entre las disposiciones legislativas y normativas y la realidad de los centros educativos. Así, durante muchos años el desarrollo de la formación profesional quedó a expensas de iniciativas locales y personales, con la creación de escuelas de artes y oficios por parte de empresarios que combinaban la filantropía con la necesidad de buscar mano de obra cualificada.

Este panorama cambia radicalmente con la Ley General de Educación (LGE), promulgada en el año 1970, todavía en pleno franquismo. Las leyes anteriores habían dejado una formación profesional raquítica y desconectada de la enseñanza general. Es con la LGE, y sobre todo con los decretos del 1974 y 1976 (Planas, 1986) que se define un modelo de formación profesional basado en una vía larga pero conectada con el tronco general: la FP1 para los que acaban la enseñanza primaria, la EGB, y la FP2 para los que acababan la FP1 o para los que después de segundo o tercero de BUP querían reorientar su itinerario formativo. Es necesario recordar que existe un malentendido histórico respecto a la FP1, que además se ha instalado en el imaginario popular. La FP1 se hizo obligatoria (en el papel) para los que suspendían la EGB, pero de ninguna forma era exclusiva para estos chicos y chicas. De hecho, casi la mitad de los matriculados habían obtenido el graduado escolar (Carabaña, 1988a).

A pesar de las críticas que tuvo esta ley, por el contexto político en el que se promulgó, y a tenor de las corrientes en contra de la segregación de las vías académicas y profesionales (la doble red de Baudelot y Establet, 1976), hay que reconocer que permitió el gran crecimiento de la matrícula de formación profesional, en detrimento por cierto de la matrícula de bachillerato que había estado creciendo durante los años 60, y permitió la escolarización post-obligatoria de muchas chicas con la creación de la rama administrativa (Carabaña, 1997). Aun así, las carencias eran muchas. En primer lugar, la FP1 en muchos institutos tenía una función social más que profesional, ya que retenía los chicos y chicas de 14 a 16 años que no podían trabajar y que tampoco les gustaba estudiar. La conexión con el mundo del trabajo era escasa, aunque a partir de los años 80 algunos centros iniciaron de forma voluntaria un programa de prácticas en empresas. El modelo de enseñanza-aprendizaje era excesivamente académico y los recursos, muy escasos, tampoco ayudaron mucho a generar una imagen positiva de la formación profesional.

La Ley de Ordenación General del Sistema Educativo (LOGSE) promulgada en el año 1990 cambia, como es sabido, el modelo de la enseñanza secundaria. Se consolida la edad de 16 años como fin de la enseñanza obligatoria y se organiza la enseñanza secundaria en un ciclo obligatorio de los 12 a los 16 años (ESO) que viene a suprimir o unificar la FP1 y los dos primeros cursos de BUP. Este punto hay que tenerlo en cuenta a la hora de comparar los dos sistemas, como veremos más adelante. Para los que no consiguen el graduado en secundaria, la ley previó los Programas de Garantía Social (PGS), que serían el primer nivel de cualificación profesional, aunque externalizados del sistema educativo y sin conexión con la enseñanza post-obligatoria. Con el objetivo de dignificar la formación profesional, se igualó el requisito de acceso con el bachillerato, es decir, se necesitaba el graduado de secundaria para acceder tanto al bachillerato como a los Ciclos Formativos de Grado Medio (CFGM). Y se creó una formación profesional de nivel superior, los Ciclos Formativos de Grado Superior (CFGS), a la que había que acceder con el título de bachillerato, para competir con las opciones universitarias de los alumnos. Este es el diseño que dejó la LOGSE y que todavía hoy es vigente, a excepción de los inminentes Programas de Cualificación Profesional Inicial (PCPI) que la Ley Orgánica de Educación (LOE) introdujo en el año 2006, que vendrán a sustituir los PGS.

La aplicación de la LOGSE, como no podía ser menos, ha generado no pocos debates y tensiones, que hemos analizado en otros textos (Merino, 2005b; Merino et al., 2006a). Pero ahora vamos a centrarnos en los resultados, es decir, en la evolución de la matrícula de los alumnos de formación profesional y de las distintas características de los alumnos y de los centros que nos ofrecen las estadísticas oficiales.

**La evolución de la matrícula**

En primer lugar, vamos a analizar la evolución de la matrícula. Para ello hemos construido una tabla con datos desde el curso 1990/1991:

| Curso | FP1 | FP2 | Total | PGS | CFGM | GM distancia | CFGS | GS distancia | Total |
|-------|-----|-----|-------|-----|------|--------------|------|--------------|-------|
| 1990-91 | 474579 | 375271 | 849850 | | | | | | |
| 1991-92 | 457408 | 399297 | 856704 | | | | | | |
| 1992-93 | 440236 | 423322 | 863558 | | | | | | |
| 1993-94 | 407734 | 440049 | 847783 | | | | | | |
| 1994-95 | 360253 | 432178 | 792431 | | | | | | |
| 1995-96 | 301472 | 398607 | 700079 | | | | | | |
| 1996-97 | 232113 | 359530 | 591643 | | 75766 | | 54465 | | 130231 |
| 1997-98 | 169340 | 302612 | 471952 | | 119556 | | 79900 | | 199456 |
| 1998-99 | 69540 | 220598 | 290138 | | 158573 | | 110516 | | 269089 |
| 1999-00 | | 143673 | 143673 | 32976 | 158417 | 332 | 147875 | 626 | 340226 |
| 2000-01 | | 71019 | 71019 | 41550 | 191456 | 555 | 185051 | 694 | 419306 |
| 2001-02 | | 29296 | 29296 | 43916 | 210750 | 872 | 208935 | 1172 | 465645 |
| 2002-03 | | | | 46281 | 224486 | 993 | 229755 | 1579 | 503094 |
| 2003-04 | | | | 45899 | 229005 | 1683 | 234461 | 2295 | 513343 |
| 2004-05 | | | | 46051 | 231317 | 2148 | 225964 | 3498 | 508978 |
| 2005-06 | | | | 44927 | 230174 | 1975 | 217255 | 4649 | 498980 |
| 2006-07 | | | | 46645 | 232363 | 2738 | 212763 | 6083 | 500592 |

Tabla 1. Evolución de la matrícula de la formación profesional reglada en España, 1990-2006
Fuente: elaboración propia a partir de la estadística de la enseñanza, Ministerio de Educación

Con los datos de esta tabla podemos ver que en el curso 1990/1991, el año de promulgación de la LOGSE, la FP tenía casi 850.000 alumnos, que van bajando hasta los 700.000 del curso 1995/1996, debido fundamentalmente al descenso demográfico. Durante los años 1996-2002 se produce el período de transición del sistema LGE al sistema LOGSE, y a partir del curso 2002/2003 ya todos los alumnos están escolarizados en PGS, CFGM y CFGS. En el curso 2006/2007 eran 500.000 los alumnos matriculados en los tres niveles de formación profesional. Aquí hay que tener en cuenta dos factores: el descenso demográfico que continúa en las edades 16-20 años (desde el año 1998 hasta el año 2006 hay 600.000 jóvenes menos entre estas edades) y el mayor porcentaje de la promoción que escoge bachillerato, como veremos más adelante. En cualquier caso, desde el año 2002, la proporción de jóvenes entre 16 y 19 años que están matriculados en PGS, CFGM y CFGS se sitúa entre el 12 y el 13%.

Respecto a la evolución por niveles, es de destacar el estancamiento a partir del curso 2002/2003 de la matrícula de PGS. Esto quiere decir que la cobertura del fracaso de la ESO también se estanca, ya que como veremos más adelante, los PGS atraen aproximadamente a un tercio de los alumnos que no obtienen el graduado. Aquí está, sin duda, uno de los mayores retos de la formación profesional y de la escuela inclusiva, cómo hacer atractivos estos programas para los jóvenes con escasa cualificación. También desarrollaremos esta cuestión más adelante. Los CFGM han tenido un crecimiento casi constante desde el año 2002, y en cambio los CFGS llegaron a un máximo el curso 2003/2004 y después han descendido. Este descenso se ha visto compensado por el aumento de la formación profesional a distancia, que se ha introducido para flexibilizarla y permitir ampliar el rango de colectivos con acceso a la formación. El crecimiento de la formación a distancia ha sido espectacular, se ha multiplicado por tres en los CFGM y por cinco en los CFGS desde el curso 2001/2002, y es probable que aumente en los próximos años, aunque todavía en magnitudes pequeñas que no pueden compensar la pérdida de matrícula ordinaria.

Una cuestión importante relacionada con la matrícula es la ratio de los grupos y del profesorado. Por desgracia, la estadística no nos permite realizar este análisis como quisiéramos. El profesorado de formación profesional está repartido entre el profesorado de secundaria y el de otros colectivos y no es posible calcular la ratio alumnos/profesor. Podemos hacer una aproximación a partir de los grupos o unidades de alumnos. Para los PGS sólo se dispone de datos para los cursos 1999/2000 y 2000/2001, la media de alumnos por grupo era de 12 y 14 respectivamente, lo que es congruente con la necesidad de una atención más personalizada de estos alumnos. Hay que matizar que esta media sólo responde a los PGS que se hacían en los centros educativos, no sabemos este dato del 40% de alumnos que seguían un PGS en otras instituciones. La media de alumnos por grupo en los CFGM se ha mantenido estable entre 21 y 22 desde el año 1999. En los CFGS ha bajado desde los 23 en el curso 1999/2000 hasta 19 en el curso 2005/2006. Se pueden hacer diferentes valoraciones de estas cifras, siempre teniendo en cuenta de que se trata de medias, y las realidades en los centros pueden ser muy diversas, pero no parece que estemos ante una realidad masificada como se dio en los años 80.

La distribución de la matrícula por familias profesionales merece un comentario específico. Hemos añadido un anexo con los datos sobre el porcentaje de cada familia y de cada ciclo dentro de cada familia, así como la proporción de mujeres en cada ciclo y familia, para PGS, CFGM y CFGS. Respecto a los PGS, lo primero que hay que destacar es que entre un 17 y un 19%, es decir, casi una quinta parte de los alumnos realizan un PGS sin una especialidad concreta o que no se ha distribuido según la especialidad, lo que puede distorsionar un poco los resultados. El 56% de los alumnos están en cinco especialidades, por el siguiente orden (curso 2005/2006): electricidad y electrónica (12%), administración (11%), mantenimiento (9%), fabricación mecánica (7%) y hostelería (7%). Las variaciones desde el curso 1999/2000 han sido mínimas. La distribución de chicos y chicas por especialidades es muy diferente, cosa bien sabida. En las cinco especialidades mayoritarias la proporción de chicas es de 4, 60, 4, 3 y 48% respectivamente. Hay otras especialidades casi exclusivas de chicas como imagen personal o servicios a la comunidad, y al contrario, otras donde las chicas presentan porcentajes por debajo del 5%, como actividades marítimo-pesqueras, informática o madera y mueble.

Estos fenómenos también se dan de forma muy similar en los CFGM. Hay cuatro familias que concentran cerca del 60% de la matrícula, aunque con una tendencia a la baja en los últimos años, que son (curso 2005/2006): administración (23%), electricidad y electrónica (16%), sanidad (12%) y automoción (9%). Y las chicas son mayoritarias en administración (71%) y sanidad (89%), y minoritarias en electricidad y automoción (2%).

En CFGS existe una mayor diversificación, son cinco y no cuatro las familias que acumulan el 60% de la matrícula: administración (18%), informática (13%), sanidad (11%), servicios socioculturales (10%), electricidad y electrónica (10%). El conjunto de estas familias ha bajado del 65% el curso 2001/2002 al 60% el curso 2005/2006, esto quiere decir que se ha diversificado un poco más la oferta de esta formación profesional. Por sexo tenemos que las chicas tienen una presencia en estas familias del 73, 20, 80, 91 y 7% respectivamente.

Esta acumulación de la matrícula en unas pocas familias y la distribución marcadamente sexista en función de la especialidad son fenómenos ya conocidos y que tienen un carácter estructural. Ya en los años 80 se apuntó el efecto oferta de la formación profesional (Planas, 1985), es decir, la planificación puso énfasis en unas pocas familias profesionales, bien por su bajo coste (administrativo) bien por su versatilidad (electrónica). Ahora bien, una innovación importante de la LOGSE fue la especialización o diversificación interna de cada familia, con el diseño de ciclos distintos, así como la creación de nuevas familias más acordes con los tiempos, como informática o servicios a la comunidad. En CFGM la familia de actividades agrarias tiene cinco ciclos, artes gráficas tres, edificación seis, industrias alimentarias seis, química cinco, textil cinco, aunque la mayoría de estos ciclos tienen una matrícula escasísima. En CFGS comercio y márqueting tiene cuatro ciclos, electricidad cuatro, fabricación mecánica seis, hostelería seis, química seis, servicios socioculturales cinco, textil seis y la que más tiene, sanidad, con once ciclos diferentes. Muchos de estos ciclos tienen muy pocos alumnos, y en algunas familias, a pesar de la diversificación, sigue pesando un ciclo en concreto. Por ejemplo, en química el 60% de los alumnos están en una única especialidad, en fabricación mecánica un 50% y en sanidad un 26%. Otras familias, sin embargo, tienen una diversificación de alumnos mucho más notable, como electricidad o hostelería.

## 3. ASPECTOS RELEVANTES

La especialización de la formación profesional ha sido uno de los objetivos de la LOGSE y de las políticas educativas desarrolladas por los sucesivos ministerios de educación, y a menudo se oyen declaraciones de líderes políticos y empresariales de que es necesaria más especialización, sobre todo para adecuar la estructura de la formación profesional a la estructura del mercado de trabajo. Pero hemos visto que una mayor especialización lo que produce es mayor dispersión y una multitud de ciclos con una matrícula muy baja. Además parece que esta especialización apunta hacia un proceso de "ocupacionalización" de la formación profesional (Marhuenda et al., 2001), es decir, de copiar un modelo de formación ocupacional excesivamente centrado en las necesidades a corto plazo de las empresas, y dejar de lado las necesidades más a largo plazo de las personas y de las mismas empresas, que necesitan competencias más polivalentes para asegurar el futuro. La diversificación de ciclos también ha implicado que algunos jóvenes sigan estrategias acumulativas de uno o más ciclos, a veces incluso impulsados o orientados por los centros de secundaria[52], para combinar ciclos más genéricos o más especializados o para fortalecer su posición en el mercado de trabajo.

La cuestión del género también tiene su interés. Es cierto que la estructura de la formación profesional es sexista, porque los ámbitos ocupacionales a los que prepara también lo son. Pero también es cierto que en los últimos años se han introducido algunos pequeños cambios, sobre todo en el acceso de chicas a familias tradicionalmente dominadas por chicos. Estos cambios son más fáciles en la medida que se sube en el nivel de cualificación, por ejemplo en electrónica de grado superior se ha pasado del 5 al 7% de chicas en el período estudiado, en cambio en el grado medio no ha pasado del 2%. Un caso peculiar lo encontramos en la familia de mantenimiento y servicios a la producción. En CFGM sólo hay un 2% de chicas y en CFGS hay un 20%. Este salto espectacular se debe a la introducción del ciclo de prevención de riesgos profesionales, en el que casi la mitad son chicas. En fin, no cabe esperar grandes cambios en la estructura sexista de la formación profesional pero sí se pueden detectar pequeños cambios que pueden ser significativos, aunque el verdadero cambio se sitúa en el mercado de trabajo, ya que si existen resistencias a la entrada de chicas en formaciones tradicionalmente masculinas, las resistencias en el tejido empresarial son mucho mayores[53].

---

52. Incluso en Cataluña se ha convertido en política de la Consejería de Educación, ya que se está ofreciendo la posibilidad de hacer en tres años dos ciclos de la misma familia de dos años. Para ello se convalidan las materias comunes.

53. Para un estudio más profundo del sexismo en la formación profesional y de las posibilidades de las chicas que escogen formaciones no tradicionales, véase Alemany, 2003 y Elejabeitia y López, 2003.

Además del género, hay otras variables a analizar para tener una idea de las características del alumnado de la formación profesional. Con los datos oficiales, podemos hacer un breve análisis de la edad y de la nacionalidad. Respecto a la edad, hemos construido la siguiente tabla resumen para PGS, CFGM y CFGS:

| | 1999-00 | 2000-01 | 2001-02 | 2002-03 | 2003-04 | 2004-05 | 2005-06 |
|---|---|---|---|---|---|---|---|
| **PGS** | | | | | | | |
| De 16 años | 36,4 | 39,3 | 34,5 | 35,7 | 39,5 | 42,4 | 43,1 |
| De 17 años | 30,8 | 32,1 | 27,4 | 27,5 | 27,2 | 23,9 | 24,2 |
| De 18 años | 15,7 | 14,4 | 11,3 | 11,7 | 10,0 | 9,0 | 8,9 |
| De 19 años | 8,5 | 6,8 | 4,4 | 4,4 | 3,6 | 3,6 | 3,4 |
| De 20 y más años | 8,7 | 7,4 | 4,7 | 4,4 | 3,8 | 4,1 | 4,6 |
| No consta | 0,0 | 0,0 | 17,6 | 16,3 | 15,9 | 17,0 | 15,8 |
| | 100,0 | 100,0 | 100,0 | 100,0 | 100,0 | 100,0 | 100,0 |
| | 32.976 | 41.550 | 43.916 | 46.281 | 45.899 | 46.051 | 44.927 |
| **CFGM** | | | | | | | |
| De 16 años | 7 | 8 | 8 | 7 | 7 | 6 | 5 |
| De 17 años | 19 | 19 | 21 | 21 | 20 | 20 | 20 |
| De 18 años | 25 | 25 | 25 | 27 | 26 | 26 | 26 |
| De 19 años | 18 | 18 | 18 | 18 | 19 | 19 | 18 |
| De 20 y más años | 31 | 29 | 27 | 27 | 28 | 29 | 31 |
| | 100,0 | 100,0 | 100,0 | 100,0 | 100,0 | 100,0 | 100,0 |
| | 158.573 | 191.456 | 210.750 | 224.486 | 229.005 | 231.317 | 230.174 |
| **CFGS** | | | | | | | |
| De 18 | 9 | 9 | 10 | 8 | 8 | 8 | 7 |
| De 19 años | 17 | 17 | 17 | 17 | 17 | 16 | 16 |
| De 20 años | 24 | 19 | 19 | 20 | 20 | 19 | 19 |
| De 21 años | 18 | 16 | 16 | 17 | 16 | 16 | 16 |
| De 22 años | 13 | 13 | 12 | 12 | 11 | 11 | 11 |
| De 23 y más años | 19 | 26 | 26 | 26 | 28 | 30 | 31 |
| | 100,0 | 100,0 | 100,0 | 100,0 | 100,0 | 100,0 | 100,0 |
| | 147.875 | 185.051 | 208.935 | 229.755 | 234.461 | 225.964 | 217.255 |

Tabla 2. Alumnado de PGS, CFGM y CFGS según edad, 1999-2006
Fuente: elaboración propia a partir de la estadística de la enseñanza, Ministerio de Educación

La edad modal del alumnado de PGS es 16 años, aunque es de destacar la presencia de jóvenes de 18, 19 e incluso de más. La presencia de jóvenes de 17 y 18 años puede explicarse por las repeticiones de la ESO. La presencia de jóvenes mayores ya tiene una explicación más difícil, ya que se trata de jóvenes que han estado un año como mínimo fuera del circuito educativo. En cualquier caso, la evolución de estos últimos años ha ido en la dirección de disminuir el peso de estos últimos y de concentrar los jóvenes de 16 y 17 años.

En los CFGM la edad modal es 18, y la presencia de jóvenes mayores de 20 años es importante, casi un tercio. En el primer caso nos podemos encontrar jóvenes que hayan repetido un curso en la ESO, que obtienen el graduado y que razonablemente piensan que es mejor matricularse en un ciclo que en el bachillerato. También nos podemos encontrar alumnos que hayan probado el bachillerato, hayan suspendido y que el año siguiente se matriculan en ciclos, como veremos en el análisis de flujos. En el caso de los mayores de 20 años, nos podemos encontrar con jóvenes que han hecho las pruebas de acceso porque no obtuvieron en su día el graduado o que han postergado la continuidad de su itinerario formativo por la razón que fuese. No podemos ir más allá. No ha habido cambios en la distribución de las edades a lo largo del período.

En los CFGS la edad modal es 20[54], como es lógico. Es de destacar que muy pocos alumnos tienen 19 años, que sería justo después de la edad teórica de finalizar el bachillerato. Esto puede tener varias explicaciones. La primera es que los candidatos al grado superior sean los alumnos que han repetido bachillerato o que han probado suerte en la universidad y no les ha ido bien, de manera análoga al CFGM, la ESO y el bachillerato. La segunda razón es que el grado superior ha ganado en atractivo para jóvenes que alargan su itinerario formativo o que lo recuperan después de un tiempo de circular por el mercado de trabajo. Para los jóvenes que no tuvieron el título de bachillerato el acceso al grado superior lo realizan a través de las pruebas, como veremos más adelante. De hecho, el colectivo mayor de 23 años ha pasado del 19 al 31% a lo largo del período.

Respecto a la nacionalidad, los datos vuelven a ser muy parcos, y en un tema tan complejo como éste, hay que ser prudentes, y tomarlos como una aproximación.

|  | 1999/00 | 2000/01 | 2001/02 | 2002/03 | 2003/04 | 2004/05 | 2005/06 |
|---|---|---|---|---|---|---|---|
| PGS | 2,1 | 2,4 | 4,2 | 5,4 | 6,8 | 8,7 | 11,4 |
| CFGM+CFGS |  | 0,9 | 1,2 | 1,8 | 2,5 | 3,4 | 4,3 |
| ESO | 1,5 | 2,0 | 2,9 | 4,3 | 5,7 | 6,7 | 8,0 |
| Bachillerato |  |  |  | 1,8 | 2,4 | 3,0 | 3,4 |

Tabla 3. Porcentaje de extranjeros en la enseñanza secundaria, 1999-06
Fuente: elaboración propia a partir de la estadística de la enseñanza, Ministerio de Educación

---

54. No se puede calcular la edad media porque los datos de 23 y más años no vienen desagregados por edades.

En primer lugar, hay que destacar el gran crecimiento de los inmigrantes en el sistema educativo español. En la ESO se ha multiplicado por cinco el porcentaje de alumnos extranjeros, y en el curso 2005/2006 representaban el 8%. El crecimiento ha sido un poco superior en PGS, y en el curso 2005/2006 ya representaban el 11,4% de los alumnos. Esto también significa que los alumnos de origen inmigrante tienen más probabilidades de suspender la ESO y de ir a los programas de garantía social. Además, estamos hablando de cifras para el conjunto de España, es más que probable que en algunas zonas estos porcentajes sean muy superiores (y en otras muy inferiores). Pero los extranjeros también entran en las vías post-obligatorias, van creciendo poco a poco y en el curso 2005/2006 ya son el 4,3% de la formación profesional (los datos se dan para el conjunto de CFGM y CFGS) y el 3,4% del bachillerato. Sin duda uno de los grandes retos para el sistema educativo en su conjunto, y para la cohesión social, será que los hijos de inmigrantes circulen con normalidad por todas las vías post-obligatorias y que no existan vías, centros o programas que sean identificados como los propios de los inmigrantes y sufran un proceso de devaluación formativa.

La última variable para entender un poco más el perfil del alumnado es la procedencia académica. Los datos de la estadística oficial son los siguientes:

| CFGM | 1999-00 | 2000-01 | 2001-02 | | 2002-03 | 2003-04 | 2004-05 | 2005-06 |
|---|---|---|---|---|---|---|---|---|
| FP1 | 20,0 | 8,8 | 4,1 | Acceso Directo (titulación académica) | 92,0 | 50,2 | 90,2 | 89,7 |
| ESO | 43,7 | 58,1 | 69,6 | Pruebas de acceso | 8,0 | 49,8 | 9,8 | 10,3 |
| Otros (incluye BUP y bac. Exp.) | 24,1 | 20,9 | 15,8 | | | | | |
| Pruebas de acceso | 12,3 | 12,2 | 10,5 | | | | | |
| | 100,0 | 100,0 | 100,0 | | 100,0 | 100,0 | 100,0 | 100,0 |
| CFGS | 1999-00 | 2000-01 | 2001-02 | | 2002-03 | 2003-04 | 2004-05 | 2005-06 |
| FP2 | 20,4 | 17,5 | 9,8 | Acceso Directo (titulación académica) | 94,0 | 62,9 | 92,5 | 92,5 |
| Bachillerato | 21,4 | 31,3 | 45,4 | Pruebas de acceso | 6,0 | 37,1 | 7,5 | 7,5 |
| COU | 45,3 | 39,1 | 32,4 | | | | | |
| Otros | 8,4 | 6,8 | 7,0 | | | | | |
| Pruebas de acceso | 4,4 | 5,3 | 5,4 | | | | | |
| | 100,0 | 100,0 | 100,0 | | 100,0 | 100,0 | 100,0 | 100,0 |

Tabla 4. Procedencia académica del alumnado de CFGM y CFGS, 1999-2006

Fuente: elaboración propia a partir de la estadística de la enseñanza, Ministerio de Educación

Hasta el curso 2001/2002 la procedencia de los alumnos era muy diversa, ya que al convivir los dos sistemas se establecieron pasarelas para pasar de la formación profesional antigua a la nueva. Además, supuso una oportunidad de continuar los estudios, por ejemplo para alumnos que acababan la FP2, que pudieron continuar su itinerario formativo en un CFGS. También era importante el porcentaje de alumnos que habían iniciado el BUP pero no lo habían acabado, que quedaban en el epígrafe de "otros". Por desgracia, a partir del curso 2002-03 no se recogen estos matices, sólo se registra si el alumno tiene la titulación o si ha realizado la prueba de acceso. Como veremos en el análisis de flujos, una de las entradas más importantes de alumnos en los CFGM son los que han fracasado en el bachillerato, pero este dato aquí no está contemplado. Respecto a las pruebas de acceso es preciso hacer algunos comentarios. En el caso de los CFGM ya empezaron con una presencia importante, del 12%, aunque ha bajado un poco hasta el 8% del curso 2005/2006. El curso 2003/2004 no lo podemos tener en cuenta porque hay un evidente error de registro[55]. Sería muy interesante saber si los jóvenes que hacen esta prueba de acceso han pasado previamente por un programa de garantía social. De las pocas evidencias que existen no parece que sea así (Marhuenda et al., 2000). En el caso de los CFGS ha pasado de representar el 4.4% al 7,5%. Aquí la cuestión clave es saber si las personas que hacen las pruebas son jóvenes adultos con experiencia en el mundo del trabajo que desean obtener una cualificación oficial, o son jóvenes que han hecho un CFGM y que quieren continuar su itinerario formativo pero no quieren hacer el bachillerato, y que se presentan a las pruebas bien por libre bien a través de un curso puente que se ofrece en algunas comunidades como Cataluña.

La conexión entre el grado medio y el grado superior es una cuestión muy controvertida. Aunque formalmente todas las leyes desde el año 1990 han mantenido esta separación, fundamentalmente para no repetir el esquema de la LGE del itinerario largo de formación profesional, muchos alumnos, en ocasiones alentados por sus profesores, elaboran estrategias diferentes para poder conectarlos. Desde el punto de vista de los alumnos, no entienden que no les dejen continuar su formación dentro de una familia profesional dada (Merino, 2005b), incluso se ven mejor preparados que los alumnos que vienen de bachillerato. En cambio, un sector importante del profesorado preferiría mantener una formación profesional para bachilleres, que pueda competir con el nivel universitario. Parece que la LOE ha flexibilizado esta cuestión, aunque falta ver cómo se concretará en el futuro cercano.

---

55. Es muy poco probable que la mitad de los alumnos de CFGM vengan de las pruebas de acceso. Además, si se miran los datos de algunas comunidades autónomas, se ve que en Cataluña este porcentaje sube al 90% y en Valencia al 84%, lo que a todas luces es imposible.

Respecto a las características del alumnado, la estadística oficial no ofrece más datos. Para saber más cosas sobre el perfil hay que recurrir a estudios basados en muestras. Por ejemplo, el origen socioeconómico de la familia, una de las variables clásicas de la sociología, ha sido el objeto de un estudio publicado por la Fundación Alternativas (Calero, 2006). Entre otras variables, se estudia la relación entre la categoría profesional y el nivel de estudios de los padres y la probabilidad de estudiar bachillerato o CFGM. El resultado, por otro lado esperado, es que los hijos de obreros tienen muchas menos probabilidades de cursar bachillerato que los hijos de profesionales, y que el nivel de estudios de la madre es la variable que más discrimina las probabilidades de estar en la vía académica. Este tipo de análisis, aunque se basa en correlaciones y no acaba de explicar por qué existen estas relaciones, son fundamentales para situar el debate sobre la equidad del sistema educativo y la igualdad de oportunidades.

Volviendo a los datos de la estadística de la enseñanza, tenemos la titularidad del centro, que también es motivo de análisis. Según los datos de la tabla 5, el alumnado matriculado en centros públicos ha tendido a crecer un poco, ha pasado del 72 al 74% en el grado medio y del 76 al 78% en el grado superior. Nótese que el porcentaje es más elevado que en otros niveles educativos (ESO y bachillerato). En formación profesional la iniciativa privada, excepto alguna orden religiosa especializada en este tipo de formación, como los salesianos, tiene mucho más interés en los estudios académicos que en los profesionales.

| | CFGM | | CFGS | |
|---|---|---|---|---|
| | Público | Privado | Público | Privado |
| 1999-00 | 72 | 28 | 76 | 24 |
| 2000-01 | 72 | 28 | 74 | 26 |
| 2001-02 | 73 | 27 | 75 | 25 |
| 2002-03 | 73 | 27 | 75 | 25 |
| 2003-04 | 73 | 27 | 76 | 24 |
| 2004-05 | 73 | 27 | 77 | 23 |
| 2005-06 | 74 | 26 | 78 | 22 |

Tabla 5. Titularidad del centro donde se imparten ciclos formativos, 1999-2006

Fuente: elaboración propia a partir de la estadística de la enseñanza, Ministerio de Educación

Pero la distinción entre centros públicos y privados no agota, ni mucho menos, la diferenciación entre los centros que imparten formación profesional. Por desgracia, la estadística es parca en datos que puedan caracterizar estos centros. Ya desde los años 80 se ha marcado la FP con una imagen negativa, una imagen basada en un prejuicio

(Carabaña, 1988a), pero una imagen que impregnaba todos los centros de formación profesional. En realidad, existe una gran variedad de centros con etiquetas muy variadas. Otra de las innovaciones de la LOGSE fue eliminar la distinción entre institutos de bachillerato e institutos de formación profesional, precisamente para mitigar uno de los aspectos negativos que se asociaban a estos últimos. Pero no está claro que esta fusión haya sido positiva para la formación profesional. Ya veremos más adelante que no ha mejorado las tasas de matriculación, más bien al contrario. Pero además ha diluido la identidad propia de la formación profesional (Merino, 2005b) y por otro lado, hay que tener en cuenta si un centro dispone de una oferta restrictiva o amplia de ciclos, si tiene tradición en un territorio, si se ha construido una imagen de éxito respecto a la inserción laboral. La creación de centros integrados a partir de la Ley de las Cualificaciones y de la Formación Profesional (LQFP) del año 2002 puede contribuir a una mayor diferenciación entre los centros de formación profesional, diferenciación que puede traducirse fácilmente en jerarquía de prestigio y de recursos.

Respecto a los PGS, ya se ha apuntado anteriormente que el 40% de los alumnos realizan el programa fuera de los centros educativos. Esto no quiere decir que sean privados, ya que muchos ayuntamientos y organizaciones del tercer sector se han implicado activamente en el diseño y desarrollo de estos programas. Hasta cierto punto, es positivo que estos programas se realicen fuera del entorno escolar, precisamente un entorno que se ha vuelto hostil para la mayoría de los chicos y chicas que, después de permanecer más de 10 años en la escuela, más bien lo que quieren es olvidarla. Pero la descentralización de estos programas vino acompañada de una despreocupación por parte de la administración educativa, que se ha traducido en una falta de control de procesos y de resultados, así como de la precarización de los profesionales que gestionan estos programas (Merino et al., 2006b). Habrá que estar atentos al desarrollo de los PCPI para ver si se resuelven esta y otras cuestiones (op. cit.).

Todos los datos hasta ahora comentados son datos stock, es decir, se recogen para cada año y no tienen conexión entre los diferentes años. Ofrecen una información pertinente pero insuficiente para conocer a fondo cómo se construyen los itinerarios de formación profesional. Para ello es necesario construir los flujos educativos, es decir, la relación entre las salidas de un nivel y las entradas del nivel siguiente, o los cruces entre las distintas vías y niveles de la enseñanza secundaria. A partir de una metodología que simula la reconstrucción de una generación[56],

---

56. Es una metodología utilizada en los años 70 por la UNESCO para comparar sistemas educativos de distintos países. En España ha sido adaptada por Plácido Guardiola, de la Universidad de Murcia (Guardiola, 1999), y la hemos adaptado para realizar un diagrama de flujos (Merino, 2003). Básicamente consiste en utilizar los datos de matrícula, repetición y promoción para reconstruir el paso de una cohorte por un nivel educativo, y establecer la tasa de continuidad entre los distintos niveles.

hemos calculado el diagrama de flujos para la cohorte que acaba la enseñanza obligatoria el curso 1999-00[57]:

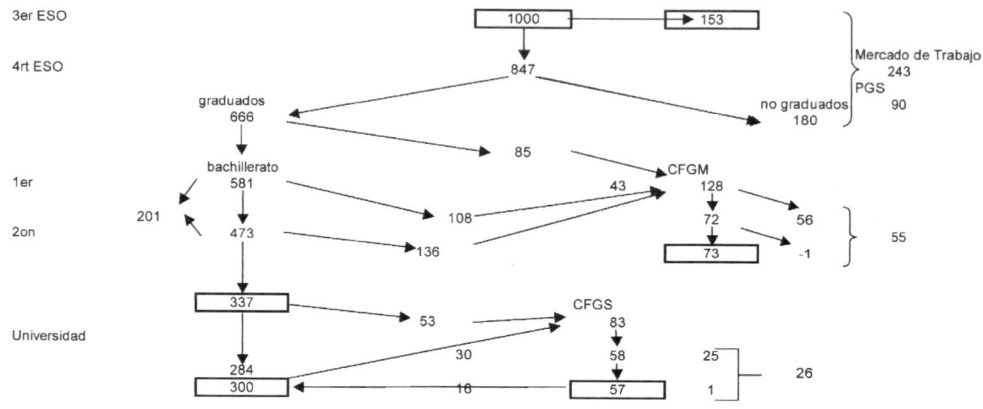

Tabla 6. Diagrama de flujos de la enseñanza secundaria para la promoción 1999/2000
Fuente: elaboración propia a partir de la estadística de enseñanza, Ministerio de Educación

Este diagrama nos permite tener una idea aproximada (la transformación de datos stock a datos de flujo se hace con pérdida de información y por lo tanto, con posibles sesgos) de los itinerarios formativos de los jóvenes españoles, así como una imagen de la interrelación entre los distintos niveles y vías de la enseñanza secundaria.

La primera cuestión es el fin de la enseñanza secundaria obligatoria, que es lo que marcará las posibilidades de continuar o no en la enseñanza post-obligatoria. Lo primero que llama la atención es el elevado número de alumnos que no llegan a 4º de ESO (153 sobre 1000, es decir un 15%) que sumados a los que llegan pero no obtienen el título representan prácticamente un tercio de la cohorte. El hecho de que no lleguen a 4º tiene que ver probablemente con los repetidores que cumplen

57. Este análisis se realizó en el marco de un proyecto de investigación del Plan Nacional I+D, llamado *16-19. La transición de los jóvenes después de la escuela obligatoria* (ref. BS022003-07739). El proyecto incluía la comparación con los flujos existentes en los primeros años 90 cuando todavía la formación profesional tenía la estructura de la LGE. Para consultar los detalles de los resultados se puede consultar una comunicación que presentamos en la conferencia de la Asociación de Sociología de la Educación, celebrada en Santander el año 2005, que lleva por título "La circulación de los jóvenes por la enseñanza secundaria postobligatoria. Análisis de los flujos escolares y debates de política educativa" (www.ase.es). También un artículo con más resultados y comentarios en la revista *Témpora* (Merino et al., 2008).

16 años cuando están en tercero y ya pueden legalmente dejar el instituto. En el año 1999 todavía era muy reciente la implantación de la ESO, que había generado muchos conflictos sobre todo en el segundo ciclo, y muchos chicos y chicas se vieron obligados a estudiar más años una cosa que no querían. A partir de los primeros años del siglo XXI esta cifra ha ido descendiendo, y ya se ha asumido de forma mayoritaria que la enseñanza obligatoria acaba en 4º de ESO. Pero eso no quiere decir que la tasa de fracaso escolar haya disminuido, más o menos se ha estancado alrededor del 30%. Se ha discutido mucho sobre esta cifra, que sitúa a España en uno de los países de la OCDE con mayor fracaso escolar, y se ha discutido mucho cómo actuar para reducirla. En cualquier caso, es una cifra similar a la que existía con la LGE, aunque las comparaciones son difíciles porque el fin de la escolaridad obligatoria era dos años antes, pero a diferencia de lo que pasaba con la LGE, la evaluación negativa de la ESO conduce a la expulsión del sistema educativo, o como mucho, a la posibilidad de ir a un PGS. Según los datos disponibles, entre un tercio y una cuarta parte de los alumnos que salían de la ESO sin el graduado (90 sobre 153+180) iban a estos programas. El resto salían al mercado de trabajo sin ninguna titulación y sin ninguna especialización profesional, por escasa que sea.

Pero el porcentaje de graduación de la ESO sería menor si no existiera una práctica en muchos centros de dar el graduado a alumnos que no han conseguido los objetivos curriculares, que no podrían seguir un bachillerato pero que tienen aptitudes para seguir con éxito un CFGM[58]. Pero el título oficial es el mismo, y la orientación mayoritaria de las familias es el bachillerato, por eso presionan para que sus hijos se matriculen. Este, entre otros factores, es el que hace que más del 85% de los jóvenes que obtienen el graduado se matriculen el curso siguiente a bachillerato (581/666). Aquí la comparación con el sistema anterior no deja lugar a dudas: ha aumentado la proporción de alumnos que se orienta hacia el bachillerato. Pero también ha aumentado el fracaso en primero de bachillerato. Sólo el 58% de los alumnos que empiezan el bachillerato obtiene el título (el 44% en los dos años teóricos). Del fracaso de bachillerato, por contra, sale una parte importante de la clientela de los CFGM, una tercera parte (43/128). Este hecho hace que en muchos centros los CFGM se empiecen a ver como los ciclos donde van los que han fracasado en el bachillerato, lo que viene a reforzar el papel secundario de la formación profesional, justo lo contrario de lo que pretendía la LOGSE.

---

58. En la investigación citada en la nota anterior, realizamos cinco grupos de discusión con profesorado y alumnado de cinco institutos de enseñanza secundaria del área metropolitana de Barcelona. En estos grupos contrastamos los flujos y obtuvimos información muy valiosa para entenderlos mejor, como por ejemplo las prácticas de evaluación.

Al finalizar el bachillerato se vuelve a tener el dilema de escoger entre la continuación de estudios académicos o el paso a la formación profesional. Según el diagrama de flujos, en primera opción el 16% (53/337) de bachilleres optan por ir a un CFGS, pero otro 9% (30/337) también va después de probar la selectividad o incluso un año o más de universidad. En definitiva, un 19% de los graduados en ESO se matriculan después en un CFGM y un 25% de bachilleres se matriculan en un CFGS. En términos de cohorte representan el 13 y el 8% respectivamente, es decir, un 20% de cada promoción (29 si sumamos los jóvenes de los PGS) accede a la formación profesional, muy lejos de los porcentajes de países como Alemania o Francia.

Pero que el 20% entre en la formación profesional no quiere decir que salgan del sistema educativo con un título de formación profesional. Un 43% de los alumnos que es matriculan en un CFGM abandona el ciclo antes de acabarlo (55/128)[59], y un 31% (26/83) en los CFGS. Esto se traduce en que el 12% de la promoción sale del sistema educativo con un título de formación profesional. Las causas del abandono, según todos los indicios, son claras: los costes de oportunidad. La coyuntura económica expansiva de los últimos años ha dado mucho dinamismo al mercado de trabajo, que ha generado numerosas ofertas apetecibles para jóvenes de 18, 19 o 20 años, lo que ha dificultado la retención en los institutos. De hecho, algunos indicios apuntan a que muchos estudiantes combinan la formación con una ocupación remuncrada. Nos consta que en muchos institutos los ciclos de grado superior se ofrecen por la tarde. También nos consta, por lo menos en Cataluña, que muchos alumnos piden la exención de la formación en centros de trabajo porque ya están trabajando, incluso en trabajos relacionados con la formación. Aunque este abandono no se pueda considerar un fracaso de la formación profesional, sí que plantea un reto a medio y largo plazo: la necesidad del título para la promoción profesional y la flexibilidad del sistema para dar oportunidades de acabar lo que se empezó pero se dejó a medias.

Tampoco hay que descartar que existan otras razones para el abandono de la formación profesional, como el desencanto con la formación recibida o el cambio de expectativas respecto al futuro inmediato. No existen, que sepamos, estudios específicos sobre esta cuestión. Los estudios que se realizan sobre la inserción laboral se basan en muestras de titulados, no de matriculados, por lo que no sabemos qué motivos les llevaron a abandonar y qué tipo de inserción laboral han tenido. Desarrollaremos un poco más este punto cuando se plantee la cuestión de la inserción laboral.

---

59. El número negativo que aparece como abandonos de segundo tiene que ver con los CFGM que duran sólo un curso académico, por eso los titulados finales son superiores a los alumnos de segundo curso.

## 4. CUESTIONES PENDIENTES

A menudo los debates alrededor de las cuestiones educativas tienden a ser debates normativos, y la formación profesional no podía ser menos. En parte es lógico que sea así, y hasta cierto punto necesario, ya que una de las funciones de la educación es precisamente definir lo que queremos ser, tanto individualmente como colectivamente. Pero lo que no es tan lógico es que los debates se realicen de forma descontextualizada, como si la realidad existente no impusiera sus inercias y sus condiciones. Es más, cuando se aplican medidas de reforma sin tener en cuenta estos condicionantes, es cuando aparecen los llamados efectos no queridos o perversos, es decir, que vienen a reforzar precisamente lo que ser quería evitar. El ámbito de la formación profesional es un campo especialmente abonado. Veamos algunos ejemplos.

En primer lugar tenemos lo que podemos llamar el gran debate de la función social de la formación profesional, o formulado en términos de pregunta, ¿para qué sirve la FP? Generalmente hay una doble respuesta, no necesariamente antagónicas pero en la práctica sí: o bien tiene una función propedéutica o bien tiene una función terminal. La función propedéutica pondría el énfasis en la posibilidad de continuar en el sistema educativo, y la función terminal pondría el énfasis en la preparación para el mercado de trabajo. Parece obvio que desde la LGE, por lo menos, la función principal que se la ha asignado a la FP ha sido la de puente hacia el empleo, a ser posible cualificado. Pero este objetivo ha chocado sistemáticamente con la intención de muchos alumnos y de sus familias de evitar los callejones sin salida y de optar preferiblemente por las opciones que tengan más conexiones o oportunidades de continuar estudiando. Por eso cuando se nivelan los requisitos de acceso al bachillerato y a los CFGM la respuesta del alumnado es tender a ir más al bachillerato, por mucho que les prometan una buena inserción.

A veces se tiende a pensar que si no van más alumnos a la formación profesional es porque no tienen suficiente información o porque no están bien orientados. Pero la capacidad de atracción de la FP no dependerá de la capacidad de persuasión de las campañas publicitarias o de las habilidades de los orientadores. Aunque no se pueda negar alguna eficacia a estas campañas ni que la orientación es cada vez más importante en un mundo complejo donde los jóvenes deben tomar decisiones en entornos de incertidumbre, parece sensato pensar que será difícil motivar a más jóvenes para que opten por la formación profesional si no tienen y perciben más incentivos, como por ejemplo la posibilidad de continuar estudios. Además, con la actual regulación nos encontramos con una paradoja: se quiere motivar a jóvenes que no quieren ir a la formación profesional y se niega o se ponen obstáculos a los jóvenes que sí que quieren ir. Con la idea de querer dignificar la FP en el fondo lo que se hace es hacerla más selectiva, pero a igualdad de condiciones, los alumnos prefieren la vía de más prestigio y la que les garantice mayor promoción social. Por ejemplo, es casi una leyenda urbana afirmar que un mecánico gana más que un médico. Pero si nos atenemos a los datos, según la última encuesta de salarios del INE el ingreso promedio de los titulados de FP son inferiores que el ingreso de los titulados universitarios e incluso de los que tienen un título de bachillerato. Los resultados son inferiores para los titulados de CFGM. Por eso cuando se insiste en las potencialidades y virtudes de la formación profesional, en el fondo muchos jóvenes hacen una lectura de que les quieren excluir de la universidad, que a pesar del tópico de la masificación y de la devaluación, no ha dejado de ser la cúspide de la pirámide educativa.

Y en cambio, los alumnos que no pueden o tienen dificultades para escoger la vía académica, que serían el público potencial de la FP, tienen la entrada denegada o como mucho tienen las pruebas de acceso, que de momento son bastante restrictivas. La obsesión de no "contaminar" la FP con el fracaso escolar (De Pablo, 1997), o mejor dicho con los fracasados hace que los que no superan la enseñanza obligatoria se vean expulsados del sistema educativo. O sea, que para evitar una doble vía escolar, una académica y noble y otra profesional y plebeya, para ennoblecer la formación profesional se opta por cerrarles el paso a los plebeyos o en todo caso destinarlos a programas específicos que los encasillarán aún más. Si la tasa de fracaso escolar estuviera en el orden del 5-10% como muchos países europeos se podría entender esta opción, pero con tasas del orden del 30% parece claro que dignificar y tener más alumnos a la vez son objetivos difícilmente compatibles.

La cuestión de la inserción laboral también está llena de lagunas importantes, y también de alguna que otra paradoja. Para empezar, la mayoría de los estudios de inserción se realizan a partir de las personas que han obtenido el título, es decir, con los alumnos más seleccionados. Esto puede generar algún tipo de sesgo pero sobre todo lo que genera es desconocimiento de las causas del abandono de la formación. En el apartado anterior hemos esbozado las principales causas, la inserción laboral prematura y el desajuste de expectativas, pero no dejan de ser hipótesis a partir de informaciones fragmentarias. Por otro lado, muchos estudios sobre inserción laboral de titulados de formación profesional, la mayoría por encargo de las autoridades educativas, sólo estudian eso, titulados de formación profesional, por lo que no se pueden comparar los resultados con titulados de formación académica del mismo nivel o de niveles inferiores o superiores.

En general, se puede decir que la inserción, a tenor de los datos disponibles (Casquero, García 2006) es buena. De hecho, en los estudios que se hicieron en los años 80 ya se apuntaba que la inserción de los titulados de FP2 ya era muy buena (Carabaña, 1988b), pero no hay que olvidar que se trataba de pocos alumnos y muy seleccionados. En Cataluña se ha hecho un estudio reciente (Departament Educació i Consell de Cambres, 2007) sobre la inserción de los titulados que arroja resultados cualificados por los responsables de dicho estudio como excelentes, con tasas de ocupación por encima del 90%. Pero que la inserción sea elevada no tiene que ser necesariamente causada por la formación recibida. En este sentido, hay que hacer dos matices importantes: en primer lugar, las tasas de paro de los titulados son similares a la tasa de paro de la población general, y en segundo lugar, como ya hemos dicho, no se pueden comparar con otros niveles del sistema educativo.

En la encuesta ETEFIL[60], el mayor esfuerzo que se ha hecho en España para tener datos sobre la inserción laboral de los jóvenes no universitarios, sí que se pueden comparar datos de distintos niveles. Se entrevistaron jóvenes que habían acabado su formación el curso 2000-01 y les preguntaron sobre su situación laboral en el curso 2004-05. Los que habían acabado (aquí la ETEFIL vuelve a cometer el mismo error de preguntar sólo a los que acaban) un CFGM tenían una tasa de ocupación del 90%, y los que habían acabado un CFGS el 91%. Pero los que habían acabado el bachillerato tenían una tasa del 86%, la misma que los que sólo tenían el graduado en secundaria. Y lo más sorprendente, los que dejaron la enseñanza obligatoria sin el graduado tenían una tasa de ocupación del 85%. Aquí hay dos consideraciones a hacer. La primera es que la coyuntura económica favorable es la que explica estas tasas tan elevadas, a todos los niveles. La segunda es que la tasa de inserción es un indicador limitado para medir el impacto de la formación recibida. El indicador más adecuado sería la correspondencia del trabajo con la especialidad y el nivel de formación recibido. Aquí las dificultades epistemológicas y técnicas limitan mucho la medida de esta relación, si bien se han intentado muchas formas de aproximarse (Sala, 2007) pero ninguna convincente del todo. Aquí la cuestión clave es la medida de lo que se ha llamado sobreeducación, es decir, si los requerimientos de competencias para desarrollar un trabajo son menores que las competencias teóricamente adquiridas en la formación inicial. Para hacer un buen estudio sobre esta cuestión sería necesario un análisis longitudinal, ya que no es lo mismo el primer trabajo que encuentran los jóvenes cuando salen del sistema educativo que el trabajo que van consolidando a lo largo de los años. El mercado de trabajo español todavía tiene una inercia muy fuerte de desconfianza hacia los titulados, y muchos empresarios, aunque contraten a jóvenes con títulos de FP, les exigen que empiecen con tareas sencillas para ir demostrando poco a poco sus competencias (Garcia et al., 2006).

Y la paradoja es que, a pesar de tener unas tasas de ocupación altas o muy altas, no son pocas las voces que denuncian la escasa relación de la formación profesional con las necesidades del mercado de trabajo y del tejido productivo. Este desajuste parte

---

60. http://www.ine.es/inebmenu/mnu_educa.htm

del llamado modelo cliente-proveedor en el cual el sistema educativo es la variable dependiente que tiene que proveer las competencias demandadas por el cliente, el sistema productivo. Las críticas a este modelo son varias (Planas, 2007), pero en el caso de la formación profesional hay que tener en cuenta que a menudo se compara la matrícula de FP con la estructura de sectores económicos de la economía (Homs, 2005), como si la formación tuviera que tener la misma distribución de estos sectores. Así, siempre hay sectores deficitarios, como el de la construcción o el de fabricación mecánica, y sectores con exceso de matrícula, como administración. Esta perspectiva adecuacionista adolece de dos grandes inconvenientes: en primer lugar se compara el 20% de la población en formación inicial con el 100% de la población activa, por lo que lo extraño sería que cuadrase; y en segundo lugar no tiene en cuenta la dinámica propia de cada sector de formación y de cada sector de actividad económica. Hay familias de FP que ofrecen una formación transversal, no dirigida a un sector económico en concreto, como administrativo, y que además es utilizada por muchos alumnos y alumnas no como puente al trabajo sino como una etapa más de su itinerario formativo, que acaba en la enseñanza superior. Y hay sectores económicos que se caracterizan porque atraen a mano de obra con poca formación, como la construcción. Dicho lo cual no estamos afirmando que cualquier aproximación de la oferta formativa a las necesidades productivas y sociales sea un ejercicio inútil, pero habría que huir de planteamientos tecnocráticos y acercarse a las necesidades de competencias con metodologías más participativas y de implicación de los actores sociales (Planas et al. 2001). En cualquier caso, parece que no son congruentes los discursos sobre la persistente distancia entre la formación y las necesidades del tejido productivo y las altas de inserción y de satisfacción que recogen las encuestas a titulados de formación profesional.

Otro tema que está generando ríos de tinta es la relación de la formación profesional reglada con los otros subsistemas de formación profesional, la ocupacional y la continua. Hace años que en Europa se está discutiendo sobre las virtudes que tendría un reconocimiento mutuo de la formación realizada en los distintos subsistemas. En España con la Ley de las Cualificaciones y de la Formación Profesional del año 2002 se dio un gran impulso teórico y se quiso dar un gran impulso práctico con la creación del Incual (Instituto de las Cualificaciones). Pero los sistemas y metodologías que se están implantando no dejan de ser una forma de buscar convalidaciones entre diferentes subsistemas, teniendo la formación profesional reglada como punto de referencia, ya que son los títulos más preciados por su oficialidad y su valor de cambio. Estas convalidaciones son más fáciles entre la formación profesional reglada y la formación ocupacional, porque las dos tienen carácter de formación inicial y de formación para el trabajo. En cambio, con la formación continua ya existen más dificultades, porque es de naturaleza distinta (Casal et al, 2003), se añade a la formación inicial y es formación en el trabajo. Y por si fuera poca la complejidad, además se quiere introducir este tipo de convalidaciones con la experiencia adquirida en el trabajo o incluso en ámbitos no laborales, lo que se llama las competencias adquiridas informalmente. Se están desarrollando en muchos países metodologías para el reconocimiento de estas competencias (Bjornavold, 1997), con muchos problemas de validez y fiabilidad, pero se está utilizando esta posibilidad como la gran promesa para el aprendizaje a lo largo de la vida y para dar más oportunidades a los que no pudieron seguir un itinerario formativo en su juventud. Hemos analizado en otros textos las limitaciones de estas metodologías (Planas, Merino, 2007), aquí apuntamos que todavía no se ha estudiado los efectos que estos reconocimientos y convalidaciones puede tener para la formación profesional. Se supone, y todas las instituciones que están desarrollando las metodologías así lo conciben, que los efectos sólo pueden ser benéficos para las personas, las empresas, la productividad, la movilidad, etc. Pero no se han estudiado los efectos negativos o las resistencias que pueda tener el reconocimiento. Por ejemplo, si el reconocimiento de la experiencia en un puesto de trabajo se tradujera en un título oficial, o bien con una parte de un título oficial y otra parte de formación presencial o a distancia, ¿qué efectos tendría este reconocimiento en la demanda de promoción laboral o en la rotación laboral? Por otro lado, no todos los aprendizajes se pueden hacer por la vía de la experiencia, es más, para algunos aprendizajes es deseable que no sea así. Si tomamos como ejemplo el ciclo de grado medio de cuidados de enfermería, es preferible que las alumnas no tengan que aprender por el método de ensayo y error lo que se puede y lo que no se puede hacer con enfermos[61].

En cualquier caso, todavía no está recogido en la estadística el efecto de las convalidaciones mutuas ni el reconocimiento de la experiencia. Es probable que este tema vaya a más, a pesar de las dificultades técnicas y conceptuales que se están encontrando los responsables de implementar las metodologías de reconocimiento. Pero hasta ahora es de suponer que los efectos en la matrícula y en la titulación de la formación profesional reglada son escasos.

Finalmente, un apunte respecto a la evolución internacional de la formación profesional. La comparación entre sistemas educativos de diferentes países había sido

---

61. Existen otros ejemplos. En Francia se aprobó la Ley de Modernización Social en el año 2002. Esta ley, entre otras cosas, impulsaba el reconocimiento de las competencias adquiridas informalmente. Desde el Ministerio de Juventud y Deportes se plantearon el reto del reconocimiento, léase convalidación, para las titulaciones de animación con jóvenes y actividades físico-deportivas, pero excluyeron expresamente el título de monitor de deportes de riesgo. Además, se encontraron con una resistencia no esperada del profesorado de estas formaciones, ya que se vieron amenazados o por lo menos vieron cuestionado su papel de formadores porque se les otorgaba la misma titulación a personas que habían pasado por el centro de formación y a las que no.

una disciplina académica más o menos fecunda (educación comparada) pero desde que se están construyendo los bloques regionales de integración (en nuestro caso, la Unión Europea) la comparación se ha convertido en un instrumento para la construcción de un modelo común, el llamado Espacio Europeo de Educación. El debate está en si este modelo común es una especie de factor común de los diferentes sistemas o si en el fondo de lo que se trata es de copiar el modelo supuestamente más exitoso (Prats, Raventós, 2005). En el caso de la enseñanza superior y el llamado proceso de Bolonia parece que se quiera copiar el modelo anglosajón (Carabaña, 2006). En el ámbito de la enseñanza primaria y secundaria es fundamental el papel de la OCDE y su conocido informe PISA, que está alentando que muchos países se comparen con aquellos que sacan mejores notas, aunque sea muy difícil entender por qué Finlandia y Corea del Sur son los mejores de la clase, con sistemas educativos y estructuras sociales tan diferentes. En el ámbito de la formación profesional siempre se ha tenido el modelo dual alemán como referencia, por su prestigio, el papel de las empresas en la formación (la llamada formación en alternancia) y la regulación del mercado de trabajo que conecta con la formación profesional. Este modelo tan exitoso, sin embargo, descansa en una selección de los alumnos a los 10 o 11 años, demasiado prematura para los países que han emprendido reformas comprensivas desde los años 60. Además, desde finales de los años 90 la formación dual ha empezado un cierto declive con la disminución de la matrícula a favor de las vías académicas (Schulte, 2005).

En cualquier caso, las referencias europeas e internacionales son necesarias para entender la evolución y las políticas que cada país está aplicando. Los objetivos de Lisboa marcan un camino a seguir por los sistemas educativos, aunque difícilmente se llegará al 2010 con los objetivos tan ambiciosos que se plantearon en el 2000 (Leney et al., 2004). La declaración de Copenhague del 2002 se centró en el papel de la formación profesional, para crear un espacio de cooperación y de movilidad. En este sentido, se está trabajando para la creación de los créditos europeos de formación profesional, los ECVET (http://ec.europa.eu/education/ecvt/work_es.pdf) con el objetivo de fomentar el espacio europeo de educación. Durante el año 2008 se publicará el documento definitivo, todavía es demasiado pronto para ver los efectos que tendrá en los sistemas educativos nacionales. Si se sigue el ejemplo de la enseñanza universitaria el proceso no estará exento de tensiones y divergencias (cuando en muchos países la estructura es 3+2, en España se ha adoptado una estructura de 4+1). Lo que sí se ha empezado a notar es un cierta difuminación de la formación profesional, cuando se habla de VET (vocational education and training) en el ámbito europeo se están incluyendo la formación universitaria y los aprendizajes realizados fuera de las instituciones escolares. Los últimos informes del CEDEFOP sobre formación profesional así lo recogen (Descy, Tessaring, 2005; Lipinska et al., 2007).

## 5. ALGUNAS CONCLUSIONES

Desde una perspectiva histórica amplia, no se puede negar que se ha avanzado mucho, entre otras razones porque veníamos de una situación extremadamente precaria. Todas las reformas educativas y casi todos los responsables políticos afirman de que potenciar la formación profesional es uno de los objetivos prioritarios[62]. Sin embargo, las reformas educativas en general, y de la formación profesional en particular, tienen dos problemas: fijar objetivos que generan unas expectativas tan elevadas que generan fácilmente frustración y la sensación de fracaso (Sarason, 2003), y no tener suficientemente en cuenta los agentes que han de desarrollar las reformas, fundamentalmente el profesorado, pero también los alumnos y sus familias, que con sus decisiones y presiones pueden desvirtuar los objetivos. Es el caso que ya hemos analizado de lo difícil que es que aumente la matrícula en los CFGM. Además, todas las declaraciones sobre la importancia de la formación profesional no dejan de tener un punto de hipocresía, porque quienes la hacen suelen querer para sus hijos el bachillerato y la universidad[63].

¿Cómo hacer más atractiva la formación profesional? No existe una respuesta fácil, pero parece claro que sólo con campañas publicitarias no se va a conseguir un cambio en la imagen y la valoración social de la FP. Pretender que la formación profesional tenga el mismo prestigio que el bachillerato sólo con cambios educativos no parece que sea razonable. Algunos autores están planteando un currículum mixto en la enseñanza post-obligatoria (Calero, 2006; Teese et al., 2005) para difuminar las fronteras entre la vía académica y la profesional, pero no creo que la comunidad educativa pueda asumir este reto. Puestos a proponer, hay dos principios que podrían aumentar la capacidad de atracción de la formación profesional: la flexibilidad y la conectividad. La flexibilidad para facilitar el acceso y para favorecer la retención, y la conectividad para evitar callejones sin salida y favorecer la construcción de itinerarios formativos largos y complejos. En este sentido, el desarrollo de la formación a distancia va en la dirección de la flexibilización, aunque hemos visto que todavía representa un porcentaje pequeño de la matrícula[64]. La última reforma educativa

---

62. Escribo estas líneas precisamente el mismo día que toma posesión la nueva Secretaria de Estado de Educación, Eva Almunia, que citó dos objetivos prioritarios de su departamento, la evaluación de los alumnos (PISA obliga) y la formación profesional (*El País*, 21 de abril de 2008).

63. Esto no es válido sólo para los políticos, también se puede aplicar al mismo profesorado de formación profesional. En distintos grupos de discusión con profesorado ha salido esta cuestión, todos están de acuerdo en que hay que potenciar más la formación profesional, pero prefieren para sus hijos una carrera universitaria.

64. En Cataluña se han planteado otras medidas de flexibilización, como la posibilidad de matricularse de créditos sueltos o realizar cursos bimodales (presenciales y no presenciales). Todavía es pronto

plasmada en la LOE del año 2006 avanzaba en la conectividad, de tal forma que se visualiza una conexión de los PCPI con el CFGM y se introduce la posibilidad de convalidar una parte de la prueba de acceso al CFGS para los que hayan cursado un CFGM, así como también se introduce la posibilidad de convalidación de una parte del CFGS por créditos universitarios. El decreto de ordenación general de la formación profesional de diciembre del 2006 concreta un poco estas cuestiones. Por cierto, que este decreto sólo regula los ciclos formativos de grado medio y de grado superior, los programas de cualificación profesional inicial no son considerados, y no existe una regulación específica[65]. No es un buen augurio para estos programas, y más teniendo en cuenta lo que ha pasado con los programas de garantía social de la LOGSE.

Aún es pronto para hacer una evaluación del impacto de estas medidas, pero no se podrá hacer si la estadística oficial no recoge de forma adecuada los flujos y los itinerarios formativos de los jóvenes. Hemos visto en la primera parte que existen áreas opacas que no nos permiten hacer un seguimiento en profundidad de las tendencias de la formación profesional. Esperemos que se puedan ir corrigiendo estas lagunas para ir teniendo poco a poco un conocimiento más exhaustivo de lo que pasa en nuestro sistema educativo.

# 6. REFERENCIAS BIBLIOGRÁFICAS

Alemany, C. (2003). "Las mujeres en las profesiones no tradicionales: un lento proceso". *Revista Sociología del Trabajo*, núm. 48, pp. 45-56.

Baudelot, Ch.y Establet, R. (1976). *La escuela capitalista en Francia*. Madrid: Siglo XXI.

Bjornavold, J. (1997). "Asessment of Non-Formal Learning: The Quality and Limitations of Methodologies", en *European Journal of Vocational Training*, núm. 12, pp. 52-67.

Calero, J. (2006). "Desigualdades tras la educación obligatoria: nuevas evidencias". *Documento de trabajo de la Fundación Alternativas*, núm. 83.

---

para saber el impacto de estas medidas.

65. En la página web del Ministerio de Educación se encuentran todos los decretos de desarrollo de la LOE y no hay ninguno que desarrolle los PCPI (página visitada el 21 de abril de 2008).

Carabaña, J. (1997). "La pirámide educativa", en *Sociología de las instituciones de educación secundaria*. Barcelona: ICE-UB y Horsori (Cuadernos de Formación del Profesorado).

Carabaña, J. (1988a). "La Formación Profesional de primer grado y la dinámica del prejuicio", en *Política y Sociedad*, n. 1, pp. 53-68.

Carabaña, J. (1988b). "Sobre educación y mercado de trabajo: los problemas de la Formación Profesional", en Graó, J. (Coord.) *Planificación de la Educación y mercado de trabajo*. Madrid: Narcea.

Carabaña, J. (2006). "Bolonia: ¿otro espejismo europeo ?", en *Cuadernos de Información Económica*, núm. 90, pp. 163-172.

Casal, J. et al. (1998). *Aproximacions a la garantia social*. Barcelona: Diputació de Barcelona.

Casal, J.; Colomé, F.; Comas, M. (2003). *La interrelación de los tres subsistemas de Formación Profesional en España*. Madrid. Fundación Tripartita-Fondo Social Europeo.

Casquero, A.; García, D. (2006). "El proceso de inserción laboral de la formación profesional en España", en *Libro de Actas de las XV Jornadas de la AEDE*, p. 311-322.

De Pablo, A. (1997). "La nueva formación profesional: dificultades de una construcción", en *Revista Española de Investigaciones Sociológicas*, núm. 77-78, pp. 137-162.

Departament d'Educació i Consell General de Cambres de Catalunya (2007). Inserció laboral de les persones graduades de formació professional inicial 2006/2007. Consell de Cambres de Catalunya i Generalitat de Catalunya.

Descy, P.; Tessaring, M. (2005). *The value of learning. Evaluation and impact of education and training. Third report on vocational training and research in Europe: synthesis report*. Luxemburg: CEDEFOP.

Elejabeitia, C.; López, M. (2003). *Trayectorias personales y profesionales de mujeres con estudios tradicionalmente masculinos*. Madrid: Instituto de la Mujer y CIDE.

Garcia, M.; Merino, R.; Casal, J. (2006). "Transiciones de la escuela al trabajo tras la finalización de la enseñanza secundaria obligatoria", en *Sociología del Trabajo*, núm. 56, pp. 75-100.

Guardiola, P. (1999). "Análisis de los flujos educativos (bajo la LGE y LOGSE en la CARM)". Comunicación presentada en la VII Conferencia de Sociología de la Educación. La Manga del Mar Menor, Murcia, 23-25 de septiembre de 1999.

Homs, O. (2005). "La formació professional, un repte de futur", en *Nota d'Economia*, núm. 81, p. 85-97.

Leney, T. et al. (2004). *Achieving the Lisbon goal. The contribution of VET*. http://www20.gencat.cat/docs/Educacio/Documents/ARXIUS/Achieving.pdf

Lipinska, P.; Schmid, E.; Tessaring, M. (2007). *Zooming in on 2010. Reassessing vocational education and training*. Tesalónica: CEDEFOP.

Marhuenda, F. et al. (2001). "Vocational education, flexibility and professional identity in Spain", en Laske, G. (ed) (2001). "Project Papers: Vocational Identity, Flexibility and Mobility in the European Labour Market (FAME)". *ITB Working Paper Series*, núm. 27. Bremen: University of Bremen.

Marhuenda, F. et al. (2000). "Els Programes de Garantia Social, un recurs útil per a tots?", en *Temps d'Educació*, núm. 24, pp. 263-281.

Merino, R. (2003). "Els fluxos d'alumnat a l'ensenyament secundari. Inèrcies i canvis malgrat les reformes educatives", en *Educar*, n. 32, pp. 85-112.

Merino, R. (2005a). "Apuntes de historia de la formación profesional reglada en España. Algunas reflexiones para la situación actual", en *Témpora. Revista de historia y sociología de la educación*, núm. 8, pp. 211-236

Merino, R. (2005b). "De la LOGSE a la LOCE. Discursos y estrategias de alumnos y profesores ante la reforma educativa", en *Revista de Educación*, núm. 336, pp. 475-503

Merino, R.; Casal, J.; Garcia, M. (2006a). "¿Vías o itinerarios en el sistema educativo? La comprensividad y la formación profesional a debate", en *Revista de Educación*, n. 340, pp. 1065-1083

Merino, R.; Garcia, M.; Casal, J. (2006b). "De los Programas de Garantía Social a los Programas de Cualificación Inicial. Sobre perfiles y dispositivos locales", en *Revista de Educación*, n. 341, pp. 81-98.

Merino, R.; Llosada, J. (2008). "¿Puede una reforma hacer que más jóvenes escojan formación profesional? Flujos e itinerarios de formación profesional de los jóvenes españoles", en *Témpora. Revista de historia y sociología de la educación* (en proceso de edición).

Planas, J. (1986). "La Formación Profesional en España: evolución y balance", en *Educación y Sociedad*, núm. 5, 71-112.

Planas, J.i et al. (2001). *Metodologia per a la detecció de necessitats de competencies i de formació professional per a l'Area de Barcelona*. Mimeo. CIMU.

Planas, J. (2007). "La relación entre educación y trabajo en Europa", ponencia presentada al IX Congreso Español de Sociología, Barcelona.

Planas, J.; Merino, R. (2007). "Methodology for the recognition of the competences acquired while working in the Fair Trade organizations", en Torlone, F. (ed.) Volunteers and professionals in the fair trade sector. A learning pathway. www. fairproject.org

Prats, J.; Raventós, F. (dir.) (2005). *Los sistemas educativos europeos: ¿crisis o transformación?*. Barcelona : Fundación La Caixa.

Sala, G. (2007). *Approaches to skills mismatch: a literature review*. GRET, Universitat Autònoma de Barcelona & SKOPE, University of Oxford. Mimeo Proyecto ESFOREM

Sarason, S. (2003). *El predecible fracaso de la reforma educativa*. Barcelona: Octaedro.

Schulte, B. (2005). "El sistema educativo alemán", en Prats, J.; Raventós, F.(dir.) (2005) *Los sistemas educativos europeos: ¿crisis o transformación?*. Barcelona: Fundación La Caixa.

Teese, R.; Aasen, P.; Field, S.; Pont, B. (2005). *Equity in education. Thematic review. Country Notes. Spain*. OECD. http://www.oecd.org/dataoecd/41/39/36361409.pdf

## Anexo 1. Matrícula de PGS según familias profesionales (porcentaje) y proporción de mujeres, 1999-2006

| | 1999-00 | 2000-01 | 2001-02 | 2002-03 | 2003-04 | 2004-05 | 2005-06 |
|---|---|---|---|---|---|---|---|
| Família profesional | | | | | | | |
| Actividades agrarias | 5,5 | 4,7 | 5,0 | 4,6 | 4,7 | 4,7 | 4,6 |
| Actividades maritimo pesqueras | 0,1 | 0,2 | 0,1 | 0,1 | 0,1 | 0,1 | 0,1 |
| Administración | 11,3 | 11,3 | 12,0 | 11,5 | 11,7 | 11,2 | 11,2 |
| Artes gráficas | 1,2 | 1,2 | 1,1 | 1,1 | 1,0 | 1,0 | 0,9 |
| Artesanías | 0,5 | 0,7 | 0,4 | 0,6 | 0,5 | 0,5 | 0,5 |
| Comercio y marketing | 3,9 | 3,7 | 4,2 | 4,4 | 4,4 | 4,0 | 4,3 |
| Comunicación, imagen y sonido | 0,1 | 0,4 | 0,4 | 0,3 | 0,3 | 0,3 | 0,4 |
| Edificación y obra civil | 3,6 | 4,2 | 3,3 | 3,7 | 3,5 | 3,3 | 3,6 |
| Electricidad y electrónica | 11,8 | 11,0 | 12,0 | 11,6 | 12,1 | 12,0 | 12,3 |
| Fabricación mecánica | 7,1 | 6,7 | 6,8 | 7,1 | 7,1 | 7,1 | 7,3 |
| Hostelería y turismo | 7,7 | 6,9 | 6,4 | 6,8 | 6,8 | 6,8 | 6,8 |
| Imagen personal | 4,6 | 4,8 | 5,1 | 5,4 | 5,4 | 5,7 | 5,7 |
| Industrias alimentarias | 0,8 | 0,5 | 0,6 | 0,7 | 0,6 | 0,6 | 0,6 |
| Informática | 0,1 | 0,0 | 0,0 | 0,1 | 0,2 | 0,2 | 0,2 |
| Madera y mueble | 4,8 | 4,4 | 4,6 | 4,4 | 4,0 | 3,9 | 3,5 |
| Mantenimiento de vehículos auto-propulsados | 8,4 | 5,2 | 5,2 | 5,3 | 5,5 | 5,5 | 5,5 |
| Mantenimiento y servicios a la producción | 3,8 | 7,5 | 8,0 | 8,0 | 8,1 | 8,5 | 8,6 |
| Química | 0,1 | 0,1 | 0,1 | 0,1 | 0,1 | 0,1 | 0,1 |
| Sanidad | 1,2 | 1,5 | 1,3 | 1,2 | 1,3 | 1,1 | 1,0 |
| Servicios socioculturales y a la comunidad | 3,3 | 3,4 | 2,8 | 3,2 | 2,6 | 2,5 | 2,3 |
| Textil, confección y piel | 2,1 | 1,7 | 1,6 | 1,4 | 1,3 | 1,1 | 1,0 |
| Vidrio y cerámica | 0,1 | 0,3 | 0,4 | 0,3 | 0,2 | 0,2 | 0,1 |
| Sin distribuir por familia profesional | 17,8 | 19,7 | 18,7 | 18,4 | 18,5 | 19,6 | 19,4 |
| **Família profesional (mujeres)** | | | | | | | |
| Actividades agrarias | 26,5 | 25,5 | 25,7 | 26,5 | 24,6 | 24,6 | 26,0 |
| Actividades maritimo pesqueras | 3,3 | 2,9 | 1,6 | 0,0 | 0,0 | 3,1 | 1,8 |
| Administración | 55,9 | 56,8 | 56,1 | 57,3 | 58,1 | 59,0 | 60,4 |
| Artes gráficas | 40,9 | 37,3 | 37,2 | 34,7 | 31,9 | 33,1 | 34,4 |
| Artesanías | 51,4 | 41,9 | 30,5 | 29,8 | 30,0 | 39,9 | 37,1 |
| Comercio y marketing | 65,5 | 69,9 | 70,1 | 71,2 | 73,8 | 72,5 | 71,7 |
| Comunicación, imagen y sonido | 44,4 | 39,8 | 35,2 | 56,3 | 52,8 | 46,2 | 49,4 |
| Edificación y obra civil | 3,3 | 8,1 | 4,3 | 6,4 | 4,6 | 5,3 | 3,8 |
| Electricidad y electrónica | 3,3 | 3,8 | 3,8 | 3,3 | 5,4 | 4,7 | 3,8 |
| Fabricación mecánica | 2,4 | 1,9 | 2,5 | 1,9 | 1,4 | 2,3 | 2,7 |
| Hostelería y turismo | 48,2 | 45,3 | 46,5 | 46,3 | 47,5 | 47,8 | 47,7 |

| | | | | | | | |
|---|---|---|---|---|---|---|---|
| Imagen personal | 94,8 | 88,8 | 95,0 | 95,6 | 95,6 | 95,9 | 96,4 |
| Industrias alimentarias | 41,9 | 46,4 | 43,9 | 46,2 | 44,7 | 39,3 | 42,7 |
| Informática | 28,6 | | 14,3 | 7,5 | 9,5 | 12,7 | 5,5 |
| Madera y mueble | 8,7 | 8,2 | 6,9 | 7,8 | 6,8 | 5,0 | 4,4 |
| Mantenimiento de vehículos auto-propulsados | 3,5 | 11,6 | 6,9 | 6,3 | 5,8 | 7,1 | 8,2 |
| Mantenimiento y servicios a la producción | 4,8 | 0,9 | 3,1 | 3,9 | 5,1 | 5,2 | 4,5 |
| Química | 13,2 | 0,0 | 3,4 | 9,4 | 12,2 | 6,7 | 9,4 |
| Sanidad | 51,7 | 53,6 | 51,3 | 55,3 | 56,5 | 57,3 | 65,8 |
| Servicios socioculturales y a la comunidad | 82,9 | 81,9 | 83,7 | 74,9 | 78,8 | 80,4 | 79,8 |
| Textil, confección y piel | 63,8 | 69,8 | 73,0 | 67,6 | 66,3 | 66,9 | 72,3 |
| Vidrio y cerámica | 45,7 | 35,6 | 36,5 | 39,7 | 35,6 | 25,9 | 35,8 |
| Sin distribuir por familia profe-sional | 29,9 | 35,8 | 33,5 | 27,3 | 35,8 | 36,0 | 35,7 |

## Anexo 2. Matrícula de CFGM según familias profesionales (porcentaje) y proporción de mujeres, 1999-2006

| CICLOS FORMATIVOS GRADO MEDIO | | | | | | | | | | | | | | |
|---|---|---|---|---|---|---|---|---|---|---|---|---|---|---|
| | 1999-00 | | 2000-01 | | 2001-02 | | 2002-03 | | 2003-04 | | 2004-05 | | 2005-06 | |
| | Total | Mujeres | Total | Mujeres | Total | Mujeres | Total | Mujeres | Total | Mujeres | Total | Mujeres | Total | Mujeres |
| TOTAL | 100,0 | 44 | 100,0 | 43 | 100,0 | 44 | 100,0 | 44,8 | 100,0 | 45,4 | 100,0 | 45,8 | 100,0 | 45,9 |
| **ACTIVIDADES AGRARIAS** | 2,8 | 18 | 2,5 | 19 | 2,3 | 20 | 2,2 | 18,5 | 2,1 | 20,3 | 2,0 | 18,0 | 1,9 | 17,2 |
| Explotaciones Agrarias Extensivas | 0,4 | 6 | 0,3 | 10 | 0,3 | 9 | 0,2 | 9,6 | 0,2 | 8,9 | 0,2 | 10,0 | 0,2 | 8,9 |
| Explotaciones Agrarias Intensivas | 0,4 | 13 | 0,4 | 15 | 0,3 | 16 | 0,3 | 11,1 | 0,3 | 18,3 | 0,2 | 14,9 | 0,2 | 14,5 |
| Explotaciones Ganaderas | 0,1 | 20 | 0,1 | 27 | 0,1 | 32 | 0,1 | 33,9 | 0,1 | 38,7 | 0,1 | 40,2 | 0,1 | 48,1 |
| Jardinería | 0,8 | 29 | 0,8 | 26 | 0,0 | 9 | 0,6 | 25,9 | 0,6 | 28,0 | 0,6 | 24,8 | 0,6 | 23,9 |
| Trabajos Forestales y de Conservación del Medio Natural | 1,0 | 15 | 1,0 | 17 | 0,6 | 28 | 0,9 | 16,9 | 0,9 | 16,6 | 0,9 | 14,0 | 0,8 | 12,1 |
| Horticultura | 0,0 | | 0,0 | | 0,9 | 18 | 0,0 | | 0,0 | | 0,0 | | 0,0 | |
| **ACTIVIDADES FÍSICAS Y DEPORTIVAS** | 0,8 | 37 | 0,8 | 38 | 1,0 | 38 | 1,1 | 40,5 | 1,2 | 39,6 | 1,3 | 38,1 | 1,5 | 34,0 |
| Conducción de Act. Físico-De-portivas en el Medio Natural | 0,8 | 37 | 0,8 | 38 | 1,0 | 38 | 1,1 | 40,5 | 1,2 | 39,6 | 1,3 | 38,1 | 1,5 | 34,0 |

| | | | | | | | | | | | | | | |
|---|---|---|---|---|---|---|---|---|---|---|---|---|---|---|
| **ACTIVIDADES MARÍTIMO-PESQUERAS** | 0,2 | 16 | 0,3 | 12 | 0,5 | 9 | 0,5 | 8,5 | 0,5 | 7,4 | 0,5 | 7,1 | 0,5 | 8,0 |
| Buceo a Media Profundidad | 0,0 | 5 | 0,0 | 20 | 0,1 | 4 | 0,1 | 5,3 | 0,1 | 4,2 | 0,1 | 5,7 | 0,1 | 2,6 |
| Operaciones de Cultivo Acuicola | 0,1 | 34 | 0,1 | 27 | 0,2 | 1 | 0,1 | 30,5 | 0,1 | 28,4 | 0,1 | 26,6 | 0,1 | 32,4 |
| Operación,Control-Mantenimiento Maquinas Marinas | 0,1 | 1 | 0,1 | 2 | 0,1 | 29 | 0,2 | 1,4 | 0,2 | 0,8 | 0,2 | 1,1 | 0,2 | 2,3 |
| Pesca y Transporte Marítimo | 0,0 | 8 | 0,1 | 10 | 0,1 | 6 | 0,1 | 4,2 | 0,2 | 5,7 | 0,2 | 6,2 | 0,2 | 8,0 |
| **ADMINISTRACIÓN** | 24,2 | 67 | 23,9 | 67 | 23,7 | 69 | 23,4 | 70,6 | 22,5 | 71,2 | 21,2 | 73,0 | 20,1 | 75,1 |
| Gestión Administrativa | 24,2 | 67 | 23,9 | 67 | 23,7 | 69 | 23,4 | 70,6 | 22,5 | 71,2 | 21,2 | 73,0 | 20,1 | 75,1 |
| **ARTES GRÁFICAS** | 1,2 | 32 | 1,3 | 32 | 1,5 | 35 | 1,4 | 34,9 | 1,3 | 35,4 | 1,2 | 35,8 | 1,1 | 37,7 |
| Encuadernados, Manipulados de Papel y Cartón | 0,0 | 55 | 0,0 | 61 | 0,0 | 43 | 0,0 | 46,4 | 0,0 | 25,6 | 0,0 | 40,0 | 0,0 | 66,7 |
| Impresión en Artes Gráficas | 0,3 | 26 | 0,3 | 28 | 0,4 | 29 | 0,4 | 32,4 | 0,4 | 32,9 | 0,3 | 33,2 | 0,3 | 35,1 |
| Preimpresión en Artes Gráficas | 0,9 | 34 | 0,9 | 34 | 1,1 | 37 | 1,0 | 35,8 | 0,9 | 36,6 | 0,9 | 36,8 | 0,8 | 38,5 |
| **COMERCIO Y MARKETING** | 6,5 | 65 | 6,6 | 63 | 6,4 | 67 | 6,3 | 69,1 | 6,0 | 70,5 | 5,6 | 71,6 | 5,1 | 71,3 |
| Comercio | 6,5 | 65 | 6,6 | 63 | 6,4 | 67 | 6,3 | 69,1 | 6,0 | 70,5 | 5,6 | 71,6 | 5,1 | 71,3 |
| **COMUNICACIÓN, IMAGEN Y SONIDO** | 1,0 | 43 | 1,1 | 44 | 1,2 | 47 | 1,2 | 48,2 | 1,2 | 48,7 | 1,2 | 49,5 | 1,1 | 50,6 |
| Laboratorio de Imagen | 1,0 | 43 | 1,1 | 44 | 1,2 | 47 | 1,2 | 48,2 | 1,2 | 48,7 | 1,2 | 49,5 | 1,1 | 50,6 |
| **EDIFICACIÓN Y OBRA CIVIL** | 0,2 | 3 | 0,3 | 6 | 0,3 | 4 | 0,3 | 4,9 | 0,3 | 6,2 | 0,3 | 6,4 | 0,3 | 6,7 |
| Acabados de Construcción | 0,1 | 9 | 0,1 | 17 | 0,1 | 8 | 0,1 | 5,0 | 0,1 | 6,4 | 0,1 | 8,4 | 0,1 | 9,5 |
| Obras de Albañilería | 0,1 | 0 | 0,2 | 1 | 0,0 | 5 | 0,1 | 3,5 | 0,1 | 7,0 | 0,1 | 5,3 | 0,1 | 6,1 |
| Obras de Hormigón | 0,0 | 0 | 0,0 | 2 | 0,0 | 0 | 0,0 | 3,8 | 0,0 | 2,5 | 0,0 | 0,0 | 0,0 | 1,7 |
| Op. y Mant. de Maquinar. de Constr. | 0,0 | | 0,0 | | 0,2 | 2 | 0,0 | 8,1 | 0,0 | 0,0 | 0,0 | 3,6 | 0,0 | 0,0 |
| Albañilería | 0,0 | | 0,0 | | 0,0 | 0 | 0,0 | 17,6 | 0,0 | 14,3 | 0,0 | 21,7 | 0,0 | |
| Cubrimiento de Edificios | 0,0 | | 0,0 | | 0,0 | 0 | 0,0 | 10,0 | 0,0 | 0,0 | 0,0 | 0,0 | 0,0 | 9,1 |
| **ELECTRICIDAD Y ELECTRÓNICA** | 15,7 | 2 | 16,2 | 2 | 16,5 | 2 | 16,4 | 1,9 | 15,9 | 2,0 | 14,8 | 2,1 | 14,0 | 2,2 |
| Equipos Electrónicos de Consumo | 8,9 | 1 | 7,0 | 2 | 9,3 | 2 | 7,2 | 2,3 | 6,9 | 2,9 | 6,2 | 2,7 | 5,4 | 2,7 |

| | 1 | 2 | 3 | 4 | 5 | 6 | 7 | 8 | 9 | 10 | 11 | 12 | 13 | 14 |
|---|---|---|---|---|---|---|---|---|---|---|---|---|---|---|
| Equipos e Instalaciones Electrotécnicas | 6,7 | 2 | 9,2 | 2 | 7,2 | 2 | 9,2 | 1,6 | 9,0 | 1,4 | 8,7 | 1,6 | 8,5 | 1,9 |
| **FABRICACIÓN MECÁNICA** | 5,6 | 1 | 5,8 | 1 | 5,8 | 1 | 5,7 | 2,3 | 5,4 | 2,0 | 5,1 | 2,1 | 4,8 | 2,3 |
| Mecanizado | 4,3 | 2 | 4,2 | 1 | 4,2 | 2 | 4,0 | 2,4 | 3,6 | 2,0 | 3,3 | 2,4 | 3,0 | 2,1 |
| Soldadura y Calderería | 1,2 | 0 | 1,5 | 1 | 1,5 | 1 | 1,7 | 1,9 | 1,8 | 1,9 | 1,8 | 0,9 | 1,7 | 1,4 |
| Tratamientos Superficiales y Térmicos | 0,0 | 16 | 0,0 | 24 | 0,0 | 27 | 0,0 | 32,6 | 0,0 | 27,0 | 0,0 | 22,2 | 0,0 | 14,6 |
| Joyería | 0,0 | | 0,0 | | 0,0 | | 0,0 | | 0,0 | | 0,0 | 80,0 | 0,0 | 62,3 |
| **HOSTELERÍA Y TURISMO** | 4,8 | 42 | 5,0 | 43 | 4,8 | 44 | 4,9 | 46,0 | 5,3 | 46,8 | 5,3 | 46,5 | 5,3 | 45,4 |
| Servicios de Restaurante y Bar | 1,2 | 40 | 1,3 | 42 | 1,2 | 45 | 1,2 | 48,9 | 1,3 | 51,0 | 1,2 | 50,3 | 1,1 | 49,4 |
| Cocina | 3,2 | 41 | 3,2 | 43 | 3,1 | 42 | 3,2 | 43,4 | 3,5 | 43,5 | 3,5 | 43,8 | 3,6 | 42,5 |
| Pastelería y Panadería | 0,4 | 53 | 0,5 | 48 | 0,4 | 54 | 0,5 | 55,9 | 0,5 | 58,0 | 0,6 | 55,4 | 0,6 | 55,4 |
| **IMAGEN PERSONAL** | 5,3 | 96 | 5,6 | 96 | 6,2 | 96 | 6,7 | 96,0 | 7,1 | 97,0 | 7,4 | 97,2 | 7,5 | 97,3 |
| Caracterización | 0,1 | 94 | 0,1 | 94 | 0,1 | 91 | 0,1 | 94,8 | 0,2 | 95,6 | 0,3 | 95,2 | 0,3 | 94,3 |
| Estética Personal Decorativa | 2,0 | 98 | 2,1 | 98 | 2,4 | 98 | 2,6 | 97,7 | 2,8 | 98,9 | 2,9 | 99,1 | 3,0 | 99,3 |
| Peluquería | 3,2 | 94 | 3,4 | 94 | 3,7 | 95 | 4,1 | 95,0 | 4,2 | 95,9 | 4,2 | 96,0 | 4,2 | 96,0 |
| **INDUSTRIAS ALIMENTARIAS** | 0,5 | 36 | 0,7 | 45 | 0,7 | 47 | 0,6 | 47,7 | 0,6 | 48,3 | 0,6 | 44,9 | 0,5 | 45,2 |
| Conservería Vegetal, Cárnica y de Pescado | 0,1 | 49 | 0,1 | 52 | 0,1 | 50 | 0,1 | 51,4 | 0,1 | 46,5 | 0,0 | 43,3 | 0,0 | 44,8 |
| Elaboración de Aceites y Jugos | 0,0 | 8 | 0,0 | 40 | 0,0 | 46 | 0,0 | 54,3 | 0,0 | 49,4 | 0,0 | 44,2 | 0,0 | 41,2 |
| Elaboración de Productos Lácteos | 0,0 | 51 | 0,1 | 56 | 0,1 | 58 | 0,1 | 60,4 | 0,1 | 64,0 | 0,1 | 55,5 | 0,0 | 48,4 |
| Elaboración de Vinos y Otras Bebidas | 0,2 | 30 | 0,2 | 34 | 0,3 | 38 | 0,3 | 38,6 | 0,2 | 36,5 | 0,2 | 33,3 | 0,2 | 36,6 |
| Matadero y Carnicería-Charcutería | 0,1 | 30 | 0,1 | 35 | 0,1 | 29 | 0,1 | 33,6 | 0,1 | 41,3 | 0,1 | 30,2 | 0,0 | 28,9 |
| Panificación y Repostería | 0,1 | 50 | 0,1 | 63 | 0,1 | 68 | 0,1 | 69,1 | 0,1 | 65,7 | 0,1 | 68,6 | 0,1 | 67,8 |
| **INFORMÁTICA** | 0,0 | | 0,0 | | 0,0 | | 0,0 | | 0,9 | 23,5 | 3,3 | 16,9 | 5,5 | 14,7 |
| Explotación de Sistemas Informáticos | 0,0 | | 0,0 | | 0,0 | | 0,0 | | 0,9 | 23,5 | 3,3 | 16,9 | 5,5 | 14,7 |
| **MADERA Y MUEBLE** | 1,4 | 4 | 1,4 | 5 | 1,4 | 6 | 1,4 | 6,2 | 1,4 | 6,0 | 1,4 | 5,4 | 1,3 | 4,7 |
| Fabricación a Medida e Instalación de Carpintería-Mueble | 1,3 | 4 | 1,3 | 5 | 1,3 | 5 | 1,3 | 5,7 | 1,3 | 5,8 | 1,2 | 5,3 | 1,2 | 4,5 |

| | | | | | | | | | | | | | |
|---|---|---|---|---|---|---|---|---|---|---|---|---|---|
| Fabricación Industrial de Carpintería y Mueble | 0,1 | 7 | 0,1 | 5 | 0,1 | 7 | 0,1 | 7,8 | 0,1 | 7,3 | 0,1 | 4,9 | 0,1 | 4,4 |
| Transform. de Madera y Corcho | 0,0 | 0 | 0,0 | | 0,0 | 24 | 0,0 | 46,2 | 0,0 | 46,7 | 0,0 | 46,7 | 0,0 | 45,5 |
| Mecanizado de la madera | 0,0 | | 0,0 | | 0,0 | 36 | 0,0 | | 0,0 | | 0,0 | | 0,0 | |
| **MANTENIMIENTO Y SERVICIOS A LA PRODUCCIÓN** | 4,1 | 1 | 4,3 | 1 | 4,3 | 2 | 4,3 | 1,9 | 4,3 | 1,3 | 4,3 | 1,6 | 4,3 | 1,9 |
| Instalac.-Manteni. Electromecá. Maquinaria-Conducción | 2,5 | 1 | 2,6 | 1 | 2,6 | 2 | 2,4 | 1,7 | 2,4 | 1,6 | 2,3 | 2,1 | 2,2 | 2,2 |
| Montaje-Mantenimiento Instalaciones de Frío, Climatización | 1,7 | 1 | 1,7 | 1 | 1,8 | 1 | 1,9 | 2,1 | 1,9 | 0,9 | 2,0 | 1,0 | 2,1 | 1,7 |
| **MANTENIMIENTO DE VEHÍCULOS AUTOPROPULSADOS** | 9,8 | 1 | 9,5 | 1 | 9,5 | 2 | 9,5 | 2,2 | 9,4 | 1,5 | 9,4 | 1,4 | 9,5 | 1,6 |
| Carrocería | 2,0 | 1 | 2,1 | 1 | 2,2 | 2 | 2,3 | 1,9 | 2,4 | 1,3 | 2,4 | 1,2 | 2,6 | 1,5 |
| Electromecánica de Vehículos | 7,8 | 1 | 7,4 | 1 | 7,4 | 1 | 7,1 | 2,3 | 7,1 | 1,5 | 7,0 | 1,4 | 7,0 | 1,6 |
| QUÍMICA | 1,4 | 60 | 1,4 | 59 | 1,4 | 62 | 1,4 | 63,5 | 1,3 | 62,7 | 1,2 | 61,3 | 1,1 | 62,1 |
| Laboratorio | 1,2 | 65 | 1,2 | 65 | 1,1 | 68 | 1,2 | 67,9 | 1,1 | 67,2 | 0,9 | 66,5 | 0,8 | 68,0 |
| Operaciones de Fabricación de Productos Farmacéuticos | 0,0 | 62 | 0,0 | 67 | 0,0 | 74 | 0,1 | 76,5 | 0,1 | 71,3 | 0,0 | 73,9 | 0,1 | 72,6 |
| Operaciones de Proceso de Pasta y Papel | 0,0 | 30 | 0,0 | 24 | 0,0 | 45 | 0,0 | 39,1 | 0,0 | 55,6 | 0,0 | 31,0 | 0,0 | 41,2 |
| Operaciones de Proceso en Planta Química | 0,1 | 28 | 0,1 | 29 | 0,2 | 34 | 0,2 | 37,6 | 0,2 | 41,6 | 0,1 | 38,4 | 0,1 | 34,9 |
| Operaciones de Transformación de Plásticos y Caucho | 0,1 | 50 | 0,1 | 15 | 0,0 | 16 | 0,0 | 23,9 | 0,1 | 28,4 | 0,1 | 31,8 | 0,0 | 28,1 |
| **SANIDAD** | 14,0 | 88 | 12,9 | 88 | 12,2 | 88 | 12,3 | 88,7 | 12,7 | 89,1 | 12,9 | 90,0 | 12,9 | 90,0 |
| Cuidados Auxiliares de Enfermería | 11,4 | 88 | 10,2 | 88 | 9,6 | 89 | 9,7 | 88,9 | 10,0 | 89,5 | 10,2 | 90,4 | 10,2 | 90,4 |
| Farmacia | 2,6 | 87 | 2,7 | 86 | 2,5 | 86 | 2,6 | 88,0 | 2,7 | 87,7 | 2,7 | 88,4 | 2,7 | 88,2 |
| **SERVICIOS SOCIOCULT. A LA COMUNIDAD** | 0,0 | | 0,0 | | 0,0 | | 0,0 | | 0,1 | 82,5 | 0,8 | 92,0 | 1,5 | 92,3 |
| Atención Sociosanitaria | 0,0 | | 0,0 | | 0,0 | | 0,0 | | 0,1 | 82,5 | 0,8 | 92,0 | 1,5 | 92,3 |

| | 1999-00 | | 2000-01 | | 2001-02 | | 2002-03 | | 2003-04 | | 2004-05 | | 2005-06 |
|---|---|---|---|---|---|---|---|---|---|---|---|---|---|
| | Total | Mujeres | Total | Mujeres | Total | Mujeres | Total | Mujeres | Total | Mujeres | Total | Mujeres | Total | Mujeres |
| **TEXTIL, CONFECCIÓN Y PIEL** | 0,4 | 78 | 0,4 | 76 | 0,4 | 82 | 0,4 | 83,5 | 0,3 | 87,3 | 0,3 | 88,1 | 0,2 | 91,6 |
| Calzado y Marroquinería | 0,0 | 25 | 0,0 | 32 | 0,0 | 34 | 0,0 | 33,3 | 0,0 | 33,3 | 0,0 | 55,0 | 0,0 | 40,0 |
| Confección | 0,4 | 83 | 0,3 | 85 | 0,3 | 92 | 0,3 | 90,3 | 0,3 | 94,1 | 0,2 | 92,9 | 0,2 | 95,7 |
| Operaciones de Ennoblecimiento Textil | 0,0 | 10 | 0,0 | 23 | 0,0 | 24 | 0,0 | 26,3 | 0,0 | 30,0 | 0,0 | 46,2 | 0,0 | 36,0 |
| Producc. de Tejeduría de Calada | 0,0 | | 0,0 | | 0,0 | 43 | 0,0 | 54,5 | 0,0 | 58,3 | 0,0 | 55,6 | 0,0 | 66,7 |
| Producción de Tejidos de Punto | 0,0 | 12 | 0,0 | 13 | 0,0 | 16 | 0,0 | 33,3 | 0,0 | 40,0 | 0,0 | 33,3 | 0,0 | |
| **VIDRIO Y CERÁMICA** | 0,0 | | 0,0 | 49 | 0,1 | 47 | 0,1 | 42,5 | 0,1 | 51,3 | 0,0 | 47,5 | 0,0 | 37,2 |
| Operaciones de Fabricación de Productos Cerámicos | 0,0 | | 0,0 | 49 | 0,0 | 100 | 0,0 | 40,9 | 0,0 | 51,0 | 0,0 | 46,8 | 0,0 | 37,2 |
| Op. de Fabric. de Vidrio y Transf. | 0,0 | | 0,0 | | 0,1 | 46 | 0,0 | 60,0 | 0,0 | 53,3 | 0,0 | 60,0 | 0,0 | |
| **MÓDULOS NIVEL II** | 0,1 | 56 | 0,0 | 33 | 0,0 | | 0,0 | | 0,0 | | 0,0 | | 0,0 | |
| No consta | 0,1 | 43 | 0,0 | | 0,0 | 0 | 0,0 | | 0,0 | | 0,0 | | 0,0 | 72,7 |

## Anexo 3. Matrícula de CFGS según familias profesionales (porcentaje) y proporción de mujeres, 1999-2006

| CICLOS FORMATIVOS GRADO SUPERIOR | | | | | | | | | | | | | |
|---|---|---|---|---|---|---|---|---|---|---|---|---|---|
| | 1999-00 | | 2000-01 | | 2001-02 | | 2002-03 | | 2003-04 | | 2004-05 | | 2005-06 |
| | Total | Mujeres | Total | Mujeres | Total | Mujeres | Total | Mujeres | Total | Mujeres | Total | Mujeres | Total | Mujeres |
| TOTAL GRADO SUPERIOR/NIVEL III | | | | | | | | | | | | | | |
| **CICLOS FORMATIVOS GRADO SUPERIOR** | 100,0 | 49,5 | 100,0 | 48,4 | 100,0 | 49,4 | 100,0 | 49,8 | 100,0 | 50,0 | 100,0 | 50,0 | 100,0 | 50,2 |
| **ACTIVIDADES AGRARIAS** | 1,0 | 26,9 | 1,3 | 25,9 | 1,4 | 26,5 | 1,5 | 26,7 | 1,5 | 25,3 | 1,6 | 23,4 | 1,6 | 23,2 |
| Gestión y Organización de Empresas Agropecuarias | 0,4 | 27,2 | 0,4 | 24,7 | 0,3 | 24,6 | 0,3 | 24,6 | 0,3 | 22,1 | 0,3 | 21,8 | 0,3 | 21,3 |
| Gestión y Organización de los Recursos Naturales | 0,6 | 26,8 | 0,9 | 26,4 | 1,1 | 27,1 | 1,2 | 27,3 | 1,2 | 26,3 | 1,2 | 23,8 | 1,3 | 23,6 |
| **ACTIVIDADES FÍSICAS Y DEPORTIVAS** | 3,1 | 35,2 | 3,1 | 34,2 | 3,1 | 36,7 | 3,0 | 37,3 | 3,1 | 36,1 | 3,3 | 34,9 | 3,4 | 33,6 |
| Animación de Actividades Físico y/o Deportivas | 3,1 | 35,2 | 3,1 | 34,2 | 3,1 | 36,7 | 3,0 | 37,3 | 3,1 | 36,1 | 3,3 | 34,9 | 3,4 | 33,6 |
| **ACTIVIDADES MARÍTIMO-PESQUERAS** | 0,3 | 22,6 | 0,4 | 17,6 | 0,4 | 18,2 | 0,4 | 12,4 | 0,5 | 10,3 | 0,5 | 11,0 | 0,5 | 13,6 |
| Navegación, Pesca y Transporte Marítimo | 0,1 | 4,1 | 0,1 | 13,0 | 0,2 | 10,4 | 0,2 | 7,8 | 0,2 | 8,5 | 0,2 | 8,3 | 0,3 | 11,3 |
| Producción Acuícola | 0,2 | 40,9 | 0,1 | 37,7 | 0,1 | 44,2 | 0,1 | 38,9 | 0,1 | 32,8 | 0,1 | 37,9 | 0,1 | 44,6 |

| | | | | | | | | | | | | | |
|---|---|---|---|---|---|---|---|---|---|---|---|---|---|
| Supervisión- Control Máquinas Marinas | 0,1 | 1,3 | 0,1 | 2,8 | 0,1 | 7,0 | 0,2 | 3,4 | 0,2 | 1,6 | 0,2 | 2,4 | 0,2 | 2,4 |
| **ADMINISTRACIÓN** | 22,7 | 71,1 | 20,5 | 70,5 | 18,9 | 72,9 | 18,2 | 73,6 | 18,0 | 74,0 | 17,9 | 73,7 | 18,0 | 73,2 |
| Administración y Finanzas | 19,4 | 68,0 | 17,3 | 67,3 | 16,0 | 69,8 | 15,6 | 71,1 | 15,6 | 71,6 | 15,8 | 71,5 | 16,0 | 71,1 |
| Secretariado | 3,4 | 88,5 | 3,2 | 87,9 | 2,9 | 90,1 | 2,7 | 88,5 | 2,4 | 89,8 | 2,1 | 90,1 | 2,0 | 90,0 |
| **ARTES GRÁFICAS** | 0,5 | 45,5 | 0,6 | 44,3 | 0,6 | 45,7 | 0,7 | 46,5 | 0,7 | 47,1 | 0,7 | 45,5 | 0,7 | 46,6 |
| Diseño y Producción Editorial | 0,4 | 51,0 | 0,4 | 50,3 | 0,4 | 47,4 | 0,5 | 48,1 | 0,5 | 48,2 | 0,5 | 47,8 | 0,5 | 48,8 |
| Producción en Industrias de Artes Gráficas | 0,2 | 32,3 | 0,2 | 33,9 | 0,2 | 42,5 | 0,2 | 43,0 | 0,2 | 44,6 | 0,2 | 40,4 | 0,2 | 41,6 |
| **COMERCIO Y MAR-KETING** | 6,6 | 61,0 | 6,3 | 59,0 | 6,0 | 60,0 | 5,9 | 59,8 | 5,8 | 58,7 | 5,5 | 56,3 | 5,4 | 55,2 |
| Comercio Internacional | 2,3 | 64,1 | 2,1 | 61,0 | 1,9 | 62,1 | 1,9 | 61,5 | 1,9 | 60,6 | 1,7 | 58,9 | 1,7 | 57,9 |
| Gestión Comercial y Marketing | 3,3 | 59,2 | 3,3 | 58,1 | 3,1 | 60,0 | 3,1 | 60,1 | 3,1 | 59,0 | 3,0 | 56,1 | 2,9 | 54,8 |
| Gestión del Transporte | 0,6 | 56,5 | 0,7 | 53,7 | 0,7 | 51,3 | 0,7 | 50,3 | 0,7 | 50,8 | 0,6 | 48,2 | 0,6 | 48,1 |
| Servicios al Consumidor | 0,4 | 65,5 | 0,3 | 65,3 | 0,3 | 68,1 | 0,3 | 68,1 | 0,2 | 64,1 | 0,2 | 65,7 | 0,2 | 62,2 |
| **COMUNICACIÓN, IMAGEN Y SONIDO** | 2,9 | 34,6 | 3,0 | 35,7 | 3,0 | 36,9 | 3,1 | 39,6 | 3,4 | 38,6 | 3,6 | 37,9 | 3,8 | 37,8 |
| Imagen | 0,8 | 45,6 | 0,9 | 44,9 | 0,8 | 45,6 | 0,9 | 47,3 | 0,9 | 48,8 | 1,0 | 48,0 | 1,1 | 49,7 |
| Producción de Audiovisuales, Radio y Espectáculos | 1,3 | 31,3 | 0,4 | 48,6 | 0,4 | 49,1 | 0,4 | 53,0 | 0,5 | 53,0 | 0,5 | 52,7 | 0,5 | 51,3 |
| Realización de Audiovisuales, Radio y Espectáculos | 0,4 | 45,0 | 1,2 | 35,1 | 1,2 | 37,7 | 1,2 | 42,2 | 1,3 | 39,2 | 1,3 | 37,6 | 1,4 | 37,7 |
| Sonido | 0,4 | 13,4 | 0,5 | 11,8 | 0,5 | 11,0 | 0,6 | 14,2 | 0,7 | 14,8 | 0,8 | 15,4 | 0,8 | 14,1 |
| **EDIFICACIÓN Y OBRA CIVIL** | 4,2 | 30,5 | 3,9 | 29,8 | 3,6 | 31,5 | 3,7 | 31,9 | 3,9 | 32,0 | 4,2 | 31,6 | 4,5 | 31,3 |
| Desarrollo y Aplicación de Proyectos de Construcción | 3,0 | 31,8 | 2,7 | 31,4 | 1,0 | 30,4 | 2,4 | 33,0 | 2,5 | 33,4 | 2,7 | 33,4 | 2,8 | 33,4 |
| Desarrollo de Proyectos Urbanísticos y Operaciones Topográficas | 1,0 | 29,0 | 1,0 | 27,8 | 2,4 | 33,0 | 1,0 | 31,8 | 1,1 | 31,9 | 1,2 | 30,0 | 1,3 | 28,8 |
| Realización y Planes de Obras | 0,2 | 18,0 | 0,2 | 14,9 | 0,2 | 18,2 | 0,3 | 21,0 | 0,3 | 20,2 | 0,3 | 22,5 | 0,3 | 23,0 |
| **ELECTRICIDAD Y ELECTRÓNICA** | 10,9 | 5,1 | 11,0 | 6,1 | 10,6 | 7,5 | 10,0 | 7,4 | 10,0 | 7,8 | 9,7 | 7,4 | 9,6 | 6,7 |
| Desarrollo de Productos Electrónicos | 2,9 | 4,5 | 2,7 | 5,1 | 2,3 | 5,1 | 2,1 | 5,1 | 2,0 | 6,1 | 1,8 | 6,4 | 1,7 | 5,9 |
| Instalaciones Electrotécnicas | 2,4 | 2,1 | 2,4 | 2,6 | 2,2 | 4,0 | 2,0 | 3,1 | 2,0 | 3,7 | 2,2 | 3,0 | 2,4 | 3,4 |
| Sistemas de Regulación y Control Automático | 2,8 | 3,2 | 2,5 | 3,9 | 2,2 | 4,1 | 1,9 | 4,2 | 1,9 | 4,6 | 1,9 | 4,8 | 1,9 | 4,7 |
| Sistemas de Telecomunicación e Informáticos | 2,8 | 10,4 | 3,5 | 10,9 | 3,9 | 12,6 | 4,0 | 12,4 | 4,1 | 12,1 | 3,8 | 11,6 | 3,6 | 10,4 |
| **FABRICACIÓN MECÁNICA** | 3,7 | 7,5 | 3,6 | 6,8 | 3,3 | 6,8 | 3,0 | 7,9 | 2,9 | 8,6 | 2,8 | 9,3 | 2,8 | 8,8 |
| Construcciones Metálicas | 0,2 | 7,1 | 0,3 | 3,7 | 0,3 | 5,9 | 0,3 | 4,6 | 0,3 | 4,9 | 0,3 | 3,2 | 0,3 | 3,0 |
| Desarrollo de Proyectos Mecánicos | 1,2 | 13,4 | 1,2 | 13,5 | 1,0 | 11,3 | 0,9 | 12,4 | 0,9 | 13,5 | 0,9 | 13,6 | 0,8 | 12,5 |
| Optica de Anteojería | 0,0 | | 0,0 | | 0,0 | 93,1 | 0,0 | 75,4 | 0,0 | 73,5 | 0,1 | 71,5 | 0,1 | 71,4 |
| Producción por Fundición y Pulvimetalurgia | 0,0 | 12,5 | 0,0 | 7,0 | 0,0 | 18,5 | 0,0 | 18,8 | 0,0 | 9,5 | 0,0 | 13,8 | 0,0 | 16,0 |

| | | | | | | | | | | | | | |
|---|---|---|---|---|---|---|---|---|---|---|---|---|---|
| Producción por Mecanizado | 2,2 | 4,4 | 2,1 | 3,5 | 1,9 | 3,4 | 1,7 | 4,6 | 1,7 | 5,1 | 1,6 | 5,6 | 1,6 | 5,7 |
| Fabricación Mecánica | 0,0 | | 0,0 | | 0,0 | 32,4 | 0,0 | | 0,0 | | 0,0 | | 0,0 | |
| **HOSTELERÍA Y TURISMO** | 4,6 | 70,4 | 4,6 | 68,9 | 4,6 | 71,6 | 4,8 | 72,6 | 4,9 | 71,1 | 5,1 | 70,9 | 5,2 | 69,3 |
| Agencias de viajes | 1,0 | 82,3 | 1,0 | 81,9 | 1,0 | 82,4 | 1,0 | 82,1 | 1,0 | 82,1 | 1,1 | 83,2 | 1,1 | 83,3 |
| Alojamiento | 0,8 | 78,4 | 0,8 | 75,4 | 0,8 | 78,2 | 0,8 | 78,8 | 0,9 | 78,0 | 0,9 | 77,6 | 0,8 | 77,3 |
| Animación turística | 0,0 | | 0,0 | 70,0 | 0,0 | 71,7 | 0,1 | 75,7 | 0,1 | 71,8 | 0,1 | 71,9 | 0,2 | 72,0 |
| Información y Comercialización Turísticas | 1,4 | 79,1 | 1,4 | 77,9 | 1,4 | 78,8 | 1,5 | 81,3 | 1,5 | 80,4 | 1,6 | 80,0 | 1,6 | 79,6 |
| Recepción | 0,0 | | 0,0 | | 0,0 | 80,5 | 0,1 | 83,9 | 0,1 | 73,5 | 0,0 | 71,7 | 0,0 | 71,0 |
| Restauración | 1,4 | 48,5 | 1,4 | 46,5 | 1,2 | 49,5 | 1,3 | 49,3 | 1,3 | 47,9 | 1,3 | 45,8 | 1,5 | 43,0 |
| **IMAGEN PERSONAL** | 1,3 | 96,5 | 1,4 | 96,6 | 1,4 | 97,3 | 1,6 | 97,3 | 1,7 | 97,5 | 1,8 | 97,1 | 1,9 | 97,0 |
| Asesoría de imagen personal | 0,1 | 92,0 | 0,1 | 90,1 | 0,2 | 95,6 | 0,2 | 94,6 | 0,3 | 93,2 | 0,3 | 92,7 | 0,4 | 92,0 |
| Estética | 1,3 | 96,7 | 1,2 | 97,4 | 1,3 | 97,5 | 1,3 | 97,8 | 1,4 | 98,3 | 1,5 | 98,1 | 1,5 | 98,2 |
| **INDUSTRIAS ALIMENTARIAS** | 0,5 | 59,0 | 0,5 | 57,6 | 0,5 | 56,5 | 0,4 | 57,1 | 0,4 | 56,6 | 0,4 | 53,6 | 0,4 | 53,0 |
| Industria Alimentaria | 0,5 | 59,0 | 0,5 | 57,6 | 0,5 | 56,5 | 0,4 | 57,1 | 0,4 | 56,6 | 0,4 | 53,6 | 0,4 | 53,0 |
| **INFORMÁTICA** | 12,7 | 27,2 | 14,5 | 26,9 | 17,5 | 27,4 | 18,1 | 25,8 | 16,7 | 24,4 | 14,6 | 21,6 | 12,6 | 20,3 |
| Administración de Sistemas Informáticos | 6,3 | 28,2 | 7,4 | 27,1 | 9,1 | 27,0 | 9,5 | 25,0 | 9,0 | 23,5 | 8,2 | 20,5 | 7,3 | 19,0 |
| Desarrollo de Aplicaciones Informáticas | 6,4 | 26,1 | 7,0 | 26,7 | 8,4 | 27,9 | 8,6 | 26,6 | 7,7 | 25,5 | 6,5 | 23,1 | 5,3 | 22,1 |
| **MADERA Y MUEBLE** | 0,2 | 16,9 | 0,2 | 17,2 | 0,2 | 15,6 | 0,2 | 16,0 | 0,2 | 12,2 | 0,2 | 11,2 | 0,2 | 9,4 |
| Desarrollo de Productos en Carpintería y Mueble | 0,1 | 19,3 | 0,1 | 17,7 | 0,1 | 16,2 | 0,1 | 15,7 | 0,1 | 13,8 | 0,1 | 10,2 | 0,1 | 10,9 |
| Producción de Madera y Mueble | 0,1 | 15,0 | 0,1 | 16,9 | 0,1 | 15,2 | 0,1 | 16,3 | 0,1 | 10,5 | 0,1 | 12,3 | 0,1 | 7,6 |
| **MANTENIMIENTO Y SERVICIOS A LA PRODUCCIÓN** | 2,4 | 2,5 | 2,4 | 4,0 | 2,0 | 2,7 | 1,9 | 5,0 | 2,3 | 11,1 | 2,9 | 17,9 | 3,4 | 20,4 |
| Desarrollo de Proyectos de Instalaciones de Fluidos, Térmicas y M. | 0,2 | 1,8 | 0,2 | 13,7 | 0,2 | 5,8 | 0,2 | 6,4 | 0,2 | 8,3 | 0,2 | 2,7 | 0,2 | 4,4 |
| Mantenimiento de Equipo Industrial | 1,8 | 2,7 | 1,7 | 2,2 | 1,5 | 2,5 | 1,4 | 2,6 | 1,4 | 3,0 | 1,4 | 3,0 | 1,5 | 2,5 |
| Montaje y Mantenimiento de Instalaciones de Edificio y de Proceso | 0,4 | 1,9 | 0,4 | 5,6 | 0,3 | 2,3 | 0,3 | 2,4 | 0,3 | 5,0 | 0,3 | 3,7 | 0,4 | 1,9 |
| Prevención de riesgos profesionales | 0,0 | | 0,0 | | 0,0 | | 0,1 | 48,7 | 1,0 | 45,5 | 1,0 | 46,8 | 1,4 | 47,0 |
| **MANTENIMIENTO DE VEHÍCULOS AUTOPROPULSADOS** | 2,2 | 2,1 | 2,3 | 2,2 | 2,1 | 3,2 | 2,1 | 3,2 | 2,3 | 2,6 | 2,4 | 2,2 | 2,5 | 2,0 |
| Automoción | 2,2 | 1,9 | 2,2 | 1,8 | 2,0 | 2,9 | 2,0 | 3,1 | 2,1 | 2,5 | 2,2 | 2,1 | 2,3 | 2,0 |
| Mantenimiento Aeromecánico | 0,0 | 9,8 | 0,1 | 9,6 | 0,1 | 4,2 | 0,1 | 2,6 | 0,1 | 3,2 | 0,2 | 3,4 | 0,2 | 1,7 |
| Mantenimiento de Aviónica | 0,0 | 8,7 | 0,0 | 14,0 | 0,0 | 19,6 | 0,0 | 14,8 | 0,0 | 15,5 | 0,0 | 9,6 | 0,0 | 4,0 |
| **QUÍMICA** | 2,6 | 60,8 | 2,4 | 58,7 | 2,4 | 59,0 | 2,4 | 61,4 | 2,3 | 61,4 | 2,3 | 60,4 | 2,3 | 58,9 |
| Análisis y Control | 1,6 | 65,4 | 1,4 | 63,4 | 1,4 | 64,9 | 1,3 | 67,3 | 1,3 | 66,4 | 1,3 | 65,3 | 1,3 | 64,0 |

| | | | | | | | | | | | | | | |
|---|---|---|---|---|---|---|---|---|---|---|---|---|---|---|
| Fabricacion de Productos Farmaceuticos y Afines | 0,1 | 80,3 | 0,0 | 50,9 | 0,0 | 67,5 | 0,1 | 72,1 | 0,0 | 67,9 | 0,1 | 68,3 | 0,1 | 68,6 |
| Industrias de Proceso de Pasta y Papel | 0,0 | 36,0 | 0,0 | 25,0 | 0,0 | 29,4 | 0,0 | 34,9 | 0,0 | 32,1 | 0,0 | 29,5 | 0,0 | 52,0 |
| Industrias de Proceso Químico | 0,2 | 35,0 | 0,2 | 34,3 | 0,2 | 32,8 | 0,2 | 34,1 | 0,2 | 33,3 | 0,2 | 33,9 | 0,2 | 34,0 |
| Plásticos y caucho | 0,0 | 11,4 | 0,0 | 33,3 | 0,1 | 35,1 | 0,0 | 31,7 | 0,0 | 23,3 | 0,0 | 21,2 | 0,0 | 10,0 |
| Química Ambiental | 0,8 | 58,9 | 0,7 | 59,6 | 0,7 | 58,1 | 0,7 | 59,7 | 0,7 | 60,5 | 0,7 | 59,4 | 0,7 | 55,5 |
| **SANIDAD** | 10,3 | 80,1 | 10,2 | 79,8 | 10,2 | 80,5 | 10,1 | 80,8 | 10,2 | 80,6 | 10,4 | 80,1 | 10,8 | 80,0 |
| Anatomía Patológica y Citológia | 1,0 | 83,3 | 0,9 | 84,6 | 0,9 | 84,3 | 0,8 | 85,6 | 0,8 | 86,2 | 0,8 | 86,6 | 0,9 | 86,0 |
| Audioprótesis | 0,0 | | 0,0 | | 0,0 | | 0,0 | 57,4 | 0,1 | 59,0 | 0,1 | 64,1 | 0,2 | 67,2 |
| Dietética | 1,6 | 85,3 | 1,5 | 85,6 | 1,5 | 86,5 | 1,4 | 86,4 | 1,4 | 87,8 | 1,5 | 87,4 | 1,5 | 87,1 |
| Documentación Sanitaria | 1,2 | 86,3 | 1,1 | 84,0 | 1,0 | 85,3 | 0,9 | 87,0 | 0,9 | 86,1 | 0,9 | 84,5 | 0,9 | 84,3 |
| Higiene Bucodental | 0,7 | 87,0 | 0,7 | 84,5 | 0,8 | 86,8 | 0,9 | 89,3 | 0,9 | 90,3 | 1,0 | 89,5 | 1,1 | 89,8 |
| Imagen para el Diagnóstico | 1,0 | 77,5 | 0,9 | 79,0 | 1,0 | 79,2 | 1,1 | 78,1 | 1,1 | 78,0 | 1,2 | 76,4 | 1,2 | 75,5 |
| Laboratorio de Diagnóstico Clínico | 2,8 | 83,0 | 2,9 | 83,1 | 3,0 | 83,1 | 2,9 | 84,4 | 2,8 | 84,0 | 2,8 | 83,0 | 2,9 | 83,0 |
| Ortoprotésica | 0,1 | 58,4 | 0,1 | 66,0 | 0,1 | 58,2 | 0,1 | 57,5 | 0,1 | 58,7 | 0,1 | 57,2 | 0,1 | 54,2 |
| Prótesis dentales | 0,3 | 58,1 | 0,5 | 62,7 | 0,6 | 67,2 | 0,7 | 64,5 | 0,8 | 62,4 | 0,8 | 62,2 | 0,8 | 63,3 |
| Radioterapia | 0,1 | 80,0 | 0,1 | 75,3 | 0,1 | 75,4 | 0,1 | 79,0 | 0,2 | 80,3 | 0,2 | 79,8 | 0,3 | 80,8 |
| Salud Ambiental | 1,5 | 67,1 | 1,4 | 65,5 | 1,3 | 66,6 | 1,2 | 65,5 | 1,1 | 64,9 | 1,1 | 66,5 | 1,0 | 64,1 |
| **SERVICIOS SOCIO-CULTURALES Y A LA COMUNIDAD** | 6,8 | 88,6 | 7,6 | 89,0 | 7,9 | 90,6 | 8,4 | 90,3 | 9,1 | 90,9 | 9,7 | 91,0 | 10,1 | 91,3 |
| Animación Socio-cultural | 1,6 | 76,6 | 1,6 | 77,9 | 1,4 | 81,3 | 1,4 | 80,8 | 1,4 | 81,1 | 1,4 | 80,3 | 1,2 | 80,6 |
| Bblioteconomía, archivística y documentación | 0,0 | | 0,0 | | 0,0 | | 0,0 | 77,6 | 0,0 | 73,7 | 0,0 | 84,8 | 0,0 | 81,4 | 0,0 | 64,4 |
| Educación Infantil | 3,9 | 94,3 | 4,0 | 94,5 | 4,0 | 95,3 | 4,1 | 95,0 | 4,5 | 96,1 | 5,0 | 96,4 | 5,4 | 96,3 |
| Integración Social | 1,2 | 86,0 | 1,7 | 86,5 | 2,1 | 87,4 | 2,3 | 87,2 | 2,5 | 86,7 | 2,6 | 86,3 | 2,6 | 86,1 |
| Interpretación de Lenguajes de Signos | 0,2 | 86,0 | 0,2 | 90,2 | 0,4 | 92,5 | 0,5 | 92,6 | 0,6 | 92,9 | 0,7 | 91,5 | 0,7 | 91,5 |
| **TEXTIL, CONFECCIÓN Y PIEL** | 0,3 | 67,5 | 0,3 | 71,1 | 0,3 | 74,2 | 0,3 | 75,6 | 0,3 | 76,4 | 0,2 | 77,4 | 0,3 | 79,5 |
| Curtidos | 0,0 | 15,6 | 0,0 | 10,0 | 0,0 | 29,2 | 0,0 | 36,0 | 0,0 | 31,8 | 0,0 | | 0,0 | |
| Patronaje | 0,2 | 81,7 | 0,2 | 81,8 | 0,2 | 82,8 | 0,2 | 83,1 | 0,2 | 81,7 | 0,2 | 82,7 | 0,2 | 83,6 |
| Procesos de Confección Industrial | 0,1 | 76,5 | 0,1 | 75,5 | 0,1 | 76,3 | 0,0 | 85,1 | 0,0 | 82,2 | 0,0 | 73,4 | 0,0 | 83,5 |
| Procesos de Ennoblecimiento Textil | 0,0 | 37,5 | 0,0 | 61,5 | 0,0 | 53,1 | 0,0 | 45,2 | 0,0 | 52,4 | 0,0 | 33,3 | 0,0 | 50,0 |
| Procesos Textiles de Hilatura y Tejeduría de Calada | 0,0 | 34,0 | 0,0 | 35,1 | 0,0 | 28,9 | 0,0 | 15,4 | 0,0 | 42,1 | 0,0 | 36,0 | 0,0 | 32,0 |
| Textiles de Tejeduría de Punto | 0,0 | | 0,0 | | 0,0 | | 0,0 | | 0,0 | | 0,0 | | 0,0 | 60,9 |
| **VIDRIO Y CERÁMICA** | 0,0 | 64,7 | 0,0 | 51,9 | 0,0 | 45,8 | 0,0 | 40,4 | 0,0 | 42,6 | 0,0 | 39,8 | 0,0 | 36,3 |
| Fabricación de Productos Cerámicos | 0,0 | 64,7 | 0,0 | 51,9 | 0,0 | 45,8 | 0,0 | 40,4 | 0,0 | 42,6 | 0,0 | 39,8 | 0,0 | 36,3 |
| Fabricación y transformación de Productos de Vidrio | 0,0 | | 0,0 | | 0,0 | | 0,0 | | 0,0 | | 0,0 | | 0,0 | |
| No consta | 0,0 | 31,9 | 0,0 | 73,1 | 0,0 | | 0,0 | | 0,0 | | 0,0 | | 0,0 | |

# Capítulo VI
## Algunas reflexiones complementarias desde la realidad española

# 1. FORMACIÓN PROFESIONAL Y OCUPACIONAL EN EL MARCO DE LA FORMACIÓN PERMANENTE. UNA VISIÓN DESDE EUROPA

**Joaquín Gairín Sallán**

La relación educación-trabajo ha sido objeto de muchas discusiones y controversias, centradas en la naturaleza de la relación y en la forma como se condicionan ambas opciones: ¿quién determina a quién?; si el trabajo permite la socialización, ¿por qué la educación no ha de preparar para él?; ¿hasta qué punto tiene sentido subordinar los intereses de la formación a las necesidades de las empresas?; etc. Asumiendo que debe haber una formación para el trabajo, normalmente no se considera una prioridad educativa; más bien se entiende y defiende, a veces, que la formación debe ser algo independiente del trabajo, bajo el fantasma de evitar la instrumentalización de la educación, se dice, por los «oscuros intereses» mercantilistas que a menudo se asocian al mundo laboral.

No obstante, el peso que actualmente tiene la economía resulta determinante en el quehacer educativo. Mejorar la educación requiere de más recursos pero, a la vez, las inversiones en educación se reconocen, a largo plazo, como un factor estratégico que permite lograr grandes transformaciones socioeconómicas. De hecho, la referencia económica aparece con fuerza en textos y declaraciones de los últimos años. Un ejemplo lo tenemos en el *Informe de la Comisión sobre futuros objetivos precisos de los sistemas educativos* (Comisión de las Comunidades Europeas, 2001), cuando señala:

*En conjunto, los Estados miembros opinan que la educación debe ayudar a conseguir tres objetivos principales: el desarrollo del individuo, para que pueda desplegar todo su potencial y llevar una vida feliz y fructífera; el desarrollo de la sociedad, en particular reduciendo las disparidades y desigualdades entre individuos o grupos; y el desarrollo de la economía, haciendo lo necesario para que las capacidades de la mano de obra correspondan a las necesidades de las empresas y los empleadores (pág. 4).*

La referencia a la formación vinculada a la realidad socioeconómica aparece así con fuerza y plantea retos a los que no estamos acostumbrados. El análisis de las tendencias más importantes del empleo en las últimas décadas evidencia la creciente complejidad de los itinerarios profesionales y, consecuentemente, de la formación necesaria para recorrerlos. Cada vez son más los empleos que requieren reciclajes periódicos y se manifiesta un ciclo de vida que combina períodos de empleo y períodos de formación. La formación se convierte así en un elemento estructural de los recursos humanos para nuestras economías y se configura como una obligación en materia de comportamiento de los individuos (Planas, 2000).

Pero no hemos de olvidar que la formación vinculada a la realidad laboral no es algo aislado sino parte del proyecto de desarrollo personal y social en el que estamos inmersos. La referencia a la formación permanente nos parece así sustancial, en la medida en que sitúa la formación para el trabajo en el marco de una preocupación permanente por ubicarse en una realidad cada vez más cambiante. Pero a la vez, nos compromete en el sentido de que esta formación se concibe como una formación global de la persona y para la persona que busca su desarrollo personal y su realización a través del compromiso social. Como ya señalara Ferrández (2002):

*Aquí radica, bajo mi pensamiento pedagógico, el fundamento que justifica la Educación Permanente: la verdadera liberación personal y grupal que elude cualquier intento de alineación. El propósito medular de lo permanentemente educativo es la posibilidad individual de participar socialmente en todas las manifestaciones humanas: desde el tiempo de libre disponibilidad, hasta el tiempo dedicado al trabajo productivo. No hay, pues, justificaciones academicistas ni culturales, al modo ilustrado. Es una necesidad de pertenencia al grupo social y sólo se «pertenece» si se actúa en él y en el medio que le es propio (pág. 38).*

Partiendo de las ideas mencionadas, la presente aportación, deudora de las notas aportadas al Proyecto de Tarragona ciudad educadora (Ayuntamiento de Tarragona, 2002), presenta un conjunto de reflexiones sobre la realidad laboral y la formación, con la pretensión de que puedan servir de referente y punto de partida para la reflexión educativa que se está realizando. La intención no es normativa sino más bien descriptiva y reflexiva, bajo el supuesto de que así pueda contribuir a mejorar la construcción del proyecto de sociedad que, de manera continua, debemos construir.

## 1.1. El contexto de referencia

Revisamos aquí algunos elementos base para cualquier proceso de toma de decisiones, referidos tanto al modelo social como a los condicionantes de la realidad actual que acompañan al estudio de la relación formación-trabajo.

### 1.1.1. Una sociedad en transformación exige una nueva educación

La realidad educativa es dinámica, como lo es la realidad sociocultural en la que se enmarca. Este dinamismo explica la necesidad de actualizar el conjunto de decisiones que acompañan a la ordenación de nuestra intervención educativa y que no siempre nos preocupamos de adecuar a las nuevas circunstancias.

Particularmente, los últimos años han supuesto cambios sustanciales en el contexto social en el que nos situamos. De hecho, a menudo se habla de «una nueva realidad» a la que hay que adaptarse personal e institucionalmente, si no queremos quedarnos al margen del progreso. Un análisis de algunas de las nuevas propuestas nos puede ayudar a entender parte de la problemática planteada (Figura 1).

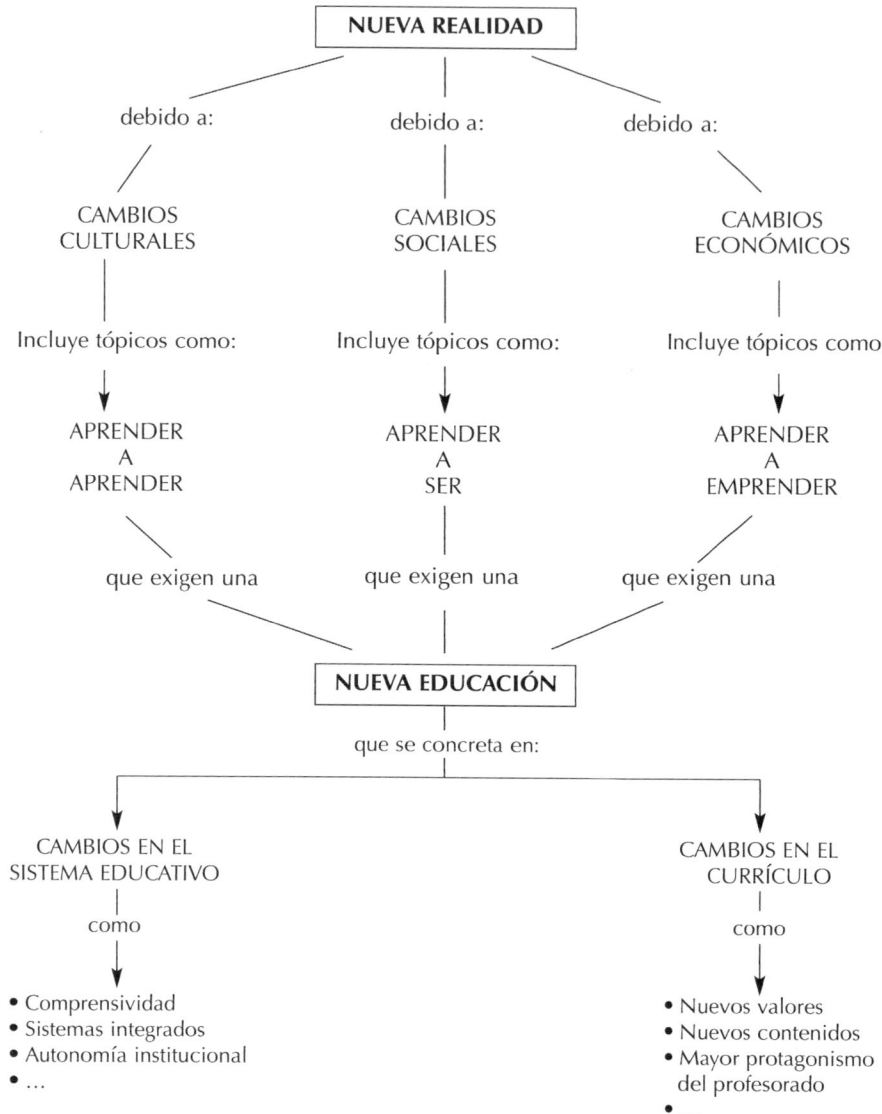

**Figura 1.** La nueva educación como respuesta a las exigencias de una nueva realidad
(Gairín, 1997:10)

El protagonismo de los medios de comunicación, la presencia de nuevas formas de tratamiento de la información o la apertura de fronteras a otras culturas son expresión de un **cambio cultural** que obliga a resituar el papel de las personas y plantea problemas técnicos, éticos y culturales. Paralelamente, la rápida acumulación y transformación de los conocimientos hace absurda una formación que se base en su transmisión y memorización, planteando el reto ya antiguo de transformar el "aprender" en "aprender a aprender"; esto es, enfatizar en los procedimientos para adquirir y actualizar información más que en la información misma.

La democratización aparece como la expresión más palpable de un **cambio social** profundo, que incluye el reparto del poder entre diferentes instancias y el control de las decisiones que afectan a los ciudadanos. El reconocimiento de los diferentes valores personales y sociales obliga a relativizar el dogmatismo y la uniformidad social y política de otras épocas impulsando posturas de flexibilidad y tolerancia. El hecho educativo debe plantearse, en estas circunstancias, los valores relacionados con el respeto a la diversidad, la tolerancia y la colaboración, haciendo necesario el tópico de "aprender a ser", esto es, desarrollar la propia personalidad de acuerdo con una escala de valores y saber confrontarla y defenderla de otras propuestas que legítimamente se planteen.

El dinamismo de la realidad económica es paralelo a las transformaciones ya mencionadas. Las nuevas exigencias de la producción y del sector servicios obligan a una actualización permanente de los trabajadores en la línea de expresiones como: "Los títulos deberían tener fecha de caducidad como el yogur", "No basta con saber, es preciso tener interés y voluntad para adquirir nuevas habilidades y conocimientos" o "La flexibilidad y actitud positiva ante el cambio es un bien preferible a una alta especialización".

El **cambio económico** impulsa así el desarrollo del tópico "aprender a emprender", dando a entender que la formación debería preparar a los ciudadanos como agentes activos de la transformación de su entorno, incorporando el desarrollo de capacidades relacionadas con la iniciativa personal, adaptación a los cambios, relativización de las incertidumbres y capacidad crítica.

La respuesta a las nuevas realidades está produciendo cambios sustantivos en la educación. Por una parte, la extensión de la escolarización y su organización en un "tronco" común (comprensividad), la potenciación de la autonomía institucional, el refuerzo de los sistemas de apoyo a lo centros educativos, la potenciación de la participación de los usuarios y técnicos y un mayor control social, constituyen metas habituales de los sistemas educativos modernos.

Por otra parte, se busca una transformación profunda del proceso formativo a través de los cambios curriculares. La introducción de nuevos valores (educación ambiental, para la salud, intercultural, etc.), la atención equilibrada a conocimientos, habilidades y actitudes, el respeto y la aproximación a los contextos de referencia y la renovación metodológica, se acompañan del reconocimiento y apoyo a los profesores como nuevos protagonistas del proceso formativo.

Una educación que quiera responder a los nuevos retos precisa ordenarse desde las realidades concretas y contar con los profesionales que las conocen y han de intervenir en ellas. Consecuentemente, resultan inválidas las propuestas anteriores, ordenadas bajo principios de centralización y uniformidad, y se hace necesario construir otras nuevas de carácter contextualizado y en función de las demandas de la nueva realidad.

Particularmente, resulta importante remarcar la gran transformación que está teniendo el modo de trabajo. Por una parte, hay cambios en las estructuras de producción (globalización, especialización…) que imponen la movilidad de los trabajadores; por otra, hay un mayor énfasis en la naturaleza de los procesos implicados (más centrados en el control de la información) y en su proyección (calidad, comercialización…).

El advenimiento de la era de la información plantea, al actualizar el valor de la información y el conocimiento, un reto significativo que no podemos obviar. Aparecen con ella nuevas empresas (mantenimiento de ordenadores, cibercafés, especialistas en portales...), pero lo más significativo es que la introducción de la informática e Internet están revolucionado el concepto de trabajo y las nuevas formas de contratación.

La flexibilidad laboral se plantea como respuesta a la exigencia de prestar servicio durante todo el día (oficinas de 24 horas) y a la extensión del teletrabajo; también tienden a transformarse los actuales "contratos laborales" por contratos de «prestación de servicios» (Majó y Marqués, 2002: 92). Los retos son interesantes pero también plantean incertidumbres: ¿seremos capaces de trabajar en libertad?, ¿cómo evitar que los nuevos sistemas generen precariedad e inseguridad?, ¿será siempre posible combinar períodos de trabajo y de formación?, ¿cómo deberá ser la formación ante la diversidad del mercado ocupacional?, etc.

Sea como sea, nuestro reto es promover los cambios en profundidad que el sistema formativo precisa a nivel general y, particularmente, a nivel de la formación de profesionales actualizados, competentes y comprometidos. La reestructuración debe desarrollarse desde los valores de democratización y mediante la creación de espacios sociales donde se promueva y defienda el diálogo, la reflexión, la crítica constructiva y la solidaridad.

## 1.1.2. La construcción de la ciudadanía como objetivo básico de la educación[66]

Tradicionalmente, la familia ha constituido el contexto de socialización primaria, aportando valores de referencia, formas de vida, visiones de la realidad, afectividad, seguridad, etc., y la escuela (o las instituciones formativas) el referente para la socialización secundaria, proporcionando contenidos culturales y nuevos conocimientos. Actualmente, la situación ha cambiado sustancialmente. A menudo, la familia no interviene tan decisivamente en la socialización primaria, al tener que trabajar los padres y existir nuevos modelos de familia, y los medios de comunicación (televisión, radio y, sobre todo, Internet) aportan gran parte de los contenidos culturales que proporcionaba la escuela. Así, ésta se ve abocada a incidir en procesos de socialización primaria (sobre todo en Educación Infantil) y compartir con otros agentes los procesos de socialización secundaria.

La difuminación de los límites y las competencias que se da en las sociedades actuales justifica que replanteemos la función de la escuela y del entorno. Cada vez son más los agentes y escenarios educativos, lo que multiplica la necesidad de una mayor coordinación y la búsqueda de nuevos planteamientos para las instancias educativas tradicionales de la familia y la escuela.

La nueva situación no puede perder de vista la importancia que en el siglo XXI tendrá el conocimiento y la información. La progresiva sustitución de los factores clásicos orientadores de los procesos productivos (mano de obra, energía, materiales...) por el conocimiento comportará cambios en la realidad económica, social y cultural que deberán ser abordados con nuevas ideas y procedimientos.

La educación vuelve a ser una pieza clave y un elemento estratégico en el desarrollo de la sociedad del conocimiento y de la información. El capital humano y la formación serán esenciales si saben aprovechar las capacidades de las personas y hacen de la creación, transmisión y aplicación de los conocimientos la materia primera y el material más preciado.

La nueva sociedad plantea retos y desafíos, exige cambios radicales y profundos que van más allá de los sistemas educativos y de la educación reglada:

*La educación entendida como un proceso a lo largo de toda la vida, la responsabilización educativa de los diferentes agentes que forman parte de una comunidad y la no delegación de responsabilidades en la escuela, la reva-*

---

66. A partir de Gairín (1999) y Gairín (2002).

*lorización social y mayor cualificación de los y de las profesionales de la educación, la reafirmación de la educación como un instrumento poderoso de lucha contra las desigualdades y a favor de la cohesión social, la formación de una ciudadanía crítica y solidaria, más creativa y capaz de seleccionar y transformar la información en conocimiento, son algunos ejemplos de los retos a los que se ha de enfrentar la educación en el presente y en el futuro más inmediato si queremos construir la «sociedad educativa» que propugna la UNESCO; una educación cuyo objetivo fundamental es "aprender a ser", o lo que es lo mismo, "aprender a conocer", "aprender a hacer" y "aprender a convivir"* (Vintró, 1999:7).

El mayor peligro que se debe evitar es la fracción que se puede producir entre el desarrollo del conocimiento y el desarrollo social. La escuela puede ser, al respecto, una institución promotora de la conciencia social a partir de la promoción y el desarrollo de los valores democráticos. No obstante, su influencia es limitada y no puede olvidar la necesidad de contar con las otras instancias educadoras y de desarrollar nuevos planteamientos.

La organización y funcionamiento de las sociedades ha estado marcada históricamente por determinadas estructuras de poder o formas de dominio que han delimitado sus formas de funcionar y las posibilidades de desarrollo personal y social. Así, el poder de influencia y decisión de lo religioso y militar en los países más desarrollados fue sustituido en el siglo pasado por la ideología y, posteriormente, por la política y la economía. Hay una pérdida de protagonismo, aunque no necesariamente de capacidad de influencia.

Actualmente, el desarrollo y la implantación de procesos participativos y de sociedades democráticas que se ha dado en las últimas décadas permite vislumbrar otra fuente de poder: la **ciudadanía,** o la prevalencia y el poder de la sociedad civil sobre otro tipo de estructuras.

Cabe entender la ciudadanía como el conjunto de cualidades que identifican a personas de un cierto lugar. Incluye un conjunto de derechos y deberes y comporta un compromiso con ellos y con los valores que defienden. Comporta o supone, por otra parte, una cierta valoración moral (no es un buen ciudadano el que no respete las normas que hemos establecido) y un contenido afectivo (implicación emotiva con los contextos y personas que comparten los mismos planteamientos).

Roberto Carneiro (1999) sintetiza las dimensiones de una nueva ciudadanía:

– *Ciudadanía democrática,* que implica a todos en el funcionamiento de las instituciones y que proporciona las herramientas informativas y formativas que la hacen posible. Reconociendo como central el valor inalienable del ser humano y de su dignidad, se fundamenta en el patrimonio de derechos humanos y libertades fundamentales, dando también importancia a una cultura para la paz y a una educación para los *mass media*.

– *Ciudadanía social*, resultado de una fuerte apropiación de los derechos y de los deberes sociales dentro de la conciencia de cada ciudadano. Incluye una actitud proactiva y colaborativa ante los retos existentes (espíritu de comunidad) y conlleva una noción de justicia (que toma como premisa la igualdad de oportunidades dentro de la sociedad democrática) que conduce a un imperativo de justicia social comprometida con la defensa de los más débiles:

> *El refuerzo del espíritu de comunidad tiene como base un inequívoco deber de participación en la libre iniciativa social y en la responsabilidad de promover el progreso del asociacionismo en todos los frentes y en todas las direcciones en que puede responder genuinamente a necesidades de las poblaciones. Ejercer la ciudadanía es, en esta medida, vivir la solidaridad como camino y meta de acumulación de capital social. Es aceptar el reto del desarrollo de las competencias críticas que propician la capacidad de vivir en armonía con los otros (Carneiro, 1999:13).*

– *Ciudadanía paritaria,* que hace real la no discriminación de género y que imposibilita su utilización como variable para determinar niveles de acceso a los estudios, grado de ocupación, respeto a las opiniones u otros factores de discriminación.

– *Ciudadanía intercultural,* como medio para afirmar una cultura de la tolerancia y de la paz, en que la construcción de la identidad no haya de ser realizada forzosamente a partir de los otros diferentes. El diálogo entre culturas será el activo más importante para la gestión de la diferencia y para la evaluación de la diversidad.

– *Ciudadanía ambiental,* respetuosa con el ecosistema y comprometida en su preservación.

> *La ciudadanía ambiental es parte necesaria de la educación cívica y moral, en orden a la conquista de una frontera avanzada de ciudadanía que tiene sus cimientos sobre valores de comportamiento y éticos relacionales de los hombres entre sí y con la naturaleza viva o inanimada, cuya diversidad hay que proteger con mucho cuidado (Carneiro, 199:16).*

Se vislumbra en estos planteamientos un ideal que hace referencia a una ciudadanía integradora y capaz de vencer la persistente exclusión de muchos en nombre de los intereses de unos pocos. Se diría que, independientemente del origen (social, cultural, geográfico...), de la ideología (religiosa, política...) o de las circunstancias personales, todos y todas se comprometen a respetar y desarrollar unos determinados valores que tienen que ver con los derechos individuales (intimidad, libertad...) y colectivos (autodeterminación, respeto a la cultura propia...), al mismo tiempo que con el cultivo de valores colectivos como la colaboración, el compromiso, la cultura del diálogo y la solidaridad.

Subyace en todo ello la idea de la educación como reto de la socialización, que permite, bajo una idea profundamente humanista, la adquisición y el mantenimiento del capital humano necesario para el gobierno de las sociedades. La formación, sea cual sea el contexto al que nos refiramos, ha de garantizar actitudes, comportamientos, competencias y valores cuya correcta adquisición se considera esencial para el advenimiento de patrones más altos de convivencia. Esta formación se hace aún más necesaria en la realidad actual y futura.

La planificación unidireccional de las relaciones con la naturaleza, el mal funcionamiento del relevo generacional, la alteración de la pirámide demográfica y los procesos de marginación que genera el desarrollo socioeconómico y la sociedad del conocimiento, son fenómenos actuales que cabe encarar. Si bien la desigualdad y el conflicto son casi identificadores permanentes de nuestra sociedad, no podemos permitir que alimenten fracturas sociales profundas, ni que erosionen la cohesión e igualdad social que poco a poco queremos que constituyan los valores de la ciudadanía ligados a nuestra sociedad.

Por otra parte, la mundialización de los intercambios, la globalización de las tecnologías y la asunción de los planteamientos de la sociedad de la información hacen de la formación ciudadana un pilar clave para evitar que su implantación sea un factor que profundice en las diferencias sociales y personales.

La sociedad del futuro será una sociedad cognitiva y, en ese contexto, el posicionamiento de cada persona en el espacio del saber y la competencia será decisivo. La facultad de renovación e innovación dependerá de los vínculos entre la producción del saber a través de la investigación y su transmisión a través de la educación y la formación. Habrá que evitar el riesgo real de la división social entre las personas que puedan interpretar la realidad de esa sociedad, las que sólo puedan utilizar algunos de sus elementos o las que queden al margen y tan solo reciban asistencia.

Entendemos que el futuro no depende sólo de la evolución de los sistemas productivos, sino también de la vitalidad de los valores y de las actitudes ciudadanas que lo dirigen y alimentan. Aquí es donde la educación adquiere sentido como proyecto colectivo consciente e intencional, como expresión de la utopía que queremos alcanzar y como metodología para lograrla.

## 1.1.3. Algunos referentes para guiar la intervención

Establecida la prioridad de promover buenos ciudadanos antes que sólo buenos técnicos o excelentes profesionales, sugerimos ahora algunos referentes que pueden ayudar a situar el marco de las relaciones entre mundo laboral-formación y demandas sociales.

## 1.1.3.1. La influencia de los procesos de globalización

La existencia de variadas y amplias relaciones entre países, estados, economías y personas no es un fenómeno nuevo. Lo que ahora se produce es una intensificación de las mismas gracias a las posibilidades que ofrecen las nuevas tecnologías de la información y la comunicación. De hecho, lo que ha cambiado es la posibilidad de poner en funcionamiento actividades a escala planetaria y en tiempo real: decisiones realizadas en un determinado momento y espacio tienen efectos globales instantáneamente. El cambio del contexto espacial y temporal de la producción y distribución de información afecta a toda la actividad económica y a muchos otros aspectos de las actividades sociales y culturales.

Pero lo más trascendente de esta realidad es que la difusión de las nuevas tecnologías y el incremento de la globalización económica se están llevando a cabo, en términos generales, en el marco de unas políticas neoliberales que tienen como objetivo la desregulación de determinados aspectos de la actividad económica con la idea de hacer más competitivos los países e impulsar su crecimiento, aun a costa de perder cohesión interna en las sociedades.

Los efectos de estas políticas en el mundo educativo se han traducido en reformas educativas más orientadas a la calidad que a la democratización y expansión de la educación. Desde este planteamiento se promueven políticas dirigidas a disminuir el gasto público, la descentralización y la privatización de los centros de formación tratando de promover la mejora de la calidad a través de acciones más concretas como puedan ser el aumento de la competitividad de los centros, la elección de los mismos por parte de los usuarios o su evaluación.

Los resultados de estos planteamientos a nivel internacional no parecen haber conseguido hasta el momento lo pretendido y sí han mostrado su eficacia negativa en relación a la igualdad de oportunidades para toda la población (Carnoy, 1999). La exclusión social, la desigualdad entre centros formativos y la concentración de los problemas educativos en determinados contextos son algunos riesgos de esta política educativa. Otros relacionados con las finalidades profesionalizadoras de los sistemas de formación en sus diferentes niveles son mencionados por Masjuán (2002):

– La recuperación de itinerarios en la formación básica puede conllevar la exclusión del sistema de educación formal a algunos alumnos, potenciando propuestas formativas muy centradas en habilidades concretas y no generales. Así, mientras "el sistema formativo avanza hacia la complejidad postaylorista, una parte importante de la población se orientará hacia un sistema de formación taylorizado preocupado exclusivamente por la preparación inmediata".

– El aumento de la competitividad entre los centros y la restauración de reválidas y exámenes con la pretensión del aumento del nivel académico sin contextualizar puede conducir a una potenciación del academicismo clásico y a un empobrecimiento de los contenidos complejos y reflexivos que exigen los nuevos tiempos y que están más vinculados con la formación de la identidad y con el desarrollo de habilidades flexibles y útiles para moverse en un mundo cada vez más complejo.

– El papel de las nuevas tecnologías de la información puede sobrevalorarse en el marco de unos sistemas de formación muy orientados hacia la eficacia y el rendimiento mensurable. Sin olvidar su importancia como herramientas, no podemos olvidar la diferencia entre tener información o manejar un instrumento para obtenerla con generar y asimilar conocimiento, que exige una implicación personal y contextual a través de la cual se reelabora y da sentido y orientación a la información existente.

Más allá de las renuncias realizadas, parece necesario preparar a los estudiantes para esa realidad global y una propuesta para hacerlo enlaza con el desarrollo de habilidades generales. Las competencias que demanda el mundo empresarial tienen más que ver con aspectos formativos generales que con procesos de alta especialización. Sin menospreciar el valor de éstos para la solución de problemas concretos, poseer variadas habilidades personales puede ayudar al mantenimiento del empleo y a la adaptación a los cambios que la realidad social y laboral exige.

A menudo se habla, en este sentido, de competencias relacionadas con la comunicación, el razonamiento, la iniciativa, la capacidad de liderazgo, el trabajo en grupo, la resolución de conflictos, la capacidad de orientarse en un mundo complejo, el saber adaptarse a situaciones nuevas, el espíritu crítico, el dominio de idiomas y el dominio de aspectos informáticos, por citar las más señaladas, como parte de una actitud abierta al cambio y comprometida con el desarrollo personal y social.

Factores actuales, como la complejidad de la organización del trabajo, el aumento de exigencias de preparación y capacidad de solucionar problemas que se demanda a los trabajadores, la introducción de sistemas de trabajo flexibles y la necesidad de desarrollar métodos de trabajo en equipo, conducen a pensar en la formación laboral como una formación estrictamente técnica. La diversidad de situaciones laborales, también personales y sociales, como reflejo de una realidad menos uniforme, exige capacidades personales (tolerancia, adaptación al cambio, trabajo en equipo, pérdida de miedo a la incertidumbre, independencia, saber situarse ante grupos y personas, etc.) que pueden tener tanta importancia como los conocimientos técnicos.

Flexibilidad, polivalencia, capacidad de gestión, responsabilidad, postura cooperativa, etc., son algunos de los nuevos valores del mundo laboral (De Paula, 1999), vinculados tanto al "saber hacer" como al "saber ser" y al "estar", valores que exigen no sólo formación en la especialidad sino una amplia base general y la oportunidad de la experiencia vivencial.

Muchas de las competencias mencionadas están ligadas a aspectos de la personalidad y enlazan con los procesos de formación básica. Sin embargo, es necesario señalar que aunque son muy semejantes, la tipología de estudiantes que las deben adquirir es muy diversa, lo que justifica la implantación de procedimientos y estrategias educativas muy variadas y lejos de la estandarización metodológica actual que se está dando, tanto a nivel de educación formal como no formal.

Se trata de preparar a través de la formación a ciudadanos que tengan un conocimiento global y contextualizado de los temas (a veces, dificultado por la especialización de las disciplinas), que aprendan a afrontar las incertidumbres, a compartir y consensuar planteamientos y a comportarse desde una plataforma ética y democrática, en la línea de los siete saberes mencionados por Edgar Morin (1999).

Hablamos, de hecho, de un programa de educación humana clásico que debe ser posible ajustar a situaciones socialmente diversas. Su desarrollo y aplicación no debe dirigirse a la creación de élites sino más bien orientarse a amplias capas de la población si queremos responder a las exigencias de una sociedad democrática y a las necesidades de una realidad socio-económica muy dinámica.

Las nuevas tendencias deben ponernos de todas maneras en alerta al poder ocultar intereses más productivistas que los que declaran. Así, tras el discurso de una nueva formación centrada en valores democráticos y de desarrollo personal-profesional puede esconderse lo que Rodríguez denomina un "pensamiento pedagógico empresarial". También advierte del peligro Frigotto (1998), cuando señala la presencia de un proceso de "adaptación y conformación del trabajador en el plano psicofísico, intelectual y emocional, a las nuevas bases materiales, tecnológicas y organizacionales de la producción", proceso centrado en los conceptos de competencias y habilidades y sustentado por la que podríamos llamar una "pedagogía de la competitividad".

La síntesis de Baldivieso nos aproxima a lo que señalamos (Tabla 1).

| ELEMENTOS DE ANÁLISIS | Lo que dice | Lo que puede decir |
|---|---|---|
| Escuela | Medio de integración sociolaboral. | Medio de adecuación funcional a las nuevas formas y valores laborales. |
| Eje de formación | Competencias. Formación centrada en valores democráticos y de desarrollo personal, como flexibilidad y polivalencia. | Competitividad. Formación centrada en valores solidarios y participativos, referenciados conceptual y prácticamente en el mercado. |
| Organización | Horizontal, conjunta, fundamentada en el desarrollo de procesos de participación tendentes al logro de objetivos comunes. | "Pseudo libertad y flexibilidad", fundamentada en un discurso de colaboración mutua que "oculta relaciones de poder, unificación de intereses" ajenos a los estudiantes y futuros trabajadores. |

**Tabla 1.** Lo explícito y lo implícito en los procesos de organización (Baldivieso, 2002:24)

El peligro es que se instrumentalice la educación, y sobre todo la educación básica, en la exclusiva dirección de las demandas profesionales, olvidando las finalidades personales y sociales que también tiene la educación. No podemos olvidar la necesidad de que los centros de formación den también respuesta a las necesidades personales y sean espacios donde la participación, reflexión y análisis crítico tengan cabida desde una perspectiva ética y comprometida.

## 1.1.3.2. Las prioridades europeas

La situación geopolítica española no permite olvidar el marco referencial europeo y, al respecto, retomamos uno de los documentos más significativos que se ha discutido. Las principales preocupaciones señaladas en el Informe de la Comisión (Comisión de las Comunidades Europeas, 2001) en relación con los objetivos precisos de los sistemas educativos quedan recogidas en la Tabla 2; también se sintetizan las respuestas de los Estados miembros y algunas reflexiones del informe que tienen que ver con la formación para el trabajo.

| PREOCUPACIONES | ACCIONES | ALGUNOS PROBLEMAS A LOS QUE SE QUIERE HACER FRENTE |
|---|---|---|
| **Calidad**<br>Mejorar la calidad del aprendizaje | Mejorar la formación de profesores y formadores | • Adecuar la formación a los cambios de la sociedad y a la atención de nuevos colectivos.<br>• Actualizar un profesorado con titulaciones de más de veinte años.<br>• Ayudar a los profesores a asimilar un nuevo rol más centrado en la motivación y menos en la información.<br>• Estudiar las repercusiones de una edad avanzada en el profesorado. |
| | Aumentar la alfabetización y la formación aritmética elemental | • Garantizar el dominio de la lectura, escritura y el cálculo a todos los ciudadanos, con especial atención a los vulnerables (alfabetizados en otra lengua).<br>• Mantener estas aptitudes después de abandonar la educación formal.<br>• Evitar que los procesos de informatización sirvan, más que para agudizar el problema, para evitarlo. |
| **Acceso**<br>Facilitar y ampliar el acceso al aprendizaje a cualquier edad | Acceso al aprendizaje permanente | • Reconocer la necesidad de cambiar la manera en que se proporcionan la educación y la formación.<br>• Mayor apertura de la enseñanza superior, haciendo más flexibles sus horarios, reconociendo la experiencia previa, posibilitando servicios de soporte (guarderías).<br>• Extensión de la Educación Infantil. |
| | Hacer más atractivo el aprendizaje | • Extensión de incentivos para seguir aprendiendo, evitando que empleo y aprendizaje se vean como competencia. |
| | Coherencia interna de los sistema educativos | • Apertura a cualquier edad y momento, a cambios en los itinerarios, acceso variado, etc. |
| | Educación y cohesión social | • Atraer y retener el interés por el aprendizaje de personas de todas las condiciones (cada vez más, de todas las edades).<br>• Contenidos adaptados a las necesidades de los grupos y a la imagen que la sociedad desea. |

| | | |
|---|---|---|
| **Contenido** Actualizar la definición de capacidades básicas de acuerdo con la sociedad del conocimiento | Las tecnologías de la información y la comunicación al alcance de todos | • Equipar los colegios con acceso a Internet y recursos multimedia.<br>• Formar a los profesores en las nuevas tecnologías.<br>• Extender redes de centros que puedan proporcionar a los profesores formación y materiales, dotar a las clases de medios y métodos de cooperación con otras del mismo centro o de otros centros, y dar a los alumnos acceso individualizado a los materiales relacionados con los planes de estudio, incluso la posibilidad de utilizar el correo electrónico. |
| | Capacidades profesionales y aptitudes personales | • Aumentar la disponibilidad de los recursos multimedia y su diversidad lingüística.<br>• Ampliar las capacidades profesionales para poder responder a los retos del trabajo. |
| | Capacidades específicas | • Ampliar las capacidades personales para poder responder a las nuevas realidades sociales.<br>• Potenciar la capacidad de aprendizaje permanente.<br>• Promover la implicación de las personas en ámbitos que resultan menos atractivos: estudios científicos y carreras de investigación, por ejemplo, las matemáticas y las ciencias naturales. |
| **Apertura** Abrir la educación y la formación al entorno local, a Europa y al mundo | Enseñanza de idiomas | • La enseñanza debe reflejar la realidad multilingüe.<br>• Conectar mejor Primaria y Secundaria.<br>• Poca presencia de profesores nativos y de materiales didácticos. |
| | Aumento de la movilidad y de los intercambios | • Ampliar la gama de centros escolares que participan en las actividades de intercambio.<br>• Dotar de formación y recursos a los centros implicados. |
| | Intensificación de las relaciones con las empresas | • Intensificar la implicación del sector privado en la educación, a fin de motivar a los alumnos y de introducir una nueva perspectiva en los centros escolares o de formación. |
| | Desarrollo del espíritu de empresa | • Intensificar el mensaje del espíritu de empresa.<br>• Abrir la posibilidad de crear el propio negocio, como alternativa al trabajo asalariado. |

| | | |
|---|---|---|
| **Eficacia**<br>Aprovechar al máximo los recursos | Sistemas de aseguramiento de la calidad | • Impulsar la aplicación de técnicas que permitan medir la calidad. |
| | Adaptar los recursos a las necesidades | • Delimitar criterios reconocidos para medir el éxito de los centros escolares. |
| | Crear nuevas relaciones con los centros escolares | • Fomentar las relaciones interinstitucionales, tratando de que saquen el máximo provecho posible. |

**Tabla 2.** Preocupaciones europeas en relación con los sistemas educativos
(tabla de confección propia)

El mismo informe señala la evolución positiva que experimentarán la enseñanza técnica y profesional, que debe pasar por una valorización de esta etapa educativa, su reordenación como sistema modular, la creación de nuevas carreras o especialidades, una colaboración más estrecha con las empresas, el incremento de la oferta y la mayor sinergia con el mercado de trabajo (pág. 20).

Si bien es verdad que la realidad socioeconómica local es diferente según los contextos, también lo es el reconocer que las variables socioeconómicas globales tienen una influencia directa sobre los macrocontextos, lo que obliga a pensar en políticas generales de formación y empleo. Bajo este planteamiento, no parece disparatado pensar en la utilidad que podemos obtener aprendiendo de otros, compartiendo éxitos y fracasos y utilizando nuestras diferentes experiencias para avanzar en mejores respuestas formativas.

La importancia de la formación permanente nadie la pone en duda. Sin embargo, cada vez más deja de ser un discurso y se convierte en una realidad con repercusiones prácticas. Así, por ejemplo, el objetivo prioritario de pleno empleo que formuló la Cumbre Europea de Lisboa que inicialmente se desarrollaba a partir de cuatro directrices (empleabilidad, espíritu de empresa, adaptabilidad e igualdad de oportunidades) fue enriquecido con dos directrices nuevas (papel de los interlocutores sociales y el aprendizaje permanente).

El gasto en enseñanza, jóvenes que abandonan la escuela prematuramente, el *e-learning* y la participación en la formación de adultos aparecen así como desarrollo de la directriz de formación permanente y como uno de los pilares fundamentales en los informes sobre el empleo. De hecho, se plantean abiertamente la necesidad de iniciar nuevas vías:

*Habría que aplicar una estrategia de aprendizaje permanente que superara las tradicionales barreras existentes entre los diferentes componentes de la educación y la formación de carácter formal e informal* (pág. 4).

Particularmente es importante considerar la necesidad de que los sistemas educativos se adapten a un mundo de aprendizaje permanente, abriendo los espacios formativos a cualquier edad y a cualquier momento, potenciando el trabajo colectivo pero también la orientación individualizada, desarrollando itinerarios formativos flexibles e interrelacionados, aceptando la experiencia laboral como un aprendizaje convalidable y estableciendo ayudas concretas (becas, guarderías, transporte, etc.) para situaciones especiales (trabajadores con familia, minusválidos, emigrantes, etc.). Se conforma así la formación como un factor, a la vez, de desarrollo personal/profesional y de cohesión social.

### 1.1.3.3. La formación para el trabajo como parte de la educación de adultos y permanente

Resulta interesante retomar, por su actualidad, la reflexión que el Ministerio de Educación y Ciencia ya hacía en 1986 sobre el concepto de formación permanente, que se resume en la Tabla 3.

| La expresión "Educación Permanente"... | ...y algunas consecuencias |
|---|---|
| **1.** Designa un Proyecto | **1.** No es un sistema cerrado. |
| **2.** GLOBAL | **2.** No sectorizado. |
| **3.** Encaminado tanto a reestructurar el sistema educativo como a desarrollar TODAS las posibilidades de formación FUERA del sistema educativo. | **3.** Va más allá del sistema educativo y, en consecuencia, más allá de las posibilidades de un Ministerio de Educación. |
| **4.** En este proyecto, el HOMBRE es el SUJETO de su propia educación, por medio de la interacción permanente de sus acciones y su reflexión. | **4.** Es participativo, descentralizado e incardinado en las demandas sociales reales. |
| **5.** La EDUCACIÓN PERMANENTE, lejos de limitarse al período de escolaridad. | **5.** Es transescolar. |
| **6.** Debe abarcar TODAS las dimensiones de la vida, TODAS las ramas del saber y TODOS los conocimientos prácticos que pueden adquirirse por TODOS los medios. | **6.** Es integral. Abarca todos los campos de la formación por lo que se responsabilizaría de todas las instituciones implicadas y grupos sociales. |

| | |
|---|---|
| **7.** Y contribuir a todas las formas de DESA-RROLLO de la personalidad. | **7.** Vinculación de los proyectos de forma-ción con los proyectos de desarrollo en todos los ámbitos. |
| **8.** Los procesos educativos que siguen a lo largo de su vida los niños, los jóvenes y los adultos, cualquiera que sea su forma, deben considerarse como un TODO.» | **8.** Vinculación de todos los procesos educa-tivos entre sí. |

**Tabla 3.** Contenido del concepto "Educación Permanente" (Ferrández, 2002:40)

La Tabla 4, por su parte, sintetiza algunas consecuencias ligadas al concepto de educación de adultos:

| La expresión "Educación de Adultos"... | ...y algunas consecuencias |
|---|---|
| **1.** "Designa la TOTALIDAD de los proce-sos organizados de educación. | **1.** Tiene un enfoque global. |
| **2.** Sea cual fuera el CONTENIDO | **2.** Abarca todos los campos formativos (personal, social, cultural, económico, profesional, académico, ciudadano, etc.). |
| **3.** EL NIVEL. | **3.** Abarca desde la iniciación a la especia-lización, aunque es obvio que hay que asumir prioridades. |
| **4.** EL MÉTODO. | **4.** Pluralidad de metodologías y modalida-des (presencia, distancia, tutorial...), en función de los objetivos de cada uno de los procesos de aprendizaje y de cada una de las demandas formativas. |
| **5.** Sean FORMALES o NO FORMALES. | **5.** Abarca lo "reglado" y lo "no reglado" encaminado o no a un reconocimiento de títulos. |
| **6.** Ya sea que prolonguen o reemplacen la EDUCACIÓN INICIAL, dispensada en las escuelas y universidades, y en forma de APRENDIZAJE PROFESIONAL. | **6.** Abarca tanto la 2ª oportunidad de la formación inicial escolar como la actua-lización y adaptación a los procesos de cambio continuo que se produce en la sociedad actual. |
| **7.** Gracias a los cuales, las personas son consideradas como ADULTOS por la sociedad a la que pertenecen. | **7.** Abarca a jóvenes y adultos (en nuestra sociedad mayores de 16 años que no están inmersos en el sistema escolar). |

| | |
|---|---|
| **8.** Desarrollan sus APTITUDES. | **8.** El amplio abanico de actuaciones va encaminado a posibilitar capacidades para el desarrollo personal. |
| **9.** Enriquecen sus CONOCIMIENTOS. | **9.** Posibilita información. |
| **10.** Mejoran sus COMPETENCIAS técnicas o profesionales o les dan una nueva orientación. | **10.** Posibilita la formación y la actuación profesional. |
| **11.** Y hacen evolucionar sus ACTITUDES o su comportamiento en la doble perspectiva de un enriquecimiento INTEGRAL del hombre. | **11.** Plantea una política formativa integral. |
| **12.** Y una PARTICIPACIÓN en un DESARROLLO socioeconómico y cultural equilibrado e independiente.» | **12.** Desde la perspectiva de la participación y la vinculación de los programas de desarrollo (tanto socioeconómicos como culturales), con los programas de formación. |

**Tabla 4.** Contenido del concepto de "Educación de Adulto" (Ferrández, 2002:41)

Hay que entender, por tanto, el concepto de formación para el trabajo y de formación ocupacional como uno de los elementos de la educación de adultos que, a su vez y como tal, es un subconjunto integrado en el conjunto de la Educación Permanente. La asunción de este planteamiento nos permite justificar, a su vez, la convivencia de la formación personal y social junto a la estrictamente técnica en los programas de formación para el trabajo, a la vez que señalar la necesidad de esta formación aun en épocas de poca demanda laboral.

Los esquemas presentados también nos permiten conocer los cambios que afectan tanto a los objetivos como a las metodologías de los programas dirigidos a adultos y que deberían respetar los programas de formación y trabajo, aún anclados en la reproducción de modelos escolares tradicionales y anacrónicos.

## 1.2. La formación para el trabajo

La formación centrada en el trabajo debe partir de los objetivos estratégicos que actualmente asume la educación (reforzar el sentido de ciudadanía y promover el desarrollo socio-económico, entre otros), considerar los cambios que genera el dinamismo económico, tener en cuenta las prioridades marcadas por el entorno europeo y respetar los principios de la formación de adultos y permanente.

Bajo estas premisas tiene sentido que nos preguntemos por la especificidad de esta formación y nos planteemos algunos de los problemas que acompañan su delimitación.

### 1.2.1. La necesidad de reformar la formación inicial

*Tanto para acceder a un empleo, en el sentido literal, como para conseguir un empleo de calidad, o para adquirir una experiencia profesional formadora, o incluso para tener una posibilidad de aprendizaje, es necesaria una formación inicial mínima* (Planas, 2002).

Si asumimos este planteamiento como cierto, parece necesario evitar al máximo el fracaso escolar y garantizar una formación básica para todos los ciudadanos. El problema es complejo, no obstante, por lo que señalamos a continuación.

Si bien las políticas europeas desarrollan grandes esfuerzos en los años 1970-1980 para universalizar el acceso a la educación, paralelamente potencian un problema de fracaso escolar que no deja de constituir un importante revés al aumento de escolarización. Disminuirlo es un reto que se trata de solventar con medidas preventivas, dirigidas a disminuir su peso cuantitativo y que son propias de las dos décadas mencionadas, o con respuestas *a posteriori* y externas, más propias de la década de los 90.

La extensión de medidas externas constata la impotencia de los sistemas educativos tradicionales para resolver el fracaso y genera efectos secundarios como: aumentar el riesgo de aislamiento en guetos de los jóvenes en situación de fracaso, insuficiente reconocimiento social (e incluso negativo) de estas acciones y de las personas que acceden a ellas y exención de responsabilidad de los sistemas tradicionales en lo que se refiere a la respuesta dada a estos alumnos. Estos efectos y la influencia limitada que han tenido las medidas externas llevan a retomar la orientación que defiende más las acciones preventivas internas (Planas, 2002).

Las circunstancias señaladas apoyan cada vez más la idea de que la formación inicial tiene un carácter irreversible e irreemplazable en relación con las oportunidades de acceso al empleo y a la formación continua. Este carácter irreversible se apoya tanto en la naturaleza de las competencias que desarrolla como en otras razones suplementarias como pudieran ser la imposibilidad real de dedicar *a posteriori* un período de formación a tiempo completo de tanta duración y la pérdida progresiva de maleabilidad que aumenta con la edad.

Los modelos de referencia para el estudio de necesidades no pueden basarse ya en el clásico binomio "proveedor-cliente" propio de los años 60, que entendía que los sistemas de educación y formación deberían ser los proveedores de un cliente bien informado que serían las empresas, por lo que tienen de estables y cerrados. Antes bien, se plantean modelos que puedan asumir la flexibilidad y contextualización de los análisis, como son los basados en competencias (adquiridas y necesarias para un determinado puesto de trabajo), siempre y cuando se asuma que éstas se pueden adquirir en momentos diversos y en circunstancias variadas, cambian con el tiempo y son de diversa naturaleza (estructurales, competencias clave, transversales, etc.).

Por lo que afecta a las competencias, Planas (2002) entiende que hay una cierta especialización. Mientras la escuela contempla o debería contemplar las competencias transversales o estructurantes, las instituciones de formación continua se centran más en las de tipo específico-estructural y la formación en la empresa es el origen de las competencias unidas a la socialización profesional y a la especialización técnico-organizativa. Sin embargo, el problema no es tanto la naturaleza de las competencias como los factores que les acompañan; así, las ligadas a la formación inicial son de una duración especialmente dilatada y poseen también las características de una inversión en «infraestructura» que las hace difícilmente reversible.

Asumir la necesidad de promover el desarrollo de competencias supone superar la cultura aún presente de los conocimientos y promover, frente a la respuesta de la adición, ante el aumento de conocimientos, un sistema que impulse la selección de lo básico, "una plataforma mínima de formación" al decir de CEDEFOP (1999), y el establecimiento de prioridades; esto es, una vuelta a lo esencial entendiendo que la vida da muchas oportunidades para profundizar en la variedad de conocimientos existentes.

El acceso a un currículo mínimo y básico de formación parece imprescindible, aunque su generalización requiere cambios profundos que afectan a la noción de obligación escolar y sugieren sustituir la simple obligación de presencia en la enseñanza por una verdadera obligación de resultados (Planas, 2002).

## 1.2.2. El período crítico de la transición

La transición, entendida como el paso de una situación a otra, entre el período de estudio y el trabajo o viceversa tiene una gran importancia. La forma como se realice tiene unas implicaciones, explícitas o implícitas, de carácter positivo o negativo dependiendo de nuestra capacidad para afrontarla.

Particular importancia tiene la transición en el caso de la juventud por las problemáticas que actualmente le acompañan. La incorporación de los jóvenes a la vida

adulta ha venido definida por una cadena de procesos sucesivos y en parte simultá-
neos: la finalización de los estudios, el acceso a un trabajo remunerado y el abandono
del núcleo familiar para crear uno propio (gracias a la independencia que da la autonomía económica). Sin embargo, actualmente este proceso sencillo y en parte auto-
mático (muchas veces no se corría ni el riesgo de la elección, que venía condicionado
por el contexto familiar o social), queda roto: los jóvenes finalizan sus estudios, pero
tienen dificultades para acceder a puestos de trabajo remunerados y eso les dificulta
el acceso a la autonomía económica, residencial u otras.

> *De esta manera nos vemos obligados a redefinir el concepto de juventud, no
> sólo en términos cuantitativos («mayor tiempo de espera») sino también en
> términos cualitativos: el proceso de integración de los jóvenes a la sociedad
> actual, antes considerado como un pasaje de superación rápida, se convierte
> en un proceso largo, incierto, lento, no automático, complejo y diversificado*
> (Varios, 2002).

El proceso conlleva, además, variadas contradicciones: por una parte, dificulta el
acceso al mundo del trabajo (y, por tanto, al bienestar económico), mientras presenta
como ideal una sociedad consumista; por otra, inculca la necesidad de prepararse bien
para un futuro estable y seguro, mientras oculta la posibilidad real de vivir en una realidad con cambios constantes de ocupación y con variedad de alternativas profesionales. Así, la situación se presenta difícil de resolver, multiplicando los problemas en
los casos de los colectivos más desfavorecidos: jóvenes que no acabaron sus estudios,
con *handicaps,* etc.

Si variadas son las situaciones personales y socioeconómicas no puede pensar-
se en una respuesta única y estandarizada. Se justifica así la necesidad de reforzar
los procesos de seguimiento y orientación y de promover una orientación personal,
vocacional y profesional como un sistema integrado, sistemático e intencional, que
viene a ser un apoyo permanente e imprescindible.

Así lo entendía ya el sistema educativo español cuando la propia Ley Orgánica
del Sistema Educativo señalaba, en su artículo 60: «Las Administraciones educativas garantizarán la orientación académica, psicopedagógica y profesional de los
alumnos, especialmente en lo que se refiere a las distintas opciones educativas y a la
transición del sistema educativo al mundo laboral».

## 1.2.3. ¿La formación continua es una segunda oportunidad?

Muchas veces se ha presentado la formación continua como una segunda oportunidad para los individuos y las sociedades en el sentido de que puede actuar

compensando un déficit de formación inicial. La realidad demuestra, desgraciadamente, que muchas veces no es así.

De hecho, la formación continua muchas veces la dirigen las empresas a las personas más estables de la organización (por razones de rentabilidad y de fijación del capital humano) y beneficia de manera prioritaria a las categorías profesionales más altas (que, por otra parte, son las que tienen más estudios).

Constatamos, además, que una deficiente formación inicial suele ser sinónimo de exclusión en el acceso al empleo, al aprendizaje o a la experiencia formadora. Las oportunidades de empleo son sistemáticamente menores, afirman recientes estudios realizados en la Unión Europea, para los jóvenes que ocupan los niveles más bajos de la jerarquía en materia de formación inicial y la tasa de paro es mayor cuanto menor es el nivel de estudios (Planas, 2002).

Aunque no se puede identificar experiencia y antigüedad en relación al aprendizaje (dependerá del contenido del trabajo y de la naturaleza formadora del puesto de trabajo), lo cierto es que determinados colectivos (jóvenes, por ejemplo) tampoco pueden mejorar su potencial ocupacional desde estas perspectivas al no tener acceso al mundo del trabajo; situación que se complica para aquellos que tienen menores niveles de estudio, que tienen más dificultades para aprovechar aprendizajes tanto formales como informales.

Seguramente, el carácter irreversible de la formación inicial tiene mucho que ver con la forma como se plantean los estudios y con la clasificación entre estudios teóricos y prácticos; también, con la separación real o falta de colaboración que hay entre las instituciones formativas. El marco escolar y el marco social deben abrirse mutuamente creando sinergias mutuas que faciliten el intercambio de recursos y sensibilidades. Se trata de vincular el entorno escolar con otros entornos sociales, sensibilizando de la necesidad de contribuir a la preparación de los jóvenes para la inserción socio-profesional y asegurando mecanismos de coordinación, colaboración y participación de las distintas instituciones implicadas.

## 1.3. Las respuestas del sistema

Establecido el nivel de filosofía y principios de la relación formación-trabajo, parece pertinente plantear y revisar el conjunto de decisiones normativas que deben apoyar el proceso y facilitar su realización. Al respecto, realizamos un breve análisis de lo existente con vista a delimitar si son tan ciertos los principios establecidos y si se respetan en la práctica formativa.

## 1.3.1. El contexto europeo

La referencia al contexto europeo es, necesariamente, la referencia a la Unión Europea, considerando que las diversas políticas nacionales convergen en directrices generales. De hecho, la Unión Europea elabora reglamentos que se aplican directamente en cada uno de los países miembros, sin necesidad de que se aprueben previamente o se ratifiquen por su respectivos parlamentos, reglamentos que obligan a los Estados miembros a modificar sus leyes o establecer nuevas normas que garanticen la máxima coherencia con éstos. Hablamos así de líneas o estrategias de actuación comunes en la Unión Europea.

Una síntesis de lo ocurrido en este contexto se puede ver en la aportación de Pedraza (2005):

> *Se ha percibido un cambio de planteamiento entre los Tratados Constitutivos de la Comunidad Europea que establecen propuestas para elaborar una política común de Formación Profesional (...) y los tratados posteriores, en concreto en el Tratado de Maastricht, en el que pierden vigencia estos principios de 1963, y en el Tratado de Amsterdam, en el que se define que es competencia de los Estados miembros establecer sus respectivas políticas de Formación Profesional, y de la Unión Europea facilitar y promover las líneas comunes de actuación, a través de instrumentos que faciliten el intercambio y la definición de políticas que promuevan este acercamiento, con el objeto de facilitar la movilidad de trabajadores y la transparencia de cualificaciones* (pág. 2).

Desde este punto de vista, tiene sentido que mencionemos las políticas comunes y, como ejemplo de políticas específicas, tomemos en cuenta la realidad de un país (en nuestro caso, España) en el próximo apartado.

Los referentes básicos de los Tratados constitutivos asignan a la Comisión Europea "los principios generales para la ejecución de una política común de formación profesional, capaz de contribuir al desarrollo armonioso de las economías nacionales y del mercado común" (art. 128 del Tratado Constitutivo de la CEE). Consecuentemente, entre los años 1963 y 1974 aparecen iniciativas legislativas diversas sobre el reconocimiento mutuo de diplomas, certificados y otros títulos de cualificaciones formales.

La década de los 80 se caracteriza por un intento de política común que se concreta en la aparición de programas de fomento del intercambio entre estudiantes y trabajadores, la colaboración entre centros de enseñanza y empresas, el desarrollo de la igualdad de oportunidades y el desarrollo de cualificaciones en torno a las nuevas tecnologías y la enseñanza de idiomas. Otras concreciones significativas son el establecimiento de los cinco niveles de cualificación (véase Tabla 6) y el desarrollo de medidas ligadas a la movilidad laboral en 1985.

Quizá la falta de más avances de los esperados explica la asunción del denominado principio de subsidiariedad en los años 90. Este cambio de rumbo se desataca en el Tratado de Maastricht, que en su artículo 127 expresa la intención y la competencia de la Comunidad en este ámbito, donde la armonización de los sistemas de Formación Profesional a través de instrumentos legales comunes queda excluida por el principio de subsidiariedad (la Unión Europea debe apoyar y complementar las políticas de Formación Profesional de los Estados). Se entiende que la presión de la competitividad internacional y las tecnologías serán los factores que obligarán a converger a los sistemas educativos.

Coherentemente, las formulaciones que se adoptan son generales y se entienden como recomendaciones a los Estados miembros. Algunas de ellas (abundantes) las encontramos en el Libro Blanco sobre educación y formación, publicado el 29 de noviembre de 1995 y enriquecido con algunas reflexiones y aportaciones en el documento elaborado por la Comisión Europea y titulado *Enseñar y aprender: hacia la Sociedad cognitiva*; también en las Conclusiones del Consejo del 24 de julio de 1995 relativas a la importancia y los retos de la Formación Profesional. Algunos de ellos son los siguientes: acercar la escuela a la empresa; hablar tres lenguas comunitarias; implicar a la empresa en el esfuerzo del trabajo; fomentar a escala europea la figura del aprendiz; fomentar la formación para nuevos oficios del sector servicios; fomentar la formación para la creación de empresas; crear un observatorio europeo de las prácticas innovadoras y crear dispositivos de anticipación de las necesidades de competencias, cualificaciones y nuevos oficios.

La Comunidad no tiene una política de empleo, sino un conjunto de acciones relativas al empleo y múltiples recomendaciones referidas al mercado del trabajo. No obstante, se creó el Fondo Social Europeo (FSE), que proporciona ayudas para cualquier tipo de actuación vinculada al empleo y que sirva para potenciarlo, considerando que entre el 80% y el 90% de las acciones financiadas por este fondo son en materia de Formación Profesional vinculada directamente con el empleo.

La Unión Europea considera ámbitos o bloques en los que deben centrarse las políticas de empleo de los Estados miembros:

- Adopción de políticas activas de empleo.
- Políticas de formación profesional o de recualificación profesional permanentes.
- Marcos jurídicos laborales, fiscales y administrativos.
- Flexibilidad en la organización del trabajo.

– Políticas de igualdad de oportunidades.

Cabe destacar el concepto clave de EMPLEABILIDAD, que adquiere un sentido en el que prevalece la atención a los factores sociales que condicionan la posición en el mercado de trabajo y no la condición subjetiva o personal en el diagnóstico de la situación de empleo (Pedraza, 2005:12).

### 1.3.1.1. Algunos referentes estructurales

Una preocupación ya inicial de la Comisión Europea (hoy Unión Europea) fue el **reconocimiento de títulos** y la creación de un **sistema de correspondencia de las cualificaciones,** en coherencia con el principio de la libre circulación de ciudadanos. Los avances en este sentido son lentos, pero se han de concretar con la existencia de:

– Un portafolio o cartera individual de cualificaciones, lanzado en 1993 con la pretensión de diseñar un *currículum vítae* europeo normalizado.
– La tarjeta o carné profesional de competencias, vinculado a un sistema de acreditación de competencias.

Como instrumento de financiación se creó el ya citado *Fondo Social Europeo*. Las funciones generales se le asignaron en el Tratado de Roma (artículos 117 y 118) y se concretan en: fomentar las oportunidades de empleo y la movilidad geográfica y profesional de los trabajadores; luchar contra el desempleo; facilitar el acceso al mundo del trabajo; fomentar la igualdad de oportunidades en el mercado laboral; desarrollar las competencias, aptitudes y cualificaciones profesionales y ayudar a la creación de nuevos puestos de trabajo.

Y como estructuras se citan a menudo:

– Centro Europeo para el Desarrollo de la Formación Profesional (CEDEFOP), creado en 1975, que realiza estudios, promueve intercambios y visitas de estudio.
– Comité Consultivo de la Formación Profesional, creado en 1963, e integrado por representantes de la Administración europea y representantes de las organizaciones empresariales y sindicales de los Estados miembros.
– Fundación Europea para la Formación Profesional, creado en 1994, centrado en la cooperación con los países de Europa Central y del Este y en la aplicación de los programas Tempus, Tacis y Phare.

Hay una preocupación constante en el impulso de iniciativas dirigidas a atender a **colectivos con mayores dificultades de inserción** en el mercado de trabajo. Así, se constituyó la Iniciativa Comunitaria de Empleo y desarrollo de los Recursos Humanos (1994-1999) que cuenta con tres capítulos: NOW, dirigida a mujeres; HORIZON/INTEGRA, destinado a colectivos desfavorecidos y personas con discapacidad; y YOUTHSTART, dirigido a jóvenes. También hay que mencionar la iniciativa ADAPT, centrada en promover la formación y cualificación de trabajadores afectados por cambios en el mercado de trabajo.

Para el período 2000-2006, se integran las anteriores propuestas en la Iniciativa EQUAL, que agrupa todas las acciones dirigidas a luchar contra la desigualdad. Otras acciones son URBAN, dirigida a revitalizar económica y socialmente las ciudades y periferias en crisis, LEADER, centrada en el desarrollo rural e INTERREG III, dirigida a promover acciones transnacionales para fomentar el desarrollo armonioso, equilibrado y sostenible del conjunto del espacio comunitario.

Pero quizá el Programa más vinculado a la Formación Profesional (FP) ha sido el **Leonardo,** dirigido precisamente a promover políticas comunes en esta etapa educativa. Las líneas y estrategias de esta actuación se concretaron ya a mediados de los ochenta en programas comunitarios (que ahora se unifican) como:

— Lingua, centrado en el desarrollo de competencias lingüísticas.
   Comett I y Comett II, que dan apoyo a la colaboración de empresas y universidades para el desarrollo de la formación profesional en el campo de las nuevas tecnologías.
— Eurotecnet, que fomenta la innovación en la FP.
— FORCE, para el fomento de la FP continua.
— PETRA, relacionada con la FP de los jóvenes.

El marco común del programa Leonardo recoge las grandes líneas inspiradoras de la política de Formación Profesional Comunitaria y entre ellas: mejora de la calidad y capacidad de innovación de los sistemas, la promoción de la formación continua, el desarrollo y adquisición de competencias clave y lingüísticas, la adaptación de la formación a los cambios sociales y tecnológicos, el uso de las tecnologías de la información dentro dela formación abierta y a distancia, la formación para jóvenes y adultos sin formación y con riesgo de exclusión social y la transparencia de las cualificaciones.

## 1.3.1.2. Retos y desafíos

Una síntesis de los más importantes la realizamos con Pedraza (2005:25), del que retomamos lo más significativo:

- Capacidad de adaptarse a un entorno económico y social cada vez más dinámico y menos definido.
- Reconocimiento de los recursos humanos como factor clave de competencia en el contexto de la mundialización y globalización.
- Necesidad de buscar a través de las políticas de formación una mayor capacidad y cualificación de los ciudadanos, garantizando una formación a lo largo de toda la vida.
- Europa necesita realizaciones y aptitudes del más alto nivel en el ámbito del desarrollo y de la utilización de las nuevas tecnologías.
- Una fuerte presión a favor de un desarrollo de las políticas de formación continua, formación dirigida a los trabajadores ocupados, sin reducir el esfuerzo realizado para conseguir una mayor cualidad en la formación de los jóvenes que buscan insertarse en el mercado laboral.
- La formación y la cualificación de las mujeres a favor de una igualdad de oportunidades en el acceso a la formación y al empleo cualificado.
- El déficit de cualificación que mantiene un alto nivel de desempleo y una escasez de mano de obra cualificada.
- Necesidad de facilitar la movilidad y la eliminación de fronteras y la transparencia en las cualificaciones profesionales.

## 1.3.2. El contexto español

Realizamos aquí una aproximación a los cambios y problemáticas asociadas que han acontecido en el contexto español, como ejemplo de algunos de los desarrollos que ha tenido y tiene la formación profesional en algunos países europeos.

### 1.3.2.1. La regulación existente

Un primer referente es la **Formación Profesional Reglada,** entendida inicialmente como aquélla que es impartida por el sistema educativo y que conduce a la obtención de títulos con validez académica y profesional. Cabe señalar, sin embargo, que esta delimitación realizada está evolucionando rápidamente en la dirección de una cierta flexibilidad de los conceptos de formación diseñados a partir de los subsistemas en que se encuentra predefinida la formación profesional (reglada, ocupacional y continua).

El artículo 30 de la LOGSE ya especificaba que la Formación Profesional tiene como **finalidad,** en el ámbito del sistema educativo, "la preparación de los alumnos para la actividad en un campo profesional, proporcionándoles una formación polivalente que les permita adaptarse a las modificaciones laborales que puedan producirse a lo largo de su vida". Su estructura permite hablar de una formación básica de carácter profesional que se proporciona en la Educación Secundaria Obligatoria y en el

Bachillerato y de una Formación Profesional específica de grado medio y de grado superior, figuradamente los niveles 2 y 3 establecidos por la Unión Europea, organizada mediante ciclos formativos que contienen módulos de duración variable.

El **acceso** a la formación de grado medio o superior exige, respectivamente, los títulos de Graduado en Educación Secundaria Obligatoria o de Bachiller, lo que garantiza unos conocimientos de entrada mínimos, a la vez que evita, mediante la exigencia de titulación de partida, que esta modalidad se convierta en una vía secundaria. Se arbitra, no obstante, la posibilidad de acceder a ella mediante pruebas de acceso a partir de unos requisitos de edad.

La **estructura curricular** y su desarrollo aspiran a proporcionar una formación polivalente y de base amplia, que permita la ampliación de conocimientos y el desarrollo de capacidades a lo largo de toda la vida laboral. Muchas veces, no obstante, la obsesión por la fragmentación curricular y el excesivo énfasis en lo académico pueden dar al traste con esta buena intención.

El problema también se puede agudizar cuando se consideran los sistemas de certificación. La expedición de títulos y certificaciones es una garantía de que los expedidos responden a los requisitos de formación establecidos; sin embargo, su ordenación administrativa no siempre evoluciona con la rapidez que lo hace el mercado laboral produciendo desfases que pueden hacer inútil la formación recibida o inválido el título emitido.

Cabe, por tanto, arbitrar sistemas que combinen adecuadamente la existencia de garantías sobre la formación certificada con la necesaria flexibilidad curricular y organizativa que le debe acompañar. El rigor actual en la formación reglada no se corresponde con el articulado para el sistema de formación ocupacional y, muchos menos, para las distintas formas de formación continua.

En el ámbito del Estado español, el proyecto para la Reforma de la Educación técnico-profesional, propuesta para el debate, de 1988, ya concretaba los mecanismos de conexión entre los distintos susbsistemas, fijaba una clasificación por niveles más precisa y definía los procedimientos de acceso a cada uno de esos niveles de cualificación. Los componentes de la Educación técnico-profesional establecidos por la Unión Europea pueden verse en la Tabla 5 y en la Tabla 6.

| COMPONENTE | DESCRIPCIÓN | EJEMPLO |
|---|---|---|
| Educación general. | Habilidades, actitudes y conocimientos generales comunes. No son específicos de ninguna actividad en particular. | Capacidades de comunicación, de razonamiento, de cálculo, etc. |
| Educación profesional de base. | Habilidades y conocimientos técnicos básicos relativos a una familia profesional. | Formación sobre mecánica, electrónica, informática, lengua extranjera, etc. |
| Formación profesional específica. | Habilidades y conocimientos relativos a una profesión (abanico de puestos de trabajo) agrupados por afinidad formativa. | Formación específica, necesaria para el mantenimiento de máquinas. |
| Formación profesional en el puesto de trabajo. | Habilidades y conocimientos propios de un puesto de trabajo concreto. | La necesaria para el mantenimiento de taller de prensas. |

**Tabla 5.** Componentes de la educación técnico-profesional (Megías, 2002:18)

| NIVEL | ACCESO | DESCRIPCIÓN |
|---|---|---|
| I | Escolarización obligatoria<br><br>Preparación profesional | • Esta iniciación profesional se adquiere, bien en una escuela, bien en el marco de estructuras de formación extraescolares, bien en la empresa.<br>• Los conocimientos teóricos y las capacidades prácticas son muy limitadas.<br>• Esta formación debe permitir ante todo la ejecución de un trabajo y poder ser rápidamente adquirida. |
| II | Escolarización obligatoria<br><br>Formación Profesional | • Este nivel corresponde a una cualificación completa para el ejercicio de una actividad bien determinada, con la capacidad de utilizar los instrumentos y las técnicas correspondientes.<br>• Esta actividad se refiere principalmente a un trabajo que puede ser ejercitado de forma automática en el límite de las técnicas que le son inherentes. |
| III | Escolarización obligatoria y/o Formación Profesional y formación técnica escolar u otra de nivel secundario | • Esta formación implica mayores conocimientos teóricos que el Nivel II.<br>• Esta actividad se refiere principalmente a un trabajo técnico que pueda ser ejecutado de forma autónoma y/o que conlleve responsabilidades de programación y de coordinación. |

| | | |
|---|---|---|
| IV | Secundaria (general o profesional) y formación teórica postsecundaria | • Esta formación técnica de alto nivel se adquiere en instituciones escolares o extraescolares. La cualificación obtenida en esta formación implica conocimientos y capacidades de nivel superior.<br>• Se exige en general el dominio de los fundamentos científicos de las distintas áreas de que se trate.<br>Estas capacidades y conocimientos permiten asumir, de forma generalmente autónoma e independiente, responsabilidades de concepción y/o dirección y/o de gestión. |
| V | Formación secundaria (general o profesional)<br><br>Formación superior completa | Esta formación lleva generalmente a la autonomía en el ejercicio de la actividad profesional (asalariada o independiente) que implica el dominio de los fundamentos científicos de la profesión. |

**Tabla 6.** Niveles de cualificación en la Unión Europea (Megías, 2002:16)
(Resolución del 11 de julio de 1980, del Consejo de la Comunidad)

Los dos Programas Nacionales de Formación Profesional, aprobados por el Consejo General de la Formación Profesional en el que participan las Administraciones (educación y trabajo) y los agentes sociales (empresarios y sindicatos) abogan claramente por un sistema integrado de formación que responda de una manera más eficaz a las necesidades de los ciudadanos y del mercado de trabajo y que se dote de unos mecanismos más justos y equitativos a la hora de certificar su competencia, especialmente en lo que afecta a los procesos de movilidad entre países.

Esta participación conjunta de los agentes sociales es la que puede permitir un mejor ajuste a las demandas personales y sociales, a la vez que puede promover acciones que garanticen mecanismos de equidad y redistribución de la riqueza. El peligro, no obstante, está presente y se manifiesta cuando se comprueba que una gran parte de las acciones consensuadas van dirigidas a controlar los procesos y no a promover nuevas acciones.

Así, por ejemplo, los **requisitos establecidos** para la formación reglada (duración de la formación, estructura curricular, profesorado que lo debe impartir, instalaciones y equipos necesarios) inciden en aspectos formales, pero poco dicen de otros aspectos ligados a la calidad como pudieran ser: las competencias que necesariamente deberán asumir los estudiantes, niveles y formas de atender la diversidad, estrategias dirigidas a mejorar la calidad de la formación, etc. El peligro de burocratizar excesivamente la formación es real y prueba de ello es el bajo grado de profesionales de las empresas que están incorporados parcial o totalmente a programas formativos.

La existencia de problemas no puede obviar los pasos positivos que se han hecho. Así, ha supuesto un gran avance la renovación que se ha hecho de los contenidos curriculares, partiendo de grupos de trabajo interdisciplinares (R.D. 676/1993, de 7 de mayo) que analizaban los procesos productivos y determinaban las necesidades formativas. Pero, paralelamente, alertamos del peligro ligado a la estabilidad, rigidez y permanencia que pueden adoptar las propuestas y que las pueden convertir en anacrónicas al cabo de un tiempo si no se establecen mecanismos de revisión y actualización.

En último extremo, se trata de saber si las **características básicas** del modelo de Formación Profesional específica señaladas como correspondencia (equivalencia con niveles establecidos en la Unión Europea), capitalizable (reconocimiento de las destrezas adquiridas en la experiencia y establecimiento de correspondencias entre formación reglada y ocupacional), actualizable (revisión de los títulos de formación cada cinco años) y corresponsabilizada (incorporación de instituciones y empresas en el sistema), son una realidad o una mera ficción. También interesa confirmar si los contenidos transversales (Gestión de la calidad, Seguridad y salud laboral, Organización y gestión de la producción y Formación en centros de trabajo) son algo más que una mera declaración.

La **formación ocupacional,** que ha tenido y tiene una gran importancia para la formación de los trabajadores, no ha escapado a algunas contradicciones. Considerada como una forma de acceso a un primer empleo o a uno diferente del hasta entonces desempeñado, se dirige a jóvenes que no han conseguido una titulación profesional ni la superación de la ESO; también a adultos que, por diversas, circunstancias (paro prolongado, deseo de incorporación al mundo laboral, etc.) no posean ninguna titulación o encuentren dificultades en el acceso al mundo del trabajo.

Se trata, por tanto, de personas que corren el riesgo que convertirse en marginados sociales y, desde esta perspectiva, tiene sentido que la formación trate de combinar una mejor y más amplia formación de base y cultural que la que tienen, una formación para el trabajo y una formación para la participación social. Los programas de Garantía Social, las Escuelas Taller, las Casas de Oficios, los Centros de Formación ocupacional u otras propuestas se ocupan de ello.

Sin embargo, los problemas que afectan a esta formación son variados y no garantizan la eficacia que sería deseable. Por una parte, hay problemas estructurales ligados a la estabilidad de los programas (aprobados por períodos cortos y siempre pendientes de subvenciones), a la agilidad administrativa para disponer de los fondos destinados, a la rigidez de las convocatorias, etc. Por otra, se hace referencia a problemas operativos como los referidos a las anacrónicas metodologías formativas, a la inadecuación de espacios formativos, a la desestructuración de la organización de los grupos de participantes, al abandono de la formación ante ofertas de trabajo, por citar algunos de los más frecuentes.

Pero lo que llama la atención no es tanto la existencia de problemas (algo natural en procesos novedosos y en proceso de consolidación) como la incapacidad para solucionarlos. Y es que el sistema de formación ocupacional parece, muchas veces, que ha perdido su sentido y orientación inicial y se ha convertido en una fuente de financiación indirecta de los agentes sociales y en un mecanismo político de la Administración. Ratifica este hecho el seguimiento que se pueda hacer de las asignaciones de subvenciones que actualmente se dan y su relación con las demandas formativas.

Por último, hemos de referirnos a la **formación continua,** como derecho de los trabajadores reconocido por la Organización Internacional del Trabajo y que, de una manera u otra, está recogido en los contratos laborales y es reivindicado por sindicatos y asociaciones profesionales. Dirigida a personas que necesitan actualizarse o ampliar sus competencias, no siempre es accesible a todas ellas al quedar condicionada su realización al sistema de trabajo de las instituciones y empresas.

Desgraciadamente, muchas instituciones aún siguen considerando la formación como un beneficio individual del trabajador y no comprenden su papel estratégico en los procesos de cambio e innovación. No es extraño, en estos casos, que se pongan trabas a las demandas de los trabajadores y que no se les den facilidades para la formación, al entender, bajo un planteamiento muy discutible, que tiene un coste añadido en el mantenimiento de la producción y que puede promover la marcha de los trabajadores una vez formados.

Las posibilidades de realizar una formación en el lugar de trabajo o fuera de él, compaginándose con él o mediante permisos, estancias en otros lugares de trabajo o alternando lapsos de formación con períodos laborales, se ven así frustradas.

Después de la anterior normativa, el Gobierno del Partido Popular publicó la Ley Orgánica de la Calidad de la Educación (LOCE) que más bien incidía en procesos de funcionamiento que en las estructuras. Su duración ha sido corta, ya que con el Gobierno del Partido Socialista se aprueba la LOE y se introducen pequeños cambios bajo el supuesto de que ya no es el momento de las grandes reformas, que requieren elevados grados de consenso y un largo período de aplicación.

La nueva Ley incorpora dos tipos de novedades sobre la Formación Profesional. Trata, por una parte, de adecuar a las nuevas realidades aspectos vinculados con la

Ley Orgánica de las Cualificaciones y de la Formación Profesional; por otra, ofrece a los estudiantes que no acaben con el título de la escolaridad obligatoria, los programas de cualificación profesional inicial.

La nueva normativa habla de globalidad del sistema de formación integrando tanto la inicial, como la dirigida a la inserción y reinserción laboral de los trabajadores y la continua. Cabe señalar que ya no se habla de los tres pilares o subsistemas de formación profesional (reglada, ocupacional y continua), acorde con la nueva regulación que de forma inminente reorganizará la actualmente llamada formación ocupacional y continua. Cabe destacar, asimismo, la consideración de la Formación Profesional de grado superior como parte de la educación superior con la misma consideración que la enseñanza universitaria.

Los programas de cualificación profesional tratan de dar salida a los jóvenes que anteriormente no obtenían ninguna titulación si no acababan sus estudios de Enseñanza Primaria. Ahora se propone que el sistema educativo haga una oferta específica acorde con el sistema nacional de cualificaciones que permita acceder a esa titulación. De todas maneras, como señalamos (2005):

> A pesar de la buena orientación de esta aportación de la nueva Ley, hay que seguir insistiendo que para la Formación Profesional la cuestión clave es que se incremente sustancialmente el rendimiento de la Educación Secundaria Obligatoria. Si un mayor número de jóvenes obtuvieran el Graduado, seguramente, la mayoría de ellos se encaminarían hacia los ciclos de grado medio de Formación Profesional (pág. 11).

## 1.3.2.2. La nueva regulación

La Ley de la Formación Profesional y de las Cualificaciones es, sin modificar la estructura ni los contenidos establecidos por anteriores normativas, un gran paso en la mejora de los mecanismos de formación. Por una parte, establece un Sistema Nacional de Formación Profesional y Cualificaciones que, con la cooperación de las Comunidades Autónomas, ha de dotar de unidad, coherencia y eficacia a la planificación, ordenación y administración de la Formación Profesional. El Catálogo Nacional de Cualificaciones Profesionales y el procedimiento de acreditación (que regulará los títulos de Formación Profesional y los certificados de profesionalidad) serán el instrumento fundamental de su actividad. Por otra parte, se establecen los llamados Centros Integrados de Formación Profesional, que vehicularán la oferta integrada de formación en el territorio.

Otros objetivos hacen referencia a facilitar una mayor oferta a los grupos con dificultades de integración laboral, al establecimiento de ámbitos competenciales y de participación de todos los sectores implicados, a la creación de un Sistema de Información y Orientación y a garantizar la calidad y evaluación del sistema.

Las intenciones son buenas, pero no garantizan por sí mismas los resultados. De hecho, los programas nacionales de Formación Profesional presentados por el Consejo General de la Formación Profesional que se situaban en la misma línea han tenido una implantación irregular y, en muchos casos, insatisfactoria.

Asumiendo la importancia de avanzar en el catálogo de cualificaciones, no podemos deducir de su puesta en funcionamiento que por sí mismo solucione las dificultades que conlleva un sistema integrado de Formación Profesional. Nuevamente, parece que hay más preocupación por los aspectos de carácter administrativo, al focalizar la atención en cómo se certifica una competencia, que en señalar cómo se puede adquirir.

El peligro de que un sistema de certificación estatal tienda a la rigidez y pierda capacidad de respuesta es una preocupación real, que sólo puede ser salvada buscando complicidades en órganos intermedios del Estado como puedan ser las Comunidades Autónomas y los municipios.

La normativa existente debería también incidir en los procesos de formación permanente, que parecen olvidados. Como señala Colomé (2002):

> Se echa en falta, además, una verdadera apuesta por la formación permanente, más allá de las afirmaciones de carácter general. Esta formación tiene un carácter estratégico en la evolución de las sociedades modernas dada la necesidad de afrontar con garantías las consecuencias económicas (la competitividad) y sociales (las nuevas formas de trabajo y su organización) derivadas del cambio tecnológico. La formación permanente constituye un instrumento clave para que la flexibilidad de los procesos de producción no se convierta en inseguridad y precariedad para las personas

Podríamos decir que la nueva normativa está pecando de ingenua al pensar desde la mera lógica formal y no tener en cuenta la realidad histórica y la situación actual, resultado de múltiples y variados intereses. Al decir de Casal (2002), al imaginario de una Formación Profesional de varias vías con una amplia interconexión que permita un sistema abierto de Formación Profesional en el ámbito estatal y con reconocimiento en varios países, hay que acompañar una realidad más compleja que se sintetiza en tres aspectos:

**– Tres subsistemas de Formación Profesional o dos modalidades de aprendizaje.** El autor citado reconoce la formación para el trabajo y la formación en el trabajo como una manera más real de reconocer la situación presente que mantener la ficción del "hermanamiento" de los tres subsistemas. Entiende que establecer relaciones entre modalidades de aprendizaje entre sí (reglada con ocupacional y continua con experiencia laboral) puede que sea mucho más firme y lógico que no establecer relaciones de "todo con todo".

Los sistemas reglados y ocupacional (jóvenes en transición al empleo y adultos en paro en proceso de cambio ocupacional) tienen muchos elementos en común y es posible hablar de puntos en común entre currículos y formadores que se reconocen mutuamente. También resulta congruente establecer relaciones entre propuestas de formación continua (planes de empresa, planes agrupados, etc.) y formas de mejora del aprendizaje informal (experiencia laboral) que permitan formas de promoción de aprendizaje en los puestos de trabajo y de reconocimiento de la experiencia laboral, pudiendo en este caso los agentes sociales recobrar una dimensión formativa de naturaleza propia y muy distinta de la educación propiamente formalizada y estructurada.

**– Certificados de profesionalidad, ¿dos en uno?** El reconocimiento de dos formas de aprendizaje de naturaleza distinta precisa también de formas distintas de reconocimiento y validación, pensando que los protagonistas no pueden estar interesados en un mismo dispositivo de reconocimiento (parados en formación ocupacional –normalmente jóvenes– y trabajadores y artesanos de largo itinerario laboral).

La propuesta sería de acreditación y certificación para la formación de carácter inicial mediante la expedición de títulos, y acreditación y certificación para la formación continua y experiencia laboral mediante la construcción del currículo profesional y validación de los agentes sociales.

**– ¿Subsistemas de formación neutros o sujetos a los grupos de interés y en relación de jerarquía?** La hipótesis del autor es que los diferentes subsistemas mantienen intereses y puntos de vista que tratan de defender: mientras la formación reglada está interesada en ocupar la centralidad de la propuesta de integración de los tres subsistemas, mediante el control de los centros integrales de Formación Profesional, la formación ocupacional aboga por reforzar su enfoque de formación práctica y potencia que los agente sociales (empresarios y sindicatos) vean con cierta preocupación el carácter periférico que parece va a tener la formación continua.

Todo ello, le hacía concluir:

*Después de la inaplicación del Primer Programa Nacional de FP, de la inaplicación del Segundo Programa Nacional de FP, mucho me temo que imaginarios simples no contribuyan a modificar realidades complejas (...). Pero aún, es muy probable que algunos lances del pensamiento único puedan aumentar el daño ya histórico que la FP en España arrastra secularmente (centraliza-ción burocrática y estatalizante, ausencia de compromisos financieros, apoyo implícito a las iniciativas privadas, y desubicación de los agentes sociales y de la formación continua, para poner algunos ejemplos)* (Casal, 2002).

## 1.4. Otros retos para el futuro

Finalizamos recogiendo algunas ideas complementarias a las anteriores sobre las que vertebrar parte de las políticas española y comunitaria.

### 1.4.1. El territorio como contexto de compromisos

Las anteriores anotaciones pueden servir de pórtico a lo que puede ser la reflexión de grupos y personas en relación con la construcción de respuestas a nivel territorial, que pasa de ser un soporte educativo a un agente educativo, una fuente de aprendizaje y de convivencia.

Entendemos que pueden ser **objetivos** generales, y por tanto compromisos, los siguientes:

– Contribuir a potenciar el desarrollo de las personas en el campo social, laboral y profesional.
– Contribuir a la lucha contra el paro mediante la cualificación y la mejora profesional.
– Contribuir y participar en el aprovechamiento integral de los recursos potenciales socio-económicos de la ciudad.
– Favorecer la coordinación de las distintas instituciones e instancias de la ciudad, la comarca, la provincia y la Comunidad Autónoma.

Otros objetivos más concretos podrían ser:

– Estructurar la oferta formativa dirigida a los jóvenes que abandonen el sistema educativo sin cualificación.
– Vertebrar acciones dirigidas a la población joven u otra que pueda ser objeto de exclusión social o marginación.
– Diseñar acciones formativas dirigidas a los jóvenes que tengan una mayor potencialidad de fracaso escolar.
– Facilitar herramientas y soporte a los agentes implicados en los procesos formativos vinculados a la actividad laboral.

Sensibilizar, informar, asesorar y formar a la comunidad sobre las competencias necesarias y previsibles para lograr el pleno desarrollo profesional.

- Desarrollar procesos informativos y formativos relacionados con el conocimiento de los oficios y profesiones.
- Desarrollar procesos informativos y formativos relacionados con el conocimiento del funcionamiento del mercado de trabajo, las vías y las técnicas para acceder a él.
- Ayudar a las personas a clarificar e identificar las principales necesidades, intereses, expectativas, capacidades y objetivos del mundo laboral.

La realización de estas pretensiones exige la necesidad de regular y sistematizar los mecanismos de acercamiento y coordinación entre las instituciones de formación y los centros de producción y distribución. Esta coordinación debe integrar lo formal y lo no formal, el mundo educativo y el no educativo.

Una manera de hacerlo es a través de **programas integrales,** que pueden contemplar visitas, procesos de orientación, simulaciones, prácticas, etc. También, mediante la creación de servicios como los observatorios, oficinas de formación u otras realizaciones, cuya finalidad puede ser tanto realizar estudios como asesorar, formar, promover y evaluar.

La relación de interés mutuo entre los centros educativos y las empresas u otras instancias de trabajo puede contribuir a un crecimiento mutuo. Los primeros pueden, a través de la relación establecida, favorecer espacios de aplicación práctica para sus estudiantes y hacer realidad la utilización de metodologías recurrentes; las segundas pueden reconocer procedimientos nuevos de trabajo, conocer futuros trabajadores y proporcionar una dimensión social a su actividad. Esperamos en este intercambio que no sea lejano el momento en que trabajadores actúan de formadores y formadores actúan de trabajadores en períodos de tiempo preestablecidos pero generalizados para todos y para todas las instituciones.

La potenciación de más y mejores respuestas educativas a las exigencias laborales supone una inversión de recursos cuya rentabilidad debe verse a largo plazo y con carácter general. Más allá de la mejora personal se trata de facilitar la integración social mediante el trabajo y de mantener y mejorar la cohesión social. A ello se dirigen acciones positivas como la orientación profesional y personal, las iniciativas de apoyo individualizado a grupos de riesgo (minorías étnicas, personas con bajo nivel cultural, concentraciones urbanas, etc.), el desarrollo de sistemas de alerta y prevención precoces, los esfuerzos por flexibilizar currículos, la multiplicación de instituciones formativas, etc.

Las capacidades desarrolladas y las actitudes existentes serán la base sobre la que construir el éxito de los estudiantes. Habrían de permitir motivar a los estudiantes para que adquirieran las capacidades profesionales que necesitan pero también las que les pueda exigir la sociedad en la que viven. A tal efecto, cabe revisar si la oferta y demanda son compatibles, en lo que hace referencia a contenidos, lugares y tiempos. La flexibilidad debe conseguirse mediante ofertas modulares que permitan establecer itinerarios profesionales.

También es importante establecer mecanismos de seguimiento permanente de los usuarios de la formación y de los procesos evaluación que les afectan. Una concreción puede ser la puesta a disposición de los potenciales alumnos tests destinados a hacer un balance de sus competencias, facilitando así la personalización de los programas de formación y el autoaprendizaje. Desde este punto de vista, puede ser de interés promover los niveles de formación informática que algunos países ya han puesto en marcha e informar e impulsar la idea de un *currículum vítae* europeo dirigido a facilitar la movilidad

Nos parece importante, en relación con la actividad de los usuarios, apoyar la formación inicial y permanente de los profesores y formadores, favoreciendo que sus capacidades respondan a los cambios que experimenta la sociedad y a las expectativas de la misma, así como que permita una respuesta a la variedad de grupos afectados: jóvenes de diferentes edades en procesos de formación inicial, personas con *handicaps* personales y de aprendizaje, adultos de diversas edades, tercera edad, etc. Hemos de considerar que muchos profesores se formaron hace más de veinte años y no siempre sus capacidades han mejorado al ritmo de los cambios socioculturales.

Por último, entendemos que cabe potenciar que los centros de formación se conviertan en centros locales de adquisición de conocimientos polivalentes y accesibles a todos, que varíen sus métodos en función de los destinatarios. Deberían ser centros dispuestos a trabajar en red y abiertos a la interconexión de un gran abanico de socios: empresas, otros centros de formación, bibliotecas, autoridades locales, etc., reforzando así un entramado territorial que se convierta con el tiempo en una base de memoria colectiva a la que tengan acceso todos los ciudadanos.

## 1.4.2. Aportaciones para avanzar

Recogemos aquí, por último y directamente, algunas aportaciones que también pueden completar las reflexiones anteriores.

*La experiencia de los Programas de Garantía Social demuestra que, cuando se han adoptado métodos poco escolares y más ocupacionales es cuando se han mejorado los resultados* (Homs, 2005:8).

*Los ciclos de Formación Profesional necesitan unos niveles de flexibilidad en su planificación y en su organización y gestión diferentes al resto del sistema. Los centros de Formación Profesional no pueden ser gestionados de igual modo que el resto de los centros educativos. Su relación con el entorno productivo es vital para obtener unas enseñanzas profesionales de calidad* (Homs, 2005:12).

Sobre el funcionamiento de la Formación Profesional-ocupacional:

*La articulación de cualquier sistema formativo parte siempre de determinados principios que inspiran su orientación y guían su acción. Pero en las dinámicas funcionales del sistema, no siempre estos principios actúan con la relevancia conveniente, ni mantienen la presencia y la coherencia deseable. Nos referimos a principios como la igualdad de oportunidades de acceso a las acciones formativas, su gratuidad, la participación de los agentes económicos y sociales, la adaptación a las necesidades de los diferente territorios y sectores económicos, la búsqueda del equilibrio territorial y la complementariedad y coordinación de las ofertas formativas, entre otros* (Gairín y otros, 2002:128).

*La otra gran preocupación es la referente a la planificación de la oferta y la falta de mecanismos públicos para relacionarse con el entorno y participar en la toma de decisiones. Hoy en día un número considerable de centros públicos intenta vincularse a través de fundaciones privadas con las organizaciones sindicales y empresariales así como con las Administraciones locales* (Martínez, 2003:16).

*La apuesta estratégica por un nuevo modelo productivo y la necesidad de desarrollar empleos de calidad hacen necesario repensar de forma integral las respuestas institucionales, empresariales y sociales en el campo de la Formación para el Empleo* (Manzanares y López, 2004:7).

*La cualificación o profesionalidad requiere estabilidad para compartir y transferir el «conocimiento organizativo» entre trabajadores con mayor experiencia y jóvenes con mejor formación, facilitando una mayor implicación, responsabilidad y motivación* (Manzanares y López, 2004:9).

Sobre el sistema de validación y acreditación de las competencias, se señala:

*Nos tememos que no sea más que un intento de establecer un sistema de convalidaciones entre diferentes formas de aprendizaje que tiene graves limitaciones. En primer lugar, por el concepto mismo de subsistemas de Formación Profesional (Casal y otros, 2003), no está claro que se puedan comparar cosas de naturaleza tan distinta como la Formación Profesional reglada pensada para jóvenes en su etapa de formación inicial y la formación continua pensada para adultos ocupados ya formados que necesitan actualización o reciclaje. En segundo lugar, todas las demandas de reconocimiento van en la dirección de reclamar la equivalencia con los títulos oficiales, es decir, los que da el sistema educativo. Esto puede provocar resistencias precisamente dentro del sistema educativo, en el profesorado (ya que, si para obtener un título sólo basta la experiencia profesional, ¿qué papel les queda a los profesores?), o puede devaluar los títulos si se oficializan vías paralelas de obtenerlos. Sería una paradoja que después de un siglo de intentar institucionalizar la Formación Profesional, con sus avances y retrocesos, con la legitimidad de un sistema público de educación, el discurso dominante de lo valioso de la experiencia adquirida en el lugar de trabajo pueda debilitar los débiles avances que se han hecho en España, si se compara con otros países europeos. Y sería peligroso extender este discurso a los jóvenes que salen de la escuela sin la mínima titulación, pensando que los dispositivos de formación ocupacional o el reconocimiento de la experiencia laboral les compensará la falta de competencias básicas, porque lo que acostumbra a pasar es que estos dispositivos tienden a reforzar precisamente los individuos como más nivel educativo* (Merino, 2005).

## 1.5. Referencias bibliográficas

Ayuntamiento de Tarragona (2002). *Mundo laboral, ocupacional y formación permanente*. Tarragona: Proyecto de ciudad, Grupo de trabajo 6 (ponencia base).

Baldivieso, M.S. (2002). La nueva relación educación-trabajo y los desafíos pedagógicos y organizativos de la FP. En J. Gairín (Coord.), *Guías para Formación Profesional* (www.guiasensenanzasmedias.es). Barcelona: Wolters Kluwer Educación.

Carneiro, R. (1999). *Proyecto Educativo de Ciudad. Educación para la ciudadanía*. En Actas del *Congreso Barcelona: pel coneixement i la convivència*. Barcelona, abril (documento policopiado).

Carnoy, M. (1999). "Globalización y reestructuración de la educación". En *Revista de Educación,* 318, págs. 145-162.

Casal, J. (2002). "La interrelación entre los subsistemas de Formación Profesional en España: imaginarios simples y realidades complejas". En *Temáticos Escuela Española,* n.º 5.

Casal, J.; Colomé, F. y Comas, M. (2003). *La interrelación de los tres subsistemas de Formación Profesional en España.* FORCEM. Madrid.

CEDEFOP (1999). *Les bas niveaux de qualification sur la marché du travail: prospective et options politiques.* Salónica.

Colomer, F. (2002). "La Formación Profesional reglada". En *Temáticos Escuela Española,* n.º 5.

De Paula, M. (1999). "Nuevos desafíos en el mundo del trabajo". En *Revista de Sociología del trabajo,* n.º 36, Siglo Veintiuno.

Ferrández, A. (2002). La Formación Ocupacional en el marco de la formación continua de adultos. En J. Gairín (Coord.), *Guías para Formación Profesional* (www.guiasensenanzasmedias.es). Barcelona: Wolters Kluwer Educación.

Frigotto, G. (1998). A política de formaçao técnico-profissional, Globalizaçao excludente o Desemprego estructural. En *21.ª Reunión anual de ANPEDF,* Brasil.

Gairín, J. (1999). *Los proyectos educativos de ciudad. El caso de "Barcelona, ciudad educadora".* Curso de Verano: *La gestión de organizaciones y programas de educación no formal.* Centro Mediterráneo, Universidad de Granada (Documento Policopiado).

Gairín, J. (Coord.) (1998). *Estrategias para la gestión del Proyecto Curricular de centro Educativo.* Madrid: Síntesis.

Gairín, J. (1998). *L'escola.* En *1er Congrés de la ciutat.* Fundación Sant Cugat, Sant Cugat, octubre (Documento policopiado).

Gairín, J. (2002). *La educación no formal en la construcción de la ciudadanía.* Presentación al Taller, n.º 4. *VII Congreso Interuniversitario de Organización de Instituciones Educativas,* San Sebastián, julio (Documento policopiado).

Gairín, J. y otros (2002). *Avaluació externa del Sistema de Formació Ocupacional.* Barcelona: Generalitat de Catalunya, Departament de Treball (documento interno).

Homs, O. (2005). "La Formación Profesional en la nueva ley de educación". En *Herramientas,* 30, págs. 6-13.

Majó, J. y Marqués, P. (2002). *La revolución educativa en la era Internet.* Barcelona: Praxis.

Manzanares, J. y López, F.S. (2004). La Formación profesional para el empleo en tiempos de cambio: "Cambiar de rumbo". En *Herramientas,* n.º 76, págs. 6-11.

Martínez, J. (2003). "La nova concepció de la Formació Professional". En *Forum. Revista d'Organització i gestió educativa,* n.º 1, págs. 13-17.

Masjuan, J. M.ª (2002). "Globalización y educación". En *Temáticos Escuela Española,* n.º 5.

MEC (1986). *Educación de adultos. Libro Blanco.* Madrid: Servicio de Publicaciones del MEC.

Megías, R. (2002). Evolución histórica de la Formación Profesional reglada. En J. Gairín (Coord.) *Guías para Formación Profesional* (www.guiasensenanzas-medias.es). Barcelona: Wolters Kluwer Educación.

Merino, R. (2005). Apuntes de historia de la Formación Profesional reglada en España. Algunas reflexiones para la situación actual. En J. Gairín (Coord.), *Guías para Formación Profesional* (www.guiasensenanzasmedias.es). Barcelona: Wolters Kluwer Educación.

Morin, E. (1999). *Los siete saberes necesarios para la educación del futuro.* Barcelona: Paidós.

Pedraza, B. (2005). *La Formación Profesional en el entorno de la Unión Europea.* En http://www.rieoei.org/deloslectores/300Pedraza.pdf (consulta diciembre, 2007).

Planas, J. (2002). "La formación a lo largo de la vida: relación entre formación inicial y formación continua". En *Temáticos Escuela Española,* n.º 5.

Rodríguez, J. (1998). *Pensamento Pedagógico Industrial.* Síntesis de la tesis de doctorado titulada: O moderno príncipe industrial: o pensamento pedagógico da Confederaçao Nacional da Industria. En *21.ª Reunión anual de ANPEDF,* Brasil.

VV.AA. (2002). "El CFO La Paperera: una experiencia en la transición al mundo del trabajo". En *Temáticos Escuela Española,* n.º 5.

## 2. ALGUNAS REFLEXIONES PARA LA SITUACIÓN ACTUAL DE LA FORMACIÓN PROFESIONAL REGLADA EN ESPAÑA. APUNTES DE HISTORIA

Rafael Merino Pareja

### 2.1. Introducción

En este artículo se pretende hacer un sucinto resumen de la historia de la Formación Profesional Reglada (FPR), es decir, la formación para el empleo de los jóvenes que asume el sistema educativo. Los últimos cambios en la política educativa y en las leyes educativas están suscitando debates no sólo en la arena política sino en toda la comunidad educativa. Repasar un poco los antecedentes de cómo se ha ido construyendo nuestro sistema educativo a lo largo de la historia reciente quizá nos permita entender mejor la configuración de este sistema educativo, producto de normativas pero también de la acción de los individuos de forma aislada o colectiva.

No se puede hacer una historia de la Formación Profesional sin hacer la historia del sistema educativo en su conjunto y, muy especialmente, de la enseñanza secundaria. Por razones obvias, en este artículo destacamos lo más relevante para reseguir la evolución de la formación profesional, de forma panorámica hasta la promulgación de la Ley General de Educación de 1970 y, con un cierto detalle, comparamos esta ley con la Ley General de Ordenación del Sistema Educativo de 1990. Finalizamos con un breve epílogo sobre las actuales leyes educativas y algunas reflexiones surgidas del análisis histórico de la formación profesional.

### 2.2. Apuntes históricos

*2.2.1. Breve historia de la formación profesional antes de la LGE*

La historia de la FPR en España antes de la Ley General de Educación del 1970 es una historia de discontinuidades y débil interés por parte tanto del Estado como del tejido empresarial[67] (Farriols *et al.,* 1994; Puelles, 1991; Casal *et al.,* 2003; Eche-

---

67. En el caso español la desvinculación de la FP del mundo del trabajo ha sido endémica, con una

varría, 1993). Por lo tanto, la doble red o la segmentación escolar estaba entre la primaria y el bachillerato (o entre no estudiar y estudiar, puesto que, de hecho, ir a las escuelas de primeras letras no fue considerado estudios hasta hace poco).

La historia de la FP no puede ir separada de la etapa de enseñanza secundaria, etapa que ha tenido problemas de identidad desde el inicio del sistema educativo moderno. Se cuestionaba la naturaleza, los destinatarios y el contenido curricular:

"Lo que hay es una lucha fuerte respecto de lo que debe ser la enseñanza primaria y la superior. Lo que se ignora es la naturaleza de la enseñanza secundaria. Unos dicen que es la preparación a la vida; otros, que es la cultura general, y otros que es una continuación de la escuela primaria, y otros que es la antecámara de la Universidad; los hay que piensan que está hecha para los niños de origen humilde, y otros para una juventud elegida"[68].

Estas dudas respecto a la definición, los contenidos y los destinatarios las encontramos desde el inicio del sistema educativo liberal y se expresan a lo largo de todo el siglo XIX y también del XX, con las sucesivas reformas liberales y contrarreformas conservadoras[69]. En el fondo tenemos el debate sobre el papel de la escuela en la reproducción de las posiciones sociales o en las posibilidades de movilidad social:

"En una primera época –finales del XVIII y principios del XIX– se aprecia el nacimiento de las fuerzas ideológicas y organizaciones, los primeros balbuceos de una educación secundaria cono todas sus limitaciones y contradicciones, producto de la herencia de siglos anteriores y de la desesperada búsqueda de

---

relación "de amor y odio" que va de la total subordinación a la empresa (que nunca ha existido) hasta la ignorancia mutua (Blasco; Planas, 1984). A diferencia de Alemania, que acompañó el proceso de modernización económica y social de posguerra con un aumento de la demanda de formación superior y un aumento de las oportunidades de trabajo y de salario para las clases bajas, en España "la industrialización tardía, el doble dualismo de la estructura social y económica y la dictadura política se reflejan en una gran resistencia de las estructuras tradicionales de la enseñanza. Éstas se caracterizan, durante mucho más tiempo que en otros países norteuropeos, por la polarización entre la breve educación básica para el pueblo, y una enseñanza superior altamente selectiva para la élite en el Estado y la sociedad. Una formación profesional y técnica comparable a la alemana no puede desarrollarse debido a las debilidades de la tradición artesana y al carácter insular de la industria" (Köhler, 1994:13).

68. Esta cita recoge una intervención de un diputado liberal en el parlamento español a principios del siglo XX (Puelles, 1996:24).

69. Obviamente, esta era una cuestión que se debatía en el ámbito europeo. Es reveladora la obra escrita a principios del siglo XX por Durkheim sobre la evolución y el papel de la enseñanza secundaria en Francia, donde expresa la crisis de identidad de esta etapa de la enseñanza (Durkheim, 1989). Curiosamente, Durkheim rechazaba la entrada "de estudios de aplicación" a la enseñanza secundaria, que tendría una función básicamente de reflexión y de preparación para la universidad (Durkheim, 1992: 394).

identidad social de la burguesía como nueva clase, que origina desde un principio, las ambivalencias y fluctuaciones entre distintos tipos o concepciones de educación secundaria, y fundamentalmente entre dos: la humanística y la técnico-profesional". (Viñao Frago, 1982:16).

En este sentido, la introducción de estudios secundarios con un sentido de utilidad económica e industrial tendría grandes dificultades de aplicación:

"Un nuevo tipo de enseñanza más utilitaria y profesional no tenía posibilidad alguna de extenderse y ser deseada si no conducía a posiciones sociales de mayor prestigio y remuneración, lo que requería profundas transformaciones socioeconómicas previas" (*op. cit.*, pág. 103)[70].

Hasta bien entrado el siglo xx, la enseñanza secundaria quedó reducida a una minoría muy seleccionada socialmente y que continuaba los estudios en la universidad, con unos contenidos básicamente humanísticos. Se trataba de una escuela dual en un sistema de enseñanza liberal, según la terminología de Lerena (1991). En este sistema la formación para el trabajo se limita a la primaria, en una función más ideológica que económica o profesional, o bien fuera del sistema educativo por las vías tradicionales del aprendizaje directo o de las redes comunitarias entre familias y agrupaciones gremiales. La aparición en el siglo xix de algunas escuelas de artes y oficios en algunas ciudades respondía a iniciativas de los sectores de la burguesía local más preocupados por la formación de los obreros, con una motivación entre la filantropía y la necesidad de disponer de una élite de operarios cualificados y mandos intermedios[71]. También aparecen, a partir de la herencia de escuelas específicas (náu-

---

70. Naturalmente, estos debates también se daban en los otros países europeos, como indica Caron del caso francés: "Elitismo rima cono intelectualismo: se cultivaba el amor a lo bello, las mismas fuentes grecolatinas que los colegios del Antiguo Régimen, persiguiendo cono constancia un 'ideal no utilitario'. Todos los intentos de crear una enseñanza 'especial o moderna' donde se diera menor importancia al latín, o incluso se suprimiera suscitaron arduas resistencias y, cuando llegaron a buen puerto, sonadas burlas. Cuando se creó una cátedra de comercio en Sainte-Barbe, la gran institución privada parisina, sus alumnos fueron denominados 'Palatinos' (también se habló de las 'clases para tenderos')" (Caron, 1996:181). Este elitismo era el que veía con auténtico miedo el acceso de las clases populares a la enseñanza media y que reprochó durante muchos años la acción del Estado en la promoción de este nivel de enseñanza, y quedó reducido a las *public school* y *grammar school* inglesas, o los *gymnasien* alemanes, así como algunas escuelas profesionales pero destinadas a las clases medias (*op. cit.*, págs. 188-198). Pese a esto, la expansión de la enseñanza secundaria se dio en las incipientes clases medias y las nuevas elites sociales que estaban configurando el Estado y la economía con los nuevos valores de esfuerzo, mérito, competición, éxito, etc., que era la función socializadora de los institutos y colegios de enseñanza secundaria (*op. cit.*, pág. 230).

71. Para hacerse una idea de los objetivos ideológicos y técnicos de estas escuelas, veamos algunas ideas del fundador de un centro fundado el año 1891 en una ciudad industrial cercana a Barcelona

---

tica, bellas artes, etc.) y el impulso de los gobiernos liberales, las escuelas técnicas superiores, pero sin conexión con una formación profesional primaria o post-primaria (Viñao Frago, *op. cit.*, pág. 457)[72].

No es hasta la década de los años veinte cuando se hace el primer intento de articular un sistema de formación profesional con los estatutos de la Enseñanza Industrial (1924) y de FP (1928). En plena dictadura de Primo de Rivera, y con un sistema económico basado aún en la agricultura (a excepción de Cataluña y el País Vasco), se hace una ley que intenta poner orden al "marasmo de ordenamientos confusos" (Casal *et al., op. cit.*, pág. 102) e impulsa la acción ordenadora del Estado, aunque en manos del Ministerio de Trabajo y no desde el Ministerio de Enseñanza –o Instrucción, como se decía entonces–, lo cual ya indica la posición marginal que ocupaba la FP respecto a la enseñanza general, puesto que quedaba totalmente desconectada de los ciclos educativos (sin posibilidades de acceso o "pasarelas", sin homologaciones de títulos, etc.).

Agravando esta desconexión, las características de la FP definida en esta legislación eran la flexibilidad en la programación (no se fijaban cursos ni duración) y

---

(MERINO, 2002:78):

– "La ignorancia conduce, a menudo, al hombre al vicio y al crimen, la instrucción se tiene que considerar remedio preventivo para evitarlos. La instrucción es la salvaguarda del capital".

– "El obrero que posee conocimientos, teóricos y prácticos, será siempre preferido a aquel que sea rutinario, por cuanto en el tiempo de adelantos en el que ha entrado nuestra industria, los trabajadores necesitan en absoluto conocimientos científicos para adaptarlos al trabajo".

– "El obrero acostumbrado al estudio, aprende a tener criterio propio en todas las cuestiones y difícilmente lo seducen las utopías que en clubes y reuniones se le prediquen".

– "Hace falta preparar a la juventud para que allá donde haya una fábrica de tejidos, o un taller industrial, sea de la clase que sea, se pueda ganar su pan y el de su familia gracias a los conocimientos que, como madre previsora, le habrá proporcionado la Escuela de Artes y Oficios".

Estos ejemplos están en la línea del estudio de M.F. Enguita (1990)), con citas de diferentes países que muestran que durante el siglo XIX y buena parte del XX la educación de los obreros tenía esta mezcla de control ideológico y domesticación con una actitud entre paternalista y filantrópica de la burguesía. No es extraño que los sindicatos y las primeras organizaciones obreras desconfiasen de esta formación, por más que dignificar el trabajo manual también era de su interés (Collins, 1989:130).

72. De hecho, la aparición de la preocupación sobre la FPR está relacionada con la crisis del sistema tradicional de aprendizaje y con el nuevo modo de producción fabril. Un informe de 1877 sobre la situación de los aprendices de París explicaba: "La especialidad lo ha invadido todo (...). En la mayoría de las industrias se han creado talleres secundarios donde a lo largo de todo el año no se fabrica más que un objeto, o incluso una fracción de objeto. Y los talleres pequeños es donde más abundan los aprendices, porque sólo allí pueden ser fuente de beneficios para el amo que vigila personalmente el trabajo, y haciendo constantemente el mismo objeto no pueden llegar a ser buenos obreros, de los de verdad (...) el aprendizaje se halla en trance de decadencia" (Perrot, 1996:130). La solución que propugnaba este informe era la creación de escuelas profesionales estatales que combinaran la formación general con la profesional (*op. cit.*, pág. 131).

en el acceso del alumnado, y una descentralización que daba gran autonomía a los Patronatos Locales (Planas, 1986). Es decir que la externalización de las enseñanzas profesionales va acompañada de la desregulación en los contenidos, el acceso y el estatuto del profesorado, cuestión esta que se volverá a repetir en la LOGSE con los PGS.

Una cuestión interesante de esta ley de formación profesional era la división jerárquica de los niveles de formación profesional:

"La formación de obreros a partir de la identificación de unidades simples de trabajo comunes a diferentes industrias; la formación de maestros y artesanos a partir de la identificación de unidades complejas de trabajo diferenciado o especializado; la formación de técnicos ayudantes como profesionales al servicio de la ayuda y colaboración directa con los ingenieros, y la formación de los ingenieros como personal capacitado para el diseño y realización de proyectos industriales o la dirección de producción". (Casal *et al., op. cit.,* pág. 105, cursiva en el original).

Es decir, ya existe una primera clasificación en función de la división social del trabajo y una primera aproximación de ciclos de formación idóneos para cada segmento de especialización del mercado laboral, sin conexión entre ellos y con pocas perspectivas de movilidad.

Hace falta decir que la promulgación de esta ley no tuvo los resultados esperados. De hecho, del discurso reformista traducido en disposiciones legislativas a las prácticas sociales hay una distancia considerable en circunstancias normales[73]. Entonces en el contexto español esta distancia es más grande por el divorcio secular entre la realidad social y el entramado institucional. Especialmente en el caso de la educación y de la FP, este divorcio ha sido endémico y los resultados del estatuto de 1928 fueron prácticamente nulos:

"En la práctica, no hubo ni concertación, ni financiación, ni apertura al discurso de la formación, ni oferta efectiva de FP; los Patronatos Locales resultaron entes burocratizantes, el Estado se inhibió de la financiación y recurrió al principio de subsidiaridad en relación a las corporaciones locales y las congregaciones religiosas, el empresariado no asumió la Formación Continua como

---

73. Hace falta recordar el título del libro de Crozier (1984), *No se cambia la sociedad por decreto*, en el cual describe las dificultades de los planificadores franceses para ver resultados de la acción reformadora si no es de acuerdo con "las corrientes de fondo" de la sociedad, además de los efectos perversos que genera esta acción reformadora.

necesidad y los trabajadores acudían al mercado de trabajo sin otra formación que el facilitado por un sistema educativo enmarcado en la Ley Moyano". (Casal *et al., op. cit.,* pág. 108).

Las reformas y contrarreformas educativas durante la época de la República y la Guerra Civil son de una gran controversia ideológica y están muy centradas en aspectos político-ideológicos, como la enseñanza de la religión, la formación de los maestros o el control de la inspección educativa (Puelles, *op. cit.*). La prioridad fue, lógicamente, la escolarización de la población infantil en la escuela primaria, debido al gran déficit que había. Con respecto a la enseñanza secundaria, más que realizaciones concretas, se recogen las propuestas de unificación que había planteado y experimentado la Institución Libre de Enseñanza. Respeto a la unificación de la enseñanza en un tronco común desde la primaria hasta la universidad, las propuestas más radicales habían sido inspiradas por el modelo de las escuelas racionalistas fundadas por Herrero y Guardia, y relacionadas con el movimiento anarquista: "Pretendían conseguir los anarquistas la desaparición de las diferencias entre trabajo intelectual y manual (...), sin especializaciones científicas prematuras" (Vázquez, citado en Puelles, *op. cit.,* pág. 351)[74].

En este sentido, la propuesta más elaborada y que tuvo una mínima traducción en la planificación educativa fue la del CENU, el Consejo de la Escuela Nueva Unificada, que se constituyó en Cataluña para organizar el sistema educativo. Según el Plan General de Enseñanza elaborado por el CENU, la enseñanza obligatoria llegaría a los 15 años –aunque de manera flexible– y después, en función de las capacidades de los alumnos, irían a escuelas de preaprendizaje los menos capaces para prepararse para trabajos no cualificados, una parte de los alumnos "medianos" a escuelas de aprendizaje (Escuela del Trabajo) para prepararse para oficios cualificados y bellas artes, y el resto a una enseñanza politécnica que prepararía para las escuelas técnicas y los politécnicos universitarios, instituciones de clara influencia soviética (Fontquerni, Ribalta, 1982). Es curioso observar que en el mismo Plan General se hace una cuantificación de los tres tipos de alumnos que saldrán de la enseñanza obligatoria: los mal dotados (20%), los medios (73%) y los bien dotados (7%), esto sí, con el objetivo de que esta clasificación fuera resultado de la capacidad individual y no

---

74. Tampoco es despreciable la influencia que tuvo la pedagogía soviética en el pensamiento socialista europeo y sus propuestas de integración de la enseñanza profesional y la enseñanza humanista. En este sentido, es interesante recuperar la crítica que hacía Gramsci a la escuela profesional: "La escuela profesional no debe convertirse en una incubadora de pequeños monstruos áridamente instruidos para un oficio, sin ideas generales, sin cultura general, sin alma, sino sólo dotados del ojo infalible y de la mano firme. También a través de la cultura profesional puede brotar, del niño, al hombre. Siempre que sea cultura educativa y no sólo informativa, o no sólo práctica manual" (Gramsci, 1985:134).

un producto de las divisiones sociales. Se puede decir que el CENU asumió el ideal meritocrático por excelencia. Pero este ideal tuvo tres importantes obstáculos en el momento de ponerlo en práctica: en primer lugar, y como es habitual, la carencia de recursos económicos; en segundo lugar, la persistencia de desigualdades sociales:

"La igualdad de oportunidades, en una sociedad que apenas iniciaba un proceso profundo de reforma, era totalmente utópica e invalidaba, por un largo periodo de tiempo, el tan celebrado principio de promoción según la valía y la capacidad de cada cual. Este podría ser el punto que, considerado en toda su magnitud, obstaculizaría la aplicación realista del Plan –la adopción de la escuela única–, dado que intentaba remediar las injusticias sociales heredadas, a través del Politécnico de Adaptación –que estaba destinado a los obreros que, sin titulación previa, querían ingresar en la Universidad–, no contemplaba el hecho de la desigualdad inicial, que perduraría mucho tiempo, aunque la sociedad empezara este proceso de cambio" (Fontquerni, Ribalta, *op. cit.,* pág. 49).

Y el tercer problema es de carácter pedagógico:

"En la explicación de las bases mencionadas se reconocía la construcción de alumnos con diferentes capacidades, más adelante este problema es tratado desde el punto de vista de los perjuicios que la convivencia significaba, y, a la práctica, fue abandonado definitivamente"(*op. cit.,* pág. 49).

Es decir, incluso el planteamiento más unitario y en el contexto de más "fervor" revolucionario reconocía la dificultad de lo que más tarde se llamaría *comprensividad* en la enseñanza secundaria. Este es un tema que volverá con fuerza con el debate sobre la aplicación de la LOGSE.

El siguiente intento de regulación se hace en la época franquista, en clara contrarreforma educativa y social de lo que había representado la república. La Ley de Bases de Enseñanza Media y Profesional del año 1949 y la Ley de Formación Profesional Industrial del año 1955 marcan un nuevo intento de ordenación de la enseñanza media y de la enseñanza profesional. En el contexto dictatorial, en plena época de autarquía y de nacionalcatolicismo, las leyes educativas del franquismo vuelven al clasismo más duro del sistema liberal de enseñanza en el sentido de Lerena. La ley del 49 no cuestiona en absoluto el bachillerato selectivo, sino que diseña un bachillerato laboral al mismo nivel que el bachillerato elemental pero que no tuvo un desarrollo más que testimonial (Farriols *et al., op. cit.).* La ley del 55, en cambio, introduce un discurso más tecnocrático de adecuación a la incipiente industrialización que se estaba desarrollando al país. En parte, es una continuación del estatuto del 28, con la diferenciación de tres niveles en la jerarquía de FP: preaprendizaje,

aprendizaje industrial y maestría industrial. También recupera otras ideas como, por ejemplo, la participación de agentes sociales y la necesidad de extender la FP y el reciclaje a la población activa. A diferencia del estatuto del 28, se reglamentan de manera centralizada las titulaciones y especialidades, así como la relación con las categorías laborales que quedaban reguladas por las ordenanzas laborales.

Ni que decir tiene que de nuevo la aplicación de esta ley, vigente hasta la aplicación de la LGE el año 1975, quedó lejos de los objetivos planteados:

> "En cierta forma, los grandes objetivos políticos de estructurar una FP más adecuada a las futuras necesidades del sistema productivo fruto del incipiente discurso tecnocrático y del capital humano choca en parte con la inoperancia de la administración para el cambio, con la cultura empresarial y con la insuficiente financiación de la inversión en formación. La mayor parte de los objetivos con relación al reconocimiento de cualificaciones, la formación de aprendices por el sistema en alternancia, la formación continúa de los trabajadores, etc., no dejan de ser meras pantallas y formas de enmascaramiento de un sistema educativo prisionero de la administración burocrática del estado franquista y el sindicalismo vertical" (Casal *et al., op. cit.,* pág. 113).

En definitiva, la evolución del sistema educativo español hasta los años setenta nos muestra una segregación radical de la FP del sistema reglado, y además en una posición claramente marginal[75]. La elaboración de las reglas del juego del sistema educativo es prisionera de un capitalismo español claramente periférico y dependiente, que no elabora ni desde el punto de vista teórico ni desde el punto de vista aplicado un discurso sobre la cualificación y la formación de la mano de obra. Las limitaciones ideológicas tampoco permiten elaborar un discurso sobre la igualdad de oportunidades ni sobre la movilidad social; al contrario, muestran un clasismo sólo cuestionado en periodos de revuelta, además de un tradicionalismo en las costumbres que afectaban la división sexual del trabajo[76] y otros aspectos de la vida cotidiana.

---

75. Ante la escasa implantación de la FP, algunas grandes empresas crearon en los años 60 sus propios centros de formación, pero era por la necesidad que tenían de alfabetizar una mano de obra que provenía de las zonas rurales y con una escasísima escolarización. Estos centros fueron cerrando en la medida en que a partir de los años 70 se institucionaliza la FP, las tasas de escolarización se hacen prácticamente universales y empiezan a aparecer los síntomas de la crisis económica, que obliga a recortar gastos a las empresas (Quit, 2000).

76. Muy acentuado en el caso de la FP. Por ejemplo, a la hora de diseñar las especialidades, las chicas tenían cabida en «las Profesiones Femeninas» de la Ley del 49. La FP era una forma más de continuar asignando papeles tradicionales a hombres y mujeres.

Por otro lado, la posibilidad de la acción colectiva de los individuos estaba fuertemente limitada por los condicionamientos sociopolíticos. La división social del trabajo era muy marcada y las expectativas –u horizonte de clase– de movilidad no necesitaban el sistema educativo sino la movilidad geográfica, el paso de la agricultura a la industria urbana y la acumulación por la vía del trabajo intensivo. Se buscaba la movilidad colectiva que proclamaban los movimientos populares en el campo y en la ciudad, de forma intensa en los periodos de revuelta. Los grandes cambios sociales y económicos que empiezan a desarrollarse durante los años sesenta serán la condición previa para poder plantear una FP diferente, más integrada en el sistema educativo reglado, más articulada con el tejido productivo y más pensada para la promoción social y profesional de los individuos.

## 2.2.2. La reforma de la FP en la LGE

La Ley General de Educación, y anteriormente el Libro Blanco, plantea una transición hacia un sistema tecnocrático de enseñanza, en palabras de Lerena *(op. cit.,* pág. 109). El sistema liberal había entrado en crisis porque la escuela tenía que responder a nuevas necesidades sociales (tanto de reproducción como de movilidad), y se necesitaba un nuevo marco normativo que consolidara de alguna manera el escenario que se estaba creando. Dicho de otra forma, la construcción de las reglas de juego no era contingente sino que respondía a una situación socioeconómica determinada:

> "Lo que llamamos sistema de enseñanza tecnocrático no es un producto de los va y viene ministeriales, no ha sido un invento o creación de la Ley General de Educación (1970); ésta no ha hecho más que empezar a reconocerlo y tratar de regularlo y consagrarlo en una determinada configuración, más o menos acabada, más o menos paralela a la correspondiente a otros sistemas en igual fase y otros países" (Lerena, *op. cit,* pág. 251).

Más allá de un cierto determinismo y de una concepción lineal de la historia y de la sucesión de los modos de producción del pensamiento marxista, esta visión se da en un contexto real de transformación del mercado de trabajo, de la economía capitalista y de la estructura social, y estos fenómenos afectan de manera muy directa las funciones sociales de la escuela. El mismo Lerena apunta que esta nueva estructura de clases (salarización de las clases medias, burocratización, industrialización) hace una triple demanda a la práctica educativa escolar: disminución de las restricciones a la movilidad social, puesto que la diversificación de las clases sociales hace aumentar la lucha individual y por lo tanto la aumento de la demanda educativa se inscribe en las estrategias de movilidad ascendente; participación de la *intelligentsia* en la racionalización del aparato productivo, que cada vez necesita más aplicación de conocimiento científico para asegurarse aumentos de productividad; y una mayor neutralidad ideológica y más contenido tecnocientífico en los currículos (Lerena, *op. cit.*, pág. 253).

Esta modernización del sistema educativo se hace con la conexión de la FP con el sistema educativo, por primera vez en la historia de la educación española. Pero se hace una conexión en el sentido de lo que Baudelot y Establet llamaban la doble red (Baudelot, Establet, 1976): una red de escuela primaria y formación profesional corta de acceso a los oficios y ocupaciones de baja calificación (PP) y una segunda de escolarización larga a través de la secundaria y la superior (SS). En el diseño de la LGE, paradójicamente, no estaba explicitado de esta manera, más bien al contrario: la idea original era establecer un tronco común y unificado con salidas profesionalizadoras al final de cada nivel. La FP1 era la salida para los que acababan la EGB, la FP2 para los que acababan el bachillerato y la FP3 para los que acababan los primeros ciclos universitarios. De esta manera, la ley pretendía sustituir el modelo rígido de oficialía y maestría por un modelo en sintonía con las teorías meritocráticas del capital humano, con el objetivo de permitir la progresión de los individuos hasta el máximo de sus potencialidades, sus méritos y su valía personal.

Esta estructura definida en la LGE no es original, sino que responde a las corrientes de la época. De hecho, un informe sobre la organización de la FP al Québec del año 1962 (Gregoire, 1967) ya planteaba la FP como ciclos terminales tras cada ciclo de formación general, y se marcaba como objetivo que ningún adolescente dejara el sistema educativo sin una formación profesional específica. Esta FP se dividiría en dos *paliers*: uno de 2 años tras 8 años de escuela, que formaría los obreros cualificados o semi-cualificados, y un segundo de 2 años tras 9 o más años de escuela, para formar en los oficios cualificados. Esta FP superior daría acceso a la universidad y se podría conectar con la FP de menor rango a través de un curso puente.

La aplicación de la LGE siguió uno camino bien diferente de los objetivos propuestos. La entrada en vigor se caracterizó por un clima social, político y económico muy agitado:

"La LGE hizo frente a una notable contestación social y sus impulsores no fueron capaces de forzar la previsión de mecanismos adecuados de financiación de la reforma. Para colmo, el inicio de su aplicación coincidió con el inicio en España de la grave crisis económica mundial de mediados de los setenta. Demasiados obstáculos para los objetivos propuestos" (Farriols *et al., op. cit.*, pág. 42).

Pero fue la aprobación de un decreto de ordenación de la FP el año 1974 lo que configuró una auténtica "contrarreforma" (Planas, *op. cit.*) que comentaremos en el apartado siguiente.

En definitiva, la ley del setenta intenta configurar un subsistema de formación profesional basado sobre el papel en ciclos, es decir, en formaciones de corta duración (no más de dos años) de carácter "vocacional", después de una etapa de formación general y con puentes de acceso al mundo del trabajo. El contexto político e ideológico no permitía romper la división entre trabajo manual e intelectual a edades tempranas (puesto que tras la EGB la única salida para el alumnado que no obtenía el graduado era la FP1) y adelantar en la línea de la comprensividad que los países anglosajones estaban promoviendo (con las *comprehensive schools),* e incluso en Alemania se hizo una tímida reforma comprensiva en medio de un sistema fuertemente dividido entre estudios académicos y profesionales.

### 2.2.3. La contrarreforma de los años setenta

Los objetivos marcados en la LGE se desdibujaron en la práctica, y tras el decreto de regulación del año 74, la FP se convierte en un itinerario diferenciado y alternativo al tronco académico, que se convierte de nuevo en el punto de referencia de prestigio y propedéutico (Planas, *op. cit.).* Así se consolida la doble red o escuela dual:

– La FP1 queda como vía obligatoria para el alumnado que no ha superado la EGB. Este hecho, además de alargar la escolaridad obligatoria hasta los 16 años por vía de un decreto[77], condena la FP1 a una vía marginalizada y de segunda clase.

– Se permite la conexión entre la FP1 y la FP2 a través del Régimen de Enseñanzas Especializadas:

"En la práctica lo que tenía que ser la excepción se convirtió en la regla, y los alumnos que cursan 2º grado de FP en España, sólo un 4% lo hace con el Régimen General (a través de las enseñanzas complementarias) y el 96% lo hace bajo el régimen excepcional de Enseñanzas Especializadas" (Planas, *op. cit.,* pág. 82).

---

77. En palabras de Echevarría: "Curiosamente, de esta forma se consiguió 'el más difícil todavía', alcanzar por Decreto la escolaridad obligatoria hasta los 16 años" (Echevarría, 1993:172).

De hecho, la FP2 se convirtió en la continuación "natural" de la FP1 (para los que no la abandonaban) y con una duración de más de dos años.

- La FP3 no llegó a nacer. La carencia de reforma de la universidad, anclada todavía en un sistema muy tradicional, y la carencia de voluntad política hicieron inviable una formación profesional de nivel superior.
- La preparación para el mundo del trabajo queda en entredicho cuando el 80 por ciento del alumnado se agrupa alrededor de cuatro ramas profesionales, lo cual hace algo más que sospechar que la función de "aparcamiento" de estas ramas daba a los institutos de FP una imagen social desprestigiada, conflictiva y alejada del tejido productivo.

No todo es un balance negativo. En el activo tenemos que el gran crecimiento de la población adolescente escolarizada a lo largo de los años setenta y ochenta fue gracias a la expansión de la FP. Del curso 1975-1976 al curso 1989-1990 los estudiantes de FP prácticamente se triplican (de 300.000 a 840.000), y en cambio los estudiantes de BUP no llegan a doblarse (de 820.000 a 1.480.000). Esto significa que el peso de la FP en el total de alumnado escolarizado pasa del 27 al 36%[78]. Esto hizo que la masificación del bachillerato elemental anterior a la ley del 70 quedara menguada por la aplicación dc la ley, puesto que el efecto fue sobre todo en el crecimiento de la FP, "rama en la cual los alumnos sí crecieron enormemente, a consecuencia en buena parte de la inauguración de la rama administrativa, que amplió la FP a las mujeres, cuya presencia era casi nula antes" (Carabaña, 1997:94).

Otro activo fue el relativamente buen funcionamiento de la FP2, sobre todo en la década de los 80 (Farriols, *op. cit.,* pág. 44), con las prácticas en empresas y con una red de centros que se empiezan a relacionar con empresas de su entorno, aunque parten de una población escolar ya seleccionada, incluso con un porcentaje significativo de alumnado que proviene del BUP (Merino; Morell, 1998). Otro efecto de la Ley fue dar la capacidad al profesorado de decidir sobre la promoción de la EGB al BUP o la no-promoción (Carabaña, *op. cit.,* pág. 95).

Las razones de la contrarreforma son complejas y variadas, y no sólo afectan a la FP sino al sistema educativo en conjunto. Destacamos las siguientes (Planas, *op. cit.*):

---

78. Estos datos son extraídos del libro de Farriols ya citado a partir de fuentes del Ministerio de Educación.

- Carencia de voluntad política y carencia de cohesión y de identificación con los objetivos de la reforma de los equipos ministeriales encargados de la aplicación.
- La financiación insuficiente, que no hizo posible afrontar las inversiones necesarias en instalaciones y en el aumento de las tasas de escolarización.
- El contexto sociopolítico de contestación del tardofranquismo, que restó legitimidad a la ley.
- La influencia de los cuerpos de funcionarios docentes y la administración educativa, que supuso una fuerte inercia y una fuerte resistencia a los cambios propuestos en la ley.
- Las presiones en contra de sectores con un importante peso específico en el momento de la aplicación, como la Iglesia católica y el Sindicato Vertical. Ambas instituciones prácticamente habían monopolizado la enseñanza profesional y fueron de las más interesadas en mantener una línea de continuidad de la FP en un mismo centro, es decir, optar por la enseñanza especial que conectaba el primer grado con el segundo sin pasar por el bachillerato.

La división entre graduado escolar y certificado de escolaridad a los 14 años:

"La reforma del año 70 partía, en referencia a la enseñanza secundaria, con un defecto básico, derivado probablemente, de la legislación laboral de la época (que permitiría entrar a trabajar a los 14 años): la separación entre 2 tipos de enseñanza completamente distintos, BUP y FP, a los 14 años. Es probable que éste haya sido uno de los factores principales de la crisis que hoy sufre la enseñanza entre los 12 y los 16 años en España, y especialmente en el sector público, donde la incidencia de esta ruptura es absoluta, pues los centros que imparten EGB, BUP y FP públicos son distintos y separados" (Planas, *op. cit.,* pág. 84).

- También es probable que las estrategias familiares hayan tenido un papel en la consolidación de la doble red, puesto que, al final del primer grado de la FP, es más atractivo continuar el segundo grado que no tener que hacer el bachillerato (cosa que por otra parte no podía hacer la mayoría porque no tenía el graduado).

Y finalmente, una paradoja. Pese al establecimiento de la doble red escolar por la vía del decreto, la conexión de la FP1 con la FP2 tenía un carácter recuperador, aunque sólo para una minoría de estudiantes, que con un punto de partida de certificado de escolaridad podían llegar a una especialización mediana y con una buena inserción profesional, pese al academicismo de los estudios de primer y segundo grado de FP (Merino, Morell 2000).

En términos de división social del trabajo, es un sistema selectivo pero a la vez posibilita una continuidad en la socialización de trabajadores de baja y mediana calificación[79]. Un itinerario de FP tenía esta virtud, la posibilidad de seguir un itinerario largo de formación profesional sin necesidad de tener un título (el graduado escolar) y "recuperar" (insisto que para pocos casos) para los estudios a alumnos que tenían un fuerte rechazo a una enseñanza tan tradicional como el de la segunda etapa de EGB y que habrían incrementado el rechazo dentro el BUP. Son aquellos alumnos cuyos padres los califican a menudo de listos pero "que no sirven para estudiar" (Planas; Tatjer, 1982: 61).

## 2.2.4. La LOGSE y los objetivos de la reforma

La aplicación de la LGE empieza a la segunda década de los 70 y ya el año 1981 el gobierno de la UCD vuelve a plantear la necesidad de una nueva reforma de la enseñanza media. Los cambios sociales, políticos y económicos habían hecho obsoleta de manera muy rápida la regulación del sistema de enseñanza de la LGE (Puelles *et al., op. cit.,* pág. 49). En esta propuesta de reforma se analizaban los puntos críticos de la LGE: fracaso escolar al finalizar la EGB, la doble titulación y la ineficacia de la FP1. Y se ponían sobre la mesa propuestas como por ejemplo la escolarización hasta los 16 años en un tronco común obligatorio y gratuito (un Bachillerato General y Técnico) con dos salidas, la académica (bachillerato superior con diferentes modalidades) y la profesional (con duración variable).

Con todo, el informe publicado por la Comisión Interministerial para la FP (ver bibliografía) justifica la conexión de la FP de primer grado con la de segundo grado de la manera siguiente:

> "La realidad es que el Régimen General, al que se accede desde la formación profesional de primer grado, a través de un curso de enseñanzas complementarias de tipo teórico, ha tenido poca aceptación debido a la dificultad de superar este curso teórico que tiene que ser forzosamente muy denso para comparar los conocimientos científicos y humanísticos a los de Bachillerato y, por otra parte, interrumpe la formación de tipo técnico-práctica a la que están habituados estos alumnos. Por esta razón se ha seguido preferentemente el Régimen de Enseñanzas Especializadas que prosigue durante los tres cursos con regularidad la enseñanza combinada teórico-práctica" (pág. 51).

---

79. Precisamente, para algunos autores, alargar la escolaridad obligatoria, como fue el caso de la LGE de los 10 a los 14 años, no significó una menor selección, sino que la escuela veía reforzado su papel de clasificación a través del recorrido de sus redes (Lerena, *op. cit.,* pág. 262).

Este será el mayor problema, que se volverá a plantear más tarde con la LOGSE y la posible conexión del grado medio con el grado superior: ¿no será más fácil conectarlos con uno curso puente que no pierda el carácter tecnico-professional que con un curso de condensación (y compresión) del bachillerato?

Con respecto a los objetivos de la reforma, el informe propone para el ciclo obligatorio unificar los programas y retrasar la segregación de alumnos, reforzar la orientación académica y profesional y diversificar pero a la vez integrar educación general y profesional (pág. 200). Y para el ciclo post-obligatorio, "ofrecer una gama más vasta y realista de opciones en los estudios, reduciendo a la vez las distinciones jerárquicas entre la enseñanza general y la profesional, atenuando el problema de la irreversibilidad de las elecciones" (pág. 203). No se llega a proponer la misma titulación para las dos vías formativas pero sí que la FP no sea una vía terminal sino reversible.

No tardaron a salir las críticas a esta propuesta por sus contradicciones. Tenemos de nuevo el dilema de la comprensividad y la necesaria diversificación de currículos en la secundaria ("el misterio de la reforma, o la conciliación de los contrarios", Fernández Enguita, 1987:198). La crítica es la misma que había hecho Lerena a la LGE: la extensión de la escolaridad obligatoria transforma la selección social de estar dentro o fuera del sistema educativo a estar a las redes o vías de clasificación interna por la vía de la orientación escolar.

Desestimada la propuesta del Ministerio de Educación de la UCD, la necesidad de reformar la secundaria se hace más patente durante toda la década de los 80, con el gobierno socialista, que en este sentido continúa la discusión de nuevos ciclos y nueva organización del bachillerato y de la formación profesional. La novedad es la puesta en práctica de centros piloto que experimentan las propuestas que se discutían en el ámbito teórico. Con todo el bagaje de discusión y experimentación se llega a la promulgación de la LOGSE.

Alrededor de la reforma de la secundaria, y especialmente de la formación profesional, se plantean unas finalidades generales, bastante comunes en las reformas educativas europeas:

— Aumentar la igualdad de oportunidades: disminuir la selección por origen social del acceso a los estudios medios. Eliminar o disminuir el efecto de doble red (a partir de la doble titulación), que tiende a reproducir la clasificación entre trabajo manual e intelectual.
— Revalorizar la FP tanto en su imagen social como en la función de puente hacia el trabajo. Esta revalorización implica aumentar los requisitos académicos para el acceso y establecer una metodología «adecuacionista» de las especialidades profesionales respecto a los sectores productivos y las ramas profesionales, en

profunda transformación con la aparición del capitalismo informacional[80]. Esta revalorización tendría que desviar un porcentaje importante de alumnado de la vía académica universitaria[81].

Este nuevo planteamiento de la FP respondía a dos premisas fundamentales (Marchesi, 1998:445):

- "La extensión de la educación general es la mejor garantía para adaptarse a los cambios futuros. La especialización temprana o los cursos específicos para un empleo inmediato tienen el riesgo de preparar para un trabajo que puede desaparecer en poco tiempo. La formación general debe combinar la formación académica cono la formación más profesional. Esta formación profesional, presente en la educación secundaría, recibe la denominación de formación profesional de base".
- "La FP específica, tanto la de grado medio, que se cursa al término de la Educación Secundaría obligatoria, como la de grado superior, a la que se accede después del Bachillerato, debe ser el puente entre la educación general y el mundo laboral".

Así, la LOGSE define una FPR basada en ciclos de duración corta al acabar los diferentes niveles de la formación general (ESO y bachillerato), como sobre el papel ya planteaba la LGE. Además, diferencia entre la FP de basc y la formación profesional específica (FPE).

La primera estaría integrada en los ciclos obligatorios (Primaria y ESO) y formaría parte del currículo general (con la introducción de la asignatura de Tecnología en la ESO)[82], y la segunda serían los ciclos formativos de grado medio y de grado superior, sin conexión ni pasarela, y daría una formación suficiente dentro de un campo profesional limitado para encarar la transición a la vida activa: "No sería coherente cono este modelo conectar, a través de un curso puente, la FP de grado medio con la FP de grado superior. Se volvería al esquema de la LGE y conduciría

---

80. La metodología para el catálogo de títulos se basó en grupos de trabajo con expertos de los sectores productivos (según una clasificación hecha por el INEM) y expertos en docencia. Se trataba de definir funciones y subfunciones de cada proceso productivo y a partir de aquí deducir las necesidades formativas de cada familia profesional y el nivel de complejidad (de grado medio o grado superior). Con este proceso se llegó a un catálogo con 135 títulos (Casal *et al., op. cit*, pág. 194).

81. Aquí no está claro que sea una tendencia europea, puesto que algunas propuestas de ámbito europeo lo que dicen es que, por aumentar el estatus de la formación profesional, lo que se tiene que hacer es permitir el acceso a la educación superior y crear rutas de progresión dentro de los itinerarios de formación profesional (Green *et al.*, 2001).

82. En un nuevo intento tras el fracaso de la EATP al BUP (Blas, 1996).

a la pérdida de atractivo de la FP superior para aquellos alumnos que han cursado el bachillerato" (Marchesi, *op. cit.*, pág. 445). Más que volver al esquema de la LGE, se volvería a la esquema que supuso la contrarreforma de la LGE, ya explicada en el apartado anterior.

Para evitar la doble vía, pues, se exige la misma titulación para hacer Bachillerato y CFGM, y esto en teoría los hace del mismo valor. Esto se hace para evitar la doble red y la segregación de la FP como vía para los no aptos desde el punto de vista académico. De alguna manera, los CFGM se hacen selectivos y aparece el problema de cómo formar a los no formados[83]. Los programas de garantía social que prevé la ley no están conectados con los CFGM, ni se homologan con el graduado de ESO, lo cual hace que tengan poco valor de cambio.

Por otro lado, la exigencia de la misma titulación para hacer CFGS y acceder a la universidad está en la misma línea que el punto anterior. Aquí hay una clara intención que los CFGS se conviertan en alternativa a los ciclos universitarios cortos, en principio para proporcionar al mercado de trabajo técnicos medios. Los promotores de la reforma sitúan en un 30 por ciento el número de bachilleres que en vez de ir a la universidad optarán por los CFGS:

> "Hay que tener cuenta que la extensión de la educación obligatoria va a suponer un incremento de los alumnos que acceden al bachillerato, lo que conducirá a que un mayor número de alumnos lo terminen. Uno porcentaje importante de estos alumnos, alrededor del 30 por ciento, tienen que sentirse preparados y motivados para continuar sus estudios en la formación profesional superior" (Marchesi, *op. cit.*, pág. 452)[84].

---

83. Se trata del dilema reflejado por De Pablo: si se aumenta el nivel de la FP, se hace más difícil para la población que tiene problemas con los estudios (De Pablo, 1997). Este dilema tiene, según este autor, dos salidas posibles: la primera es rebajar el nivel de la FP para que todo el mundo llegue. Esta salida generaría el círculo vicioso que conocemos: desprestigio de la FP, poca valoración del mundo laboral, disminución de atractivo para los jóvenes, etc. La segunda salida es mantener el nivel y ayudar a los alumnos con dificultades, por ejemplo flexibilizando el currículo y permitiendo situaciones de estudios a tiempo parcial y/o alargando el horario de los ciclos para los alumnos con más dificultades. Esta segunda salida evitaría el círculo vicioso y haría entrar la FP en un círculo "virtuoso". El rechazo a la "contaminación" de la FP por el fracaso escolar *(op. cit.)* es compartido por otros autores que proponen una elevación del nivel de exigencia académica, "con el fin de que no se convierta en un coladero de los alumnos con bajos expedientes" (Latiesa, 1991: 47).

84. En Cataluña el Mapa Escolar de la Formación Profesional Específica estimaba que un 20% de los jóvenes de 16 años cursaría un CFGM y un 25% de jóvenes de 18 años un CFGS (Departament d'Ensenyament, 1998).

A esta afirmación se le pueden poner dos objeciones. La primera es que, como hemos visto antes, la extensión de la escolarización con la LGE frenó el crecimiento del Bachillerato (Carabaña, *op. cit.*); por lo tanto hará falta ver si este crecimiento en el número de bachilleres pronosticado se llevará a la práctica. La segunda es la orientación profesional que tiene que tener el 30% de cada promoción de bachilleres: no está claro que sea más atractivo matricularse en un CFGS que en un centro universitario, a no ser que sea como una segunda opción por no obtener lo suficiente nota de corte para estudiar la carrera deseada.

Con respecto al diseño de la estructura de la FPR planteada en la LOGSE, no difiere en lo elemental de los objetivos que ya se planteaba la LGE, aunque con condiciones de acceso a ciclos y PGS diferentes. En efecto, como acabamos de ver, el diseño de la LGE no planteaba la FP como ciclos separados de la enseñanza general, sino como niveles tras cada ciclo: un primer nivel tras la EGB, un segundo grado para los bachilleres y un tercer grado para los titulados universitarios. Como se puede comprobar, existe un gran paralelismo entre los CFGM y la FP de primer grado y los CFGS y la FP de segundo grado, siempre según el diseño de la Ley. La aplicación de la Ley con el decreto de ordenación del 74 configura una FP muy diferente, como acabamos de ver.

Aun así hay una diferencia importante de la LOGSE con respecto a la LGE, y es la exclusión de los suspensos de la FP. Al exigir la misma titulación para acceder al bachillerato que a los CFGM, queda el problema de los jóvenes que no consiguen el graduado de Secundaria al finalizar la ESO. Para estos jóvenes la LOGSE propone los programas de garantía social, que de hecho serían una reedición de la FP1 pero sin conexión, *a priori,* con los CFGM. Ideados desde una perspectiva asistencialista (el nombre ya es una muestra de esto)[85] y diseñados desde la desregulación y la externalización del sistema educativo, constituyen el escalón más bajo de la FP, en este caso no reglada[86]. La posibilidad de que los PGS sirvan de preparación para la prueba de acceso a los CFGM puede preparar el terreno para la reedición de la FP1 en principio terminal, pero en la práctica es la antesala de la FP2 o del abandono del sistema educativo.

Hará falta ver si esta conexión se hace dentro de la misma rama o familia profesional. Del mismo modo la conexión entre CFGM y CFGS también hará falta ver en qué familias profesionales se da más. Así, podremos tener dos escenarios diferentes:

---

85. Como destacaron la mayoría de los expertos consultados para un informe sobre el fracaso escolar en España para la Comisión Europea (Planas, Comas 1994).

86. Puesto que las escuelas-taller, cursos de formación ocupacional y de otros programas como el *YouthStart* son considerados PGS.

«Una oferta multivariada de formaciones terminales (basada en la metodología de las competencias), a las cuales las personas pueden acceder si consiguen asumir los requisitos de acceso" (Casal *et al., op. cit.,* pág. 381), o bien una conexión por familias profesionales en un itinerario formativo parecido a los que acabaron formándose con la regulación de la LGE.

## 2.3.  Las dimensiones de la contrarreforma

La pregunta clave es: ¿qué probabilidades hay de una segunda "contrarreforma"? ¿Las causas de la contrarreforma de la LGE son todavía vigentes? ¿Podemos asistir a una reedición con características propias de la regulación posterior a la ley con respecto a la FP?

Nuestra hipótesis es que sí, que se está entrando en una fase de contrarreforma o de reforma de la reforma, si no queremos dar una connotación peyorativa al término, pero con las circunstancias específicas de la década de los noventa y del previsible futuro más próximo. Veamos algunos aspectos clave.

### 2.3.1. Contexto político. Del voluntarismo al revisionismo

La reforma española se elabora en un contexto "de entusiasmo" (Rescalli, 1995) y se aplica en un contexto "revisionista". Este autor habla "de entusiasmo" porque el periodo que va del diseño a la aprobación, pasando por la discusión parlamentaria e incluyendo la experimentación, es muy corto. Además, la reforma española se sitúa a la «contra» con respecto a las tendencias europeas, puesto que la comprensividad ya estaba cuestionada. Además, y en clave más interna, la aplicación padece una escasez de recursos y una falta de implicación de todos los agentes implicados, pero sobre todo en una coyuntura política "revisionista", con un partido en el gobierno que no estaba de acuerdo con la LOGSE y no la apoyó.

Salvando las distancias, un fenómeno similar pasó con la LGE, elaborada por los sectores más aperturistas del régimen franquista y en un contexto de euforia económica y después aplicada en un contexto de fuerte crisis política y económica. La diferencia entre los periodos de gestación o elaboración y de aplicación es paralela en las dos leyes.

También es importante añadir que existe una excesiva confianza en el papel transformador de las leyes, de una manera parecida a lo que pasó en Francia en el orden económico (Crozier, *op. cit.*). Esta dimensión "voluntarista" o incluso "dirigista" se encuentra abocada a la contestación de agentes que ven perjudicada su situación (objetiva o subjetivamente) y a la generación de efectos no queridos.

## 2.3.2. Cambios en la escuela y en la estructura social

La escuela basada en la doble red, como hemos visto, tenía una finalidad reproductora de la división social del trabajo, como señalaron los teóricos de la reproducción. Ahora bien, eliminar esta doble red sin transformaciones significativas en esta división del trabajo puede provocar efectos no queridos que finalmente vayan en contra de los colectivos a los cuales se supone que tiene que beneficiar la unificación del tronco común. Dicho de otra manera, la FP de la LGE condenaba los no aprobados en la EGB a unos estudios secundarios, de menor prestigio y con institutos menos dotados, de segunda "zona" (Grignon, 1971:25), pero también ofrecía la posibilidad de promocionar en los estudios no académicos un porcentaje pequeño pero significativo de hijos de clases populares[87]. El problema grave estaba en el abandono de la FP1, pero en un sistema unificado obligaba a los individuos a pasar por la vía académica si querían promocionarse dentro del sistema educativo y, posteriormente, en la vida activa.

Se trata de una reedición del dilema de una escolarización igualitaria en un contexto desigual, con una división social del trabajo que pide diferentes especializaciones. Aunque esta división social del trabajo haya cambiado mucho en treinta años, no queda claro que una escuela más igualitaria genere una estructura social menos desigual (Boudon, 1983). Por otro lado, no parece fácil modificar las estrategias de movilidad o de distinción de las familias, que no aceptan la vía de la FP si no es como secundaria con respecto a la vía académica (para buena parte de las clases medias y también de las clases populares con hijos "que sirven para estudiar"), o que no quieren verse arrojadas a callejones sin salida como los PGS. Por fuerza esta situación tiene que llevar a los individuos y a los agentes sociales a presionar para modificar el sistema.

---

87. De hecho, esta promoción no deja de ser una paradoja de la FP para la perspectiva de las teorías de la reproducción. Según Grignon, la FP no puede estar destinada a la masa de los obreros, sino que tiene que seleccionar a la aristocracia obrera, a individuos que hacen de puente entre las clases dirigentes y las populares (Grignon, 1971).

### 2.3.3. Cambios en el sistema educativo

Las reglas de juego se modifican por el contexto y por la acción de los individuos. Con respecto al contexto, hay una pérdida de la orientación igualitaria y un aumento considerable de la visión más selectiva –encubierta bajo el discurso de la calidad y de la excelencia– del sistema escolar, así como una cierta reacción en contra de la pérdida del academicismo y del nivel escolar que supuestamente ha introducido la reforma alargando el tronco obligatorio hasta los 16 años e introduciendo formación tecnológica en esta etapa[88].

Esto reforzaría las medidas que alejan la FP del tronco académico, y dejaría de nuevo a los alumnos menos capacitados la vía profesionalizadora como la más adecuada.

Las inercias del sistema también hay que tenerlas en cuenta. No es fácil cambiar la estructura del sistema educativo a corto plazo sin que haya individuos y colectivos que salgan perjudicados (objetiva o subjetivamente) y, por lo tanto, que opongan resistencia a los cambios. También hace falta considerar la existencia de grupos de interés o de presión dentro del mismo sistema. La escuela privada que se había especializado en FP presionó para poder hacer los itinerarios de FP1 a FP2 con la LGE, y en la aplicación de la LOGSE también pueden salir instituciones que justifiquen la conexión entre los ciclos formativos por razones parecidas.

Además, el profesorado es el principal agente que puede garantizar el éxito de las reformas educativas, puesto que es quien las tiene que aplicar en la práctica cotidiana, en las aulas. Si el principio de comprensividad no está asumido, si las «culturas» son heterogéneas (por ejemplo, si provienen del BUP o de la FP), si las prácticas de evaluación son divergentes, si los núcleos más implicados en la reforma experimental están desmotivados... la aplicación de la reforma se verá comprometida en sus aspectos fundamentales (Masjuan, 1994).

Por otro lado, los flujos de alumnado y las tasas de escolarización de cada promoción en los diferentes niveles educativos también pueden provocar cambios sistémicos. Esto depende en buena parte de las estrategias de los individuos, como veremos enseguida.

---

88. En este contexto se sitúa el conflicto de las humanidades, provocado por la reforma de los primeros gobiernos del PP.

## 2.3.4. Los usos formativos de los individuos

Las opciones de los individuos –sean personales o familiares– se reflejan en los flujos. Por ejemplo, ¿si por acceder al Bachillerato y a los CFGM hay el mismo requisito, por qué razón los individuos se inclinarán por el segundo? Más bien la presión hacia el Bachillerato continuará, puesto que es la opción con más expectativas. Del mismo modo, si para acceder a la universidad o a los CFGS hace falta tener el Bachillerato, no parece probable que la opción mayoritaria sea la segunda, a no ser que se restrinja normativamente, cosa que, si se hace de manera coactiva puede suponer un conflicto social de grandes dimensiones[89], y de "manera persuasiva" difícilmente puede ajustarse a las expectativas actuales de familias y jóvenes.

Por otro lado, la falta de conexión de los CFGM con los CFGS tiene una serie de efectos perversos como, por ejemplo, el desinterés del profesorado, más motivado en los CFGS, y la derivación de los fracasos del Bachillerato a los CFGM. En definitiva, deja los CFGM en una situación débil que puede generar una demanda creciente de la conexión con el grado superior, cuestión que, además, puede generar un consenso social amplio.

## 2.3.5. Los usos empresariales

El mercado de trabajo español ha estado históricamente distanciado de la formación profesional y ha funcionado con un conjunto de estereotipos con respecto a esta formación: desfase recurrente entre necesidades de cualificación y oferta formativa, desconfianza respecto a la gente formada y falta de implicación en los centros formativos. Cambiar estos esquemas de funcionamiento requerirá más de una normativa que obligue a todo el alumnado de ciclos formativos a hacer prácticas en empresas.

Finalmente, faltará saber qué reconocimiento tendrán las nuevas titulaciones en las contrataciones de los diferentes sectores productivos, el uso de los ciclos formativos como formación continuada o reciclaje de personal activo y la competencia con los otros subsistemas de FP (ocupacional y continua).

---

89. Si, como recuerda Marchesi, las grandes huelgas de los años 86-87 fueron por pedir la supresión de la selectividad (Marchesi, 2000), ¿qué provocaría una reducción drástica de las plazas universitarias? Hace falta recordar que actualmente supera el 30% de cada promoción la que llega a la universidad.

## 2.4. Epílogo. Las nuevas leyes educativas y la formación profesional

Después de hacer este breve repaso por la historia de la formación profesional española, parece obligado hacer una reflexión final sobre el momento actual de cambio en las leyes educativas. La contrarreforma de la LOGSE se tradujo en dos leyes durante el gobierno del PP, la Ley de Calidad de la Educación, y la Ley de FP y de cualificaciones profesionales, que de nuevo volvían a cambiar las reglas de juego, cuando apenas se había aplicado la anterior legislación.

Cuando estas nuevas reglas apenas se han dibujado de nuevo aparece la posibilidad de otro cambio. La victoria del PSOE en marzo del 2004 ha provocado, entre muchas otras cosas, la paralización de la LOCE y el inicio de un nuevo y probablemente largo proceso de debate sobre la situación del sistema educativo. No parece, por lo visto hasta ahora (junio de 2005), que la FP sea uno de los temas de más tensión política, como los itinerarios de la ESO o la enseñanza de religión.

La LOGSE repitió algunos errores de la LGE, que sufrió su contrarreforma y dibujó el sistema educativo que conocimos en las décadas de los 80 y 90. El proyecto político del PP no se ha podido aplicar, ya que se ha visto paralizado por el nuevo entorno a partir de marzo del 2004. Uno de los aspectos más relevantes de las leyes educativas del PP han sido los aspectos ideológicos (como se puede comprobar en el preámbulo de la LOCE, con su exaltación de la "pedagogía del esfuerzo" en contra de la "trasnochada" "pedagogía del interés", o la eliminación de mecanismos democráticos de elección de director, en la ley de FP) y en la enseñanza secundaria obligatoria, con la instauración de los itinerarios, que instauran las prácticas de muchos centros de secundaria (Merino, *op. cit.*).

Con respecto a la FP, las posibilidades de la contrarreforma vendrán más por la nueva segregación de centros, con la potenciación de centros integrados de FP (que pueden impartir formación reglada, ocupacional y continua) que por la continuidad entre la FP de grado medio y la FP de grado superior. De forma curiosa, este tema es tratado lacónicamente por las leyes por la vía del decreto y se ha experimentado un curso puente o de promoción entre los dos ciclos, con muy buena aceptación entre el alumnado y con algunas reticencias del profesorado (Merino, 2002).

Así, por la vía de la demanda social y de normativa menor se modifica substancialmente el diseño legislativo. La historia se repite, aunque con formas nuevas, en la reproducción de la doble vía académica y profesional. De hecho, la certificación de los itinerarios dentro de la ESO es un reconocimiento de las dificultades de aplicar un tronco común, dificultades que ya se encontraron los reformistas más entusiastas de la república. Ahora bien, si con la LOGSE se excluía de la FP a los alumnos que no habían superado la ESO y se externalizaba el fracaso con los PGS, la LOCE ahondaba esta expulsión con los PIP antes de los 16 años, que no tendrá, probablemente, la función recuperadora que para algunos alumnos tuvo la FP1 de antaño. Las propuestas de debate surgidas del actual ministerio de educación[90], van en la línea de volver, aunque con cautelas, a la diversidad curricular gestionada con autonomía de los centros, y se niega que esta diversidad sea generadora de itinerarios. Respecto a la FP, se dice poca cosa más allá de las generalidades sobre la bondad de una buena formación para el trabajo, pero poca cosa más. Se apunta, también de forma muy breve, la posible conexión del grado medio con el grado superior, que de nuevo nos traerá la vía profesional larga.

El desarrollo de la ley de FP se está centrando en uno de los temas más discutidos en toda Europa: la articulación de los llamados subsistemas de FP (reglada, ocupacional y continua) y el reconocimiento, validación y acreditación de las competencias adquiridas por vías informales, a través de la experiencia laboral o de otras experiencias vitales (Echeverría, 2001). A ello se están dedicando el Instituto Nacional de las Cualificaciones con el Sistema Nacional de Cualificaciones y Formación Profesional, surgido por mandato de la ley. Pocas son las concreciones, exceptuando el proyecto ERA, impulsado por el INCUAL y con la participación de 7 comunidades autónomas, los agentes sociales y los representantes de 9 sectores productivos donde se ha aplicado una propuesta experimental de reconocimiento y validación de competencias adquiridas en la vida laboral (Ministerio de Educación y Ciencia, 2004). A pesar de que es una cuestión en la que la Comisión Europea, a través del CEDEFOP, está priorizando políticamente y poniendo recursos, nos tememos que no sea más que un intento de establecer un sistema de convalidaciones entre diferentes formas de aprendizaje que tiene graves limitaciones. En primer lugar, por el concepto mismo de subsistemas de formación profesional (Casal *et al.,* 2003), no está claro que se puedan comparar cosas de naturaleza tan distinta como la FPR, creada para jóvenes en su etapa de formación inicial, y la formación continua, creada para adultos ocupados ya formados que necesitan actualización o reciclaje. En segundo lugar, todas las demandas de reconocimiento reclaman la equivalencia con los títulos oficiales, es decir, los que da el sistema educativo. Esto puede provocar resistencias precisamente dentro del sistema educativo, en el profesorado (ya que, si para obtener un título sólo basta la experiencia profesional, ¿qué papel les queda a los profesores?), o puede devaluar los títulos si se oficializan vías paralelas de obtenerlos. Sería una cierta paradoja que después de un siglo de intentar institucionalizar la FP, con sus avances y retrocesos, con la legitimidad de

---

90. La educación de calidad entre todos para todos, disponible en la página web del Ministerio, www.mec.es.

un sistema público de educación, el discurso dominante de lo valioso de la experiencia adquirida en el lugar de trabajo pueda debilitar los débiles avances que se han hecho en España, si se compara con otros países europeos. Y sería peligroso extender este discurso a los jóvenes que salen de la escuela sin la mínima titulación, pensando que los dispositivos de formación ocupacional o el reconocimiento de la experiencia laboral les compensará la falta de competencias básicas, porque lo que acostumbra a pasar es que estos dispositivos tienden a reforzar precisamente los individuos con más nivel educativo.

El tiempo dirá –si se investiga– los resultados de las novedades dibujadas en la ley de FP y de cualificaciones. No deja de ser curioso que, así como en la LOCE una de las primeras medidas del gobierno socialista fue la paralización de su aplicación, con esta ley existe un mayor consenso social, refrendado por los agentes sociales. Y el consenso siempre tiene dos caras: da estabilidad y protege de alguna forma de los cambios de gobierno, pero también puede suceder que sirva para eludir o desviar la discusión. Esperemos que no sea el caso de la formación profesional.

## 2.5. Referencias bibliográficas

AA.VV. (1981). *Formación profesional en España: situación y perspectivas*. Madrid: Ministerio de Economía y Comercio.

Baudelot, CH.; Establet, C. (1976). *La escuela capitalista en Francia*. Madrid: Siglo XXI.

Blas, P. (1996). "La educación secundaria en el sistema educativo español". Puelles, M. (coord.) *Política, legislación e instituciones en la educación secundaria*. Barcelona: ICE del UB-Horsori (Col. Cuadernos de Formación del Profesorado), Pág. 47-70.

Blasco, J.A.; Planas, J. (1984). "Innovación tecnológica, cambios organizativos y formación". *Elementos para una nueva Formación Profesional*. Barcelona: ICE de la UAB.

Boudon, R. (1983). *La desigualdad de oportunidades. La movilidad social en las sociedades industriales*. Barcelona: Laia.

Carabaña, J. (1997). "La pirámide educativa". AA.VV. *Sociología de las instituciones de educación secundaria.* Barcelona: ICE-UB y Horsori (Cuadernos de Formación del Profesorado). Pág. 90-107.

Caron, J.C. (1996). "La segunda enseñanza en Francia y en Europa, desde finales del siglo XVIII hasta finales del siglo XIX: colegios religiosos e institutos". Levi, P. (coord.) *Historia de los jóvenes. II. La edad contemporánea.* Madrid: Taurus.

Casal, J.; Colomé, F.; Comas, M. (2003). *La interrelación de los tres subsistemas de Formación Profesional en España.* Madrid: FORCEM.

Collins, R. (1989). *La sociedad credencialista. Sociología histórica de la educación y la estratificación.* Madrid: Akal.

Crozier, M. (1984). *No se cambia la sociedad por decreto.* Alcalá de Henares: Instituto Nacional de Administración Pública.

De Pablo, A. (1997). "La nueva formación profesional: dificultades de una construcción". *Reis,* núm. 137. Págs. 137-161.

Departament d'Ensenyament. (1998). *Mapa Escolar de Catalunya. Formació Professional Específica.* Barcelona. Generalitat de Catalunya. Departament d'Ensenyament.

Durkheim, E. (1989). *Educación y sociología.* Barcelona: Península.

Durkheim, E. (1992). *Historia de la educación y de las doctrinas pedagógicas. La evolución pedagógica en Francia.* Madrid: La Piqueta.

Echevarría, B. (1993). *Formación Profesional. Guía para el seguimiento de su evolución.* Barcelona: PPU.

Echeverría, B. (2001). "Configuración actual de la profesionalidad". *Letras de Deusto.* Vol. 31, núm. 91 Págs. 35-56.

Farriols, X.; Francí, J.; Inglés, M. (1994). *La Formación Profesional en la LOGSE. De la ley a su implantación.* Barcelona: Horsori-ICE de la UB.

Fernández Enguita, M. (1987). "La enseñanza media, encrucijada del sistema escolar". Lerena, C. (ed.) *Educación y Sociología en España.* Madrid: Akal. Págs. 197-225.

Fernández Enguita, M. (1990). *La cara oculta de la escuela.* Madrid: Siglo XXI.

Fontquerni, E.; Ribalta, M. (1982). *L'ensenyament a Catalunya durant la guerra civil. El CENU.* Barcelona: Barcanova.

Gramsci, A. (1985). *La alternativa pedagógica.* Barcelona: Hogar del Libro.

Green, A.; Leney, T.; Wolf, A. (2001).*Convergencias y divergencias en los sistemas europeos de educación y formación profesional.* Barcelona: Pomares. .

Grégoire, R. (1967). *L'éducation professionnelle.* París: OCDE.

Grignon, C. (1971). *L'ordre des choses. Les fonctions sociales de l'enseignement technique.* París: Les Éditions de Minuit.

Köhler, C. (1994). "¿Existe un modelo de producción español? Sistemas de trabajo y estructura social en comparación internacional". *Sociología del trabajo.* Núm. 20, págs. 3-31.

Latiesa, M. (1991). *Los jóvenes ante el sistema educativo.* Madrid: CIS (Col. Estudios y Encuestas).

Lerena, C. (1991). *Escuela, ideología y clases sociales en España.* Barcelona: Aries.

Marchesi, A.; Martín, E. (1998). *Calidad de la enseñanza en tiempos de cambio.* Madrid: Alianza (Col. Psicología y Educación).

Marchesi, A. (2000). *Controversias en la educación española.* Madrid: Alianza.

Masjuan, J.M. (1994). *El professorat d'ensenyament secundari davant la Reforma.* Barcelona: ICE de la UAB.

Merino, R. (2002). *De la contrareforma de la formació professional de l'LGE a la contrareforma de la LOGSE. Itineraris i cicles de formació professional després de l'ensenyament secundari comprensiu.* UAB. Tesis doctoral.

Merino, R.; Morell, S. (2000). *La transició professional de l'alumnat de secundària. Estudi de tres promocions de formació professional de l'Ajuntament de Barcelona (1995-98).* Barcelona: IMEB (mimeo).

Merino, R.; Morell, S. (1998). *Els dispositius locals de formació i d'inserció social i professional dels joves: revisió, diagnòstic i prognosi. Estudi de cas: el municipi de Rubí.* Barcelona: IMEB (mimeo).

Ministerio de Educación y Ciencia. (2004). *Proyecto ERA, Evaluación Reconocimiento y Acreditación de las Competencias Profesionales.* 3 tomos. Madrid.

Perrot, M. (1996). "La juventud obrera. Del taller a la fábrica". Levi, P. *Historia de los jóvenes. II La Edad Contemporánea.* Madrid: Taurus. Págs. 125-139.

Planas, J. (1986). "La Formación Profesional en España: evolución y balance". *Educación y Sociedad.* Núm. 5, págs. 71-112.

Planas, J.; Comas, M. (1994). *Prévention de l'échec scolaire et de la marginalisation des jeunes dans la période de transition de l'école à la vie adulte et professionnelle en Espagne.* Barcelona: IMEB (mimeo).

Planas, J.; Tatjer, J.M. (1982). *Implicacions i problemes de la reforma de l'ensenyament mitjà.* Barcelona: ICE de la UAB.

Puelles, M. (1991). *Educación e ideología en la España contemporánea.* Barcelona: Labor.

Puelles, M. (coord.) (1996). "Política, legislación e instituciones en la educación secundaria". Barcelona: ICE del UB-Horsori (Col. Cuadernos de Formación del Profesorado).

Quit (2000). *¿Sirve la formación para el empleo?* Madrid: Consejo Económico y Social.

Rescalli, G. (1995). "Il cambiamento nei sistemi educativi. Processi di riforma e modelli europei a confronto". *La Nuova Italia.* Firenze.

Viñao Frago, A. (1982). *Política y educación en los orígenes de la España contemporánea. Examen especial de sus relaciones en la enseñanza secundaria.* Madrid: Siglo XXI.

# 3. LA FORMACIÓN PROFESIONAL Y LA FORMACIÓN DEL PROFESORADO DE FP EN ESPAÑA: APROXIMACIONES A LA DEFINICIÓN DE CUALIFICACIONES Y ESTÁNDARES[91]

**Joaquín Gairín Sallán**[92]
**Miquel Àngel Essomba Gelabert**
**Katia Pozos Pérez**
**Aleix Barrera Corominas**

## 3.1. Introducción

Además de los cambios en diversos órdenes que el sistema educativo español ha sufrido en los últimos 22 años, sobre todo con el cambio de normativa legal —LOECE[93] (1980), LODE[94] (1985), LOGSE[95] (1990), LOPEG[96] (1995), LOCE[97] (2002, anulada), LOE[98] (2006, actual)— (Bricall, 2000), el impacto y los cambios que el contexto global y el tratado de Bolonia han supuesto para todos los sistemas educativos en la UE inicialmente parecen demasiado densos y confusos y están provocando que los sistemas escolares tengan dificultades en su asimilación e implantación con la garantía de una adecuada aplicación.

Las últimas propuestas por parte de la organización de las enseñanzas universitarias en España (MEC, 2006) van en consonancia con los objetivos de la actual reforma de la Ley Orgánica de Universidades (LOU), con las recomendaciones de la OECD y con las de la Unión Europea. La idea es que España, al unísono con los países miembros de la UE, se armonice con el Marco Europeo de Cualificaciones

---

91. Este capítulo ha sido elaborado a partir del proyecto titulado "The Development of Transnational Standards for Teacher Training for Technical and Vocational Education and Training with a Multidisciplinary and Industrial Orientation", cofinanciado por el programa de Cooperación de la Unión Europea EU-Asia-Link y desarrollado conjuntamente por Alemania, Indonesia, Malasia y España.
92. Coordinador del equipo español, en la Universidad Autónoma de Barcelona. joaquin.gairin@uab.cat
93. LOECE: Ley Orgánica del Estatuto de Centros Escolares.
94. LODE: Ley Orgánica Reguladora del Derecho a la Educación.
95. LOGSE: Ley Orgánica de Ordenación General del Sistema Educativo.
96. LOPEG: Ley Orgánica de Participación, Evaluación y Gobierno de los centros docentes.
97. LOCE: Ley Orgánica de Calidad de la Educación.
98. LOE: Ley Orgánica de Educación.

para la Educación Superior, respete los acuerdos del proceso de Bolonia y se ajuste a otros sistemas competitivos y de interés para España en el contexto mundial.

En el informe sobre la situación en España realizado por los profesores Joaquín Gairín y Miquel Essomba, "Scientific Report About Standards: Current Situation of Competencies on Teacher Training and Teacher Training of Vocational Education Teachers" (2007), se enmarcan los principales aspectos de dicho contexto global y los cambios que han supuesto en el sistema educativo español, especialmente en el sistema educativo superior y universitario.

En ese informe también se señala que las enseñanzas universitarias en España se organizan en tres ciclos, en función de los acuerdos derivados para la construcción del Espacio Europeo de Educación Superior (EEES), y se corresponden a tres niveles de cualificación universitaria denominados **Grado, Máster y Doctor**, todo ello de acuerdo con la decisión adoptada por la gran mayoría de los países europeos y con el pacto logrado en la Conferencia de Ministros Europeos de Educación Superior de Bergen (2005). Esta conferencia tuvo como objetivo el establecimiento de un marco europeo de cualificaciones para la educación superior basado en los denominados descriptores de Dublín (Bricall, 2000), también expuestos en dicho informe. Así mismo se presenta una descripción de la situación de la Formación de Formadores en España, así como una descripción general de competencias, funciones y roles del profesorado de Formación Profesional.

A la luz de este marco, el objetivo de este artículo es una aproximación hacia la situación actual de la estructura de la Formación Profesional en España dentro del sistema educativo y su marco legal, especialmente en lo que respecta al profesorado, su formación y a las cualificaciones que señala la legislación vigente (LOE, LOU[99] y Ley de Cualificaciones Profesionales, básicamente), que nos permita vislumbrar y describir un panorama enfocado a la construcción de cualificaciones y estándares de formación del profesorado de FP en el país (para la posterior construcción de estándares trasnacionales), complementario al marco europeo de cualificaciones.

En este punto, y para la mejor comprensión y manejo del texto, se presentan algunas definiciones:

Una **cualificación profesional** es el **"conjunto de competencias profesionales con significación para el empleo que pueden ser adquiridas mediante formación modular u otros tipos de formación, y a través de la experiencia laboral"** (Ley Orgánica 5/2002, de las Cualificaciones y de la Formación Profesional). Se entiende

---

99. LOU: Ley Orgánica de Universidades.

que una persona está cualificada cuando en el desarrollo de su campo de trabajo obtiene los resultados esperados, con los recursos y el nivel de calidad esperados.

Desde un punto de vista formal, una cualificación es el conjunto de competencias profesionales (conocimientos y capacidades) que permiten dar respuesta a las ocupaciones y puestos de trabajo con valía en el mercado laboral, y que pueden ser adquiridas a través de entrenamiento o experiencia laboral.

Una **competencia profesional** se define como **"el conjunto de conocimientos y capacidades que permitan el ejercicio de la actividad profesional conforme a las exigencias de la producción y el empleo"** (Ley Orgánica 5/2002, de las Cualificaciones y de la Formación Profesional).

La competencia de una persona abarca el rango completo de sus conocimientos y capacidades en el ambiente personal, profesional o académico, adquirido por diferentes vías y en todos los niveles, desde los básicos hasta los más altos.

A la vez, la norma mencionada conceptualiza la unidad de competencia como el mínimo *"attaché* de competencias profesionales, susceptible de reconocimiento y acreditación parcial".

Más específicamente, a partir del borrador de "TT-TVET (Teacher Training – Training of Vocational Education and Training)", documento de trabajo sobre estándares desarrollado por Dittrich, Kämäräinen y Spötl (2007), un **indicador de calidad** consiste en la **designación de una condición actual y el establecimiento de una situación final o meta**. El indicador de calidad debe ser designado de tal forma que indique claramente el cambio necesario. Es crucial que el cambio, por un lado, describa la innovación, y por otro lado, esté expresamente enfocado al área de calidad.

Dittrich, Kämäräinen y Spötl también establecen que el **estándar debe ser el que describa los requerimientos (mínimos, máximos o medios) para el cambio**, y debe ser descrito de tal forma que muestre claramente qué cambios deben ser previstos en términos de mejora de la calidad.

## 3.2. *La Formación Profesional en España*

La Formación Profesional (FP) en España, así como su estructura, marco legal y agentes, no ha sido la excepción en esta época de cambios acelerados y vertiginosos, y, de forma similar a la estructura del sistema educativo español, la FP ha sufrido una serie de cambios que pretendemos mostrar gráficamente en la estructura actual del sistema educativo derivado de la Ley Orgánica de Educación (LOE).

Cabe mencionar que de la legislación previa (LOGSE, 1990) del sistema educativo español, hay todavía algunos aspectos en funcionamiento; sin embargo, en el presente documento nos referimos a la actual legislación educativa (LOE, 2006) debido a que ésta es la principal meta del sistema. Únicamente nos referiremos a la legislación anterior en aquellos casos en los que algunos aspectos estén todavía operativos. Por tal motivo indicamos las fechas del calendario oficial; se presentan también los calendarios de ordenamientos y cambios para la transferencia de un esquema a otro, que nos permitirán hacernos una idea del estado actual de la situación española.

Centraremos inicialmente la atención en la Formación Profesional y posteriormente en la formación del profesorado de FP.

Años atrás, al hablar de la Formación Profesional se entendía como un aspecto separado de las enseñanzas universitarias o de la educación superior, o bien como un aspecto de menor jerarquía. Tejada (2003) está de acuerdo en que esta falsa idea prevalecía en el pasado, pero cree que, afortunadamente, esta brecha entre la Universidad y la Formación Profesional se está estrechando cada vez más, debido principalmente al desarrollo de la nueva legislación y especialmente de la nueva Ley de las Cualificaciones y de la Formación Profesional. Al respecto, los autores de este trabajo consideran igualmente que la relación Universidad–Formación Profesional en España es cada vez más estrecha, a pesar de que en tiempos pasados existían prejuicios que se espera que se atenúen y desaparezcan en un futuro próximo.

La relación o vínculo principal y/o punto de convergencia entre la Formación Profesional y la Universidad en España reside en el aspecto de la educación continua y el aprendizaje a lo largo de la vida. Los cambios acelerados que caracterizan a la sociedad actual requieren una continua puesta al día y la adquisición de nuevas competencias para adaptarse a las nuevas demandas.

Estamos de acuerdo nuevamente con Tejada (2003) cuando apunta que cada vez está siendo tomada más en cuenta la dimensión profesionalizadora de la Universidad. Así se propone en el proyecto de Real Decreto (pendiente de aprobación), en el que se establece que para aquellos que han obtenido un grado se facilitará el acceso al empleo, al mismo tiempo que se garantiza su compatibilidad con la carrera profesional establecida en la Ley 7/2007, de 12 de abril, del Estatuto Básico del Empleado Público.

De forma similar, la FP no sólo se enfoca a la cualificación o al desarrollo de competencias específicas para el mercado laboral, sino que cada vez más se centra en la adquisición de conocimientos y competencias generales e integrales que permitan adaptarse al mundo cambiante. Se entiende también que una persona no se dedicará necesariamente a la misma profesión toda su vida o que no siempre se desenvolverá en el mismo puesto de trabajo o empresa, así que prevalecerá el aspecto del aprendizaje a lo largo de la vida y la formación y educación continua.

La estructura de las enseñanzas universitarias está en estos momentos no solo afrontando los retos presentados por el Espacio Europeo de Educación Superior (EEES), sino conformando un marco contiguo hacia las estructuras de la Formación Profesional, como puede apreciarse en el siguiente esquema.

### Sistema educativo - LOE (2006)

— Enseñanzas mínimas del segundo ciclo de Educación Infantil.
— Enseñanzas mínimas de Educación Primaria.
— Enseñanzas mínimas de Educación Secundaria Obligatoria.
— Ordenación general de la Formación Profesional.
— Enseñanzas profesionales de Música.
— Enseñanzas profesionales de Danza.
— Enseñanzas de Idiomas.
— Estudios universitarios oficiales de Grado y Postgrado.

## Estructura del sistema educativo español - LOE (2006)

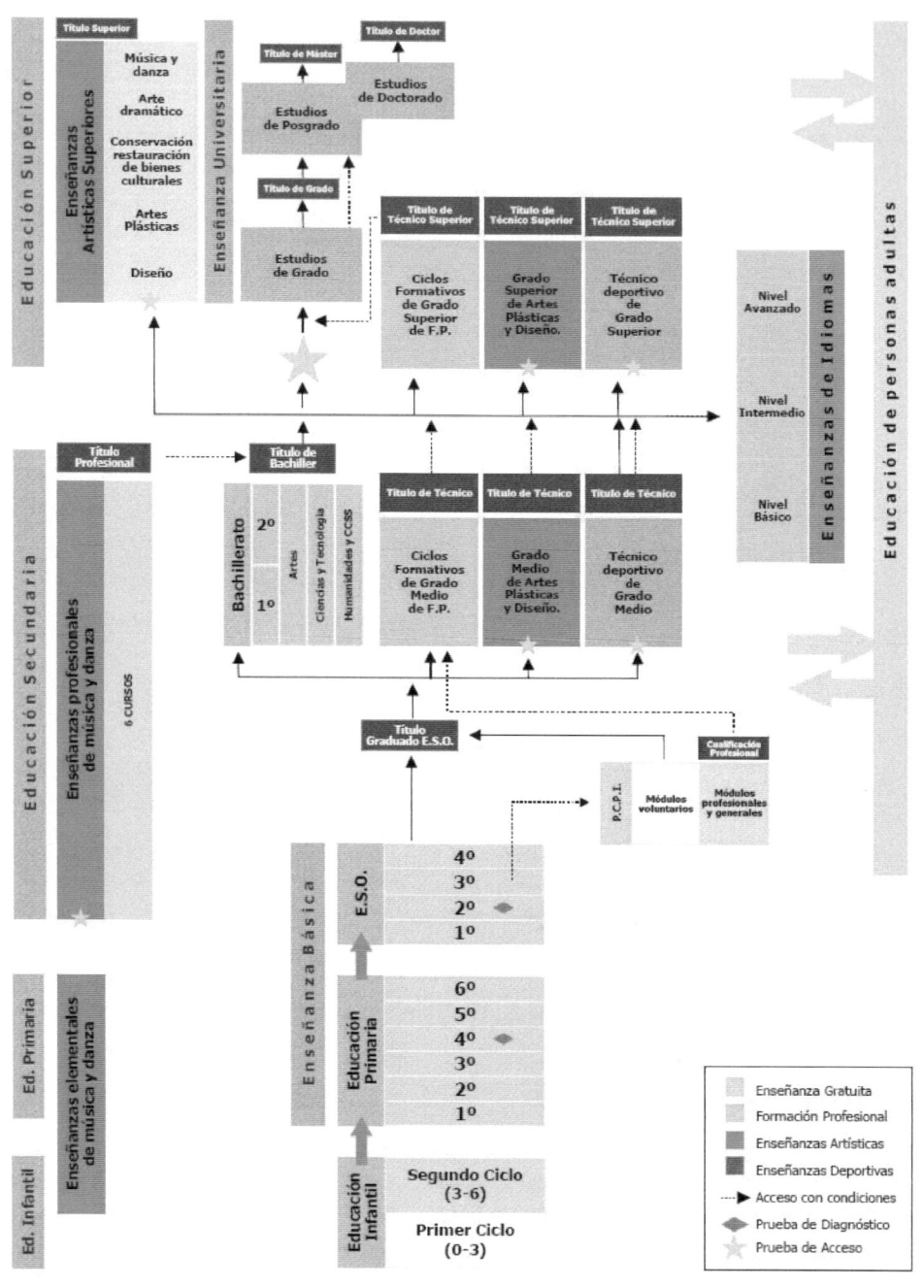

La estructura de la LOGSE permanecerá en vigor en tanto se proceda a la total implantación de la LOE. El calendario de aplicación establece que la implantación de las titulaciones correspondientes a los estudios de Formación Profesional y de los respectivos nuevos currículos comenzará entre 2007-2008 y deberá completarse dentro del plazo de aplicación de la Ley Orgánica 2/2006, de 3 de mayo (LOE), de acuerdo con las exigencias del Sistema Nacional de Cualificaciones y de la Formación Profesional.

La LOE define la Formación Profesional como un conjunto de acciones formativas que capacitan para el desempeño cualificado de las distintas profesiones, el acceso al empleo y la participación activa en la vida social, cultural y económica.

La Formación Profesional se estructura a partir de un conjunto de ciclos formativos de grado medio y grado superior que tienen como finalidad preparar a los alumnos y alumnas para la actividad en un campo profesional y facilitar su adaptación a las modificaciones laborales que puedan producirse en su vida, así como contribuir a su desarrollo personal y al ejercicio de la ciudadanía democrática.

La Ley Orgánica 5/2002, de 19 de junio, de las Cualificaciones y de la Formación Profesional, ordena un sistema de cualificaciones y acreditación de Formación Profesional que responda eficazmente a la sociedad en las modalidades formativas ofertadas por las administraciones educativas: la Formación Profesional Inicial o Reglada, la Formación Profesional Ocupacional y la Formación Profesional Continua. Con este fin se conforma el **Sistema Nacional de Cualificaciones y Formación Profesional**.

a) **La Formación Profesional Inicial o Reglada** se imparte a través de los correspondientes ciclos de Grado Medio y Superior y de los Programas que están orientados a los alumnos que no han obtenido la titulación en sus estudios de ESO. Actualmente existe un total de 142 perfiles, entre los títulos de Grado Medio y de Grado Superior, agrupados en 22 familias profesionales que recogen los desempeños de la mayor parte de los sectores productivos. Se trata de una oferta formativa de larga duración (entre 1.400 y 2.000 horas) que tiene como finalidad la preparación de los alumnos en un campo profesional amplio, proporcionándoles una formación polivalente que les permita adaptarse a las modificaciones laborales que se producirán a lo largo de su vida activa (WorldSkills, 2007).

b) **La Formación Profesional Ocupacional** es la que se imparte a las personas desempleadas y es competencia de la Administración Laboral. Como política activa de empleo, se dirige prioritariamente a potenciar la reinserción profesional de los desempleados mediante la cualificación o puesta al día de sus competencias profesionales, en el marco del Plan Nacional de Formación e Inserción Profesional (Plan FIP).

El Ministerio de Trabajo elaboró un Repertorio de Certificados de Profesionalidad que incluye 134 perfiles de ocupación y su correspondiente itinerario formativo, con una duración muy diversa: entre 60 y 700 horas (WorldSkills, 2007).

c) **La Formación Profesional Continua** es el conjunto de acciones formativas que llevan a cabo las empresas, los trabajadores o sus respectivas organizaciones, dirigidas tanto a la mejora de las competencias y cualificaciones como a la recualificación de los trabajadores ocupados. Las actividades de formación se orientan a través de las normas emanadas de la Fundación de Agentes Sociales y la Administración Laboral. Esta oferta formativa tiene una duración media de 50 horas (WorldSkills, 2007).

### 3.3. La formación del profesorado de FP

Para hablar de la formación del profesorado de FP comenzaremos con la presentación de las titulaciones mínimas y de las condiciones que deben poseer los profesores para impartir Formación Profesional específica en los centros privados y en determinados centros educativos de titularidad pública establecidos en la Orden de 23 de febrero de 1998 (BOE del 27), derivada de la LOGSE. Es importante mencionar que la nueva ley contempla que la formación inicial del profesorado en general se adaptará al sistema de grados y postgrados del EEES.

### 3.4. Titulaciones mínimas para el profesorado de FP

Para impartir enseñanzas de Formación Profesional en el Estado español se exigen, de manera general, los mismos requisitos de titulación y formación que para la Educación Secundaria Obligatoria (ESO) y Bachillerato:

1. Tener el título de licenciado, ingeniero o arquitecto o el título de Grado equivalente, además de...
2. La formación pedagógica y didáctica de nivel de Postgrado, que se adquiere a través de:

   a) **El Certificado de Aptitud Pedagógica, o CAP:** es el título actualmente vigente y se obtiene a través de un curso específico (curso para la obtención del CAP). Su objetivo es proporcionar una formación inicial psicopedagógica y didáctica a los licenciados y diplomados que quieren dedicarse profesionalmente a la enseñanza en Educación Secundaria, es decir, a ser profesor en los cursos de la ESO, 1º y 2º de Bachillerato y Ciclos de Formación Profesional. Es importante señalar que están exentos de obtener este certificado los titulados en Pedagogía, Psicopedagogía y Magisterio, además de aquellas otras personas que han ejercido la docencia durante dos cursos completos, ya sea en centros públicos o privados. Este título será sustituido por...

b) **El Título de Especialización Didáctica o TED.** El Real Decreto 1318/2004, de 28 de mayo, regulaba la futura implantación de este título que sustituiría al CAP. Estaba previsto que entrara en funcionamiento en el curso 2006-2007, pero se ha demorado su aparición y ahora el Ministerio de Educación ha decidido elevar la dificultad a nivel de máster. A pesar de que el TED ya estaba regulado para sustituir al CAP, la única habilitación que es posible obtener al día de hoy es el CAP. Las diferencias fundamentales entre ellos son, por un lado, la mayor duración del TED –correspondiente a los estándares de un máster–, la dificultad de acceso, un coste de matriculación notoriamente superior y la obligatoriedad de estar en posesión del mismo para todos aquellos que quisieran ejercer la docencia en Secundaria.

Más recientemente, en el artículo 13 del Real Decreto 276/2007, de 23 de febrero, por el que se aprobó el Reglamento de ingreso, acceso y adquisición de nuevas especialidades en los cuerpos docentes, los requisitos generales para aspirar a ingresar en dichos cuerpos docentes sufrieron las siguientes adecuaciones:

A) Para el Cuerpo de **Profesores de Enseñanza Secundaria** se requiere:

a. Estar en posesión del título de doctor, licenciado, ingeniero, arquitecto o el título de Grado correspondiente u otros títulos equivalentes a efectos de docencia.

b. Estar en posesión de la formación pedagógica y didáctica referida en el artículo 100.2 de la Ley Orgánica 2/2006, de 3 de mayo, de Educación.

B) Para el ingreso en el Cuerpo de **Profesores Técnicos de Formación Profesional** se requiere:

a. Estar en posesión de la titulación de diplomado universitario, arquitecto técnico, ingeniero técnico o el título de Grado correspondiente u otros títulos equivalentes a efectos de docencia.

b. Estar en posesión de la formación pedagógica y didáctica referida en el artículo 100.2 de la Ley Orgánica 2/2006, de 3 de mayo, de Educación.

## 3.5. *La formación pedagógica y didáctica para ejercer docencia en la FP*

En la práctica no existe un modelo único de programa de CAP que sea válido para toda España. Esto se debe a que las competencias educativas corresponden en gran medida a las comunidades autónomas y a la propia Universidad. Por ello, aspectos como los contenidos del curso, los horarios, las modalidades de estudio, los requisitos de acceso e incluso las tasas de matriculación, difieren en función del centro en el que vaya a realizarse (Gallardo, 2007).

El curso para la obtención del certificado supone la superación de 10 a 30 créditos (entre 100 y 300 horas lectivas), que se distribuyen en una parte teórica y otra parte práctica, que varía en función de lo que establezca la Universidad que imparta el curso.

En cuanto a los contenidos, la parte teórica consta de módulos generales obligatorios para todos los alumnos, que versan sobre aspectos psicológicos, sociológicos y pedagógicos relacionados con las características organizativas y curriculares de la Educación Secundaria.

Los módulos de Didácticas Específicas, que son a elección del alumno, se corresponden con la didáctica de la especialidad y tratan sobre los aspectos didácticos de la enseñanza en ese campo científico. Normalmente las universidades ofrecen alrededor de 10 especialidades didácticas que son elegidas por los alumnos, en la mayoría de los casos en función de los estudios que hayan realizado.

Por lo que se refiere a la parte práctica, el alumno debe desarrollar las horas lectivas que establezca la Universidad impartiendo clase en un centro de Educación Secundaria, público o privado. Esto significa que el aspirante a la obtención del CAP debe realizar el período de docencia solamente en la Educación Secundaria Obligatoria, Bachillerato o Formación Profesional de Grado Medio. Además, las lecciones a impartir versarán sobre la Didáctica Específica elegida para realizar el curso. Posteriormente, deberá elaborar una memoria de prácticas de acuerdo a las pautas que establezca cada Universidad.

Continuando con lo citado por Gallardo, existe también una modalidad de CAP virtual que únicamente se imparte en algunas universidades (Universidad de Murcia, Universidad de Santiago de Compostela y Universidad de Extremadura, entre otras) en las que también hay sesiones presenciales obligatorias.

La duración del CAP virtual es prácticamente la misma que en la metodología presencial (unas 100 horas de estudio) y se participa en diversas actividades para superar la fase teórica. Dependiendo también del programa en cada Universidad, se definen unas condiciones específicas y se cuenta con material didáctico multimedia.

La comunicación entre el alumno y el profesor se realiza mediante correo electrónico, chat, foro o teléfono.

La evaluación de los alumnos del CAP virtual se suele hacer por dos vías: por un lado, los alumnos deben enviar las actividades teórico-prácticas que proponen los profesores vía Internet (evaluación continua). Esto supone aproximadamente el 30% de la calificación. Por otro lado, deben realizar una prueba-examen (evaluación final) que supone el 70% restante de la nota para conocer si el candidato es 'Apto' o 'No Apto'.

**Nueva propuesta: Máster en Formación del Profesorado de Educación Secundaria**

La última propuesta del Ministerio de Educación (2005) para conformar un Máster oficial en Formación del Profesorado de Educación Secundaria fue profunda y detenidamente discutida en la Conferencia de Decanos y Directores de Magisterio y Educación (Trillo, 2006). Al final, el programa de máster ha sido considerado y valorado de manera muy positiva, debido a que responde a una urgente demanda social derivada de la necesidad de sustituir el actual modelo del CAP, que ha mostrado ser insuficiente y que está obsoleto. Decanos y directores también apuntaron que, aun cuando el perfil del máster es perfectible, es de gran valor y utilidad, debido principalmente al perfil altamente profesionalizador y educativo que muestra en sus contenidos.

## 3.6. Titulaciones específicas

Como mencionamos anteriormente, el **Sistema Nacional de Cualificaciones y Formación Profesional** (SNCFP) es un conjunto de instrumentos y acciones necesarios para promover y desarrollar la integración de las ofertas de la Formación Profesional mediante el **Catálogo Nacional de Cualificaciones Profesionales** (CNCP). Asimismo, busca promover y desarrollar la evaluación y acreditación de las correspondientes competencias profesionales, de forma que se favorezca el desarrollo profesional y social de las personas y se cubran las necesidades del sistema productivo.

Dicho catálogo es el instrumento en el que se ordenan las cualificaciones profesionales susceptibles de reconocimiento y acreditación, identificadas en el sistema productivo en función de las competencias apropiadas para el ejercicio profesional. Comprende las cualificaciones profesionales más significativas del sistema productivo español, organizadas en familias profesionales y niveles. Constituye la base para elaborar la oferta formativa de los títulos y los certificados de profesionalidad. Así, se han definido 26 familias profesionales –atendiendo a criterios de afinidad de la competencia profesional de las ocupaciones y puestos de trabajo detectados– y cinco niveles de cualificación, de acuerdo con el grado de conocimiento, iniciativa, autonomía y responsabilidad precisos para realizar dicha actividad laboral.

| FAMILIAS PROFESIONALES | NIVELES DE CUALIFICACIÓN | |
|---|---|---|
| 1. Agraria<br>2. Marítimo-Pesquera<br>3. Industrias Alimentarias<br>4. Química<br>5. Imagen Personal | Nivel 1 | – Competencia en un conjunto reducido de actividades simples, dentro de procesos normalizados.<br>– Conocimientos y capacidades limitados. |
| 6. Sanidad<br>7. Seguridad y Medio Ambiente<br>8. Fabricación Mecánica<br>9. Electricidad y Electrónica<br>10. Energía y Agua<br>11. Instalación y Mantenimiento<br>12. Industrias Extractivas | Nivel 2 | – Competencia en actividades determinadas que pueden ejecutarse con autonomía.<br>– Capacidad de utilizar instrumentos y técnicas propias.<br>– Conocimientos de fundamentos técnicos y científicos de la actividad del proceso. |
| 13. Transporte y Mantenimiento de Vehículos<br>14. Edificación y Obra Civil<br>15. Vidrio y Cerámica<br>16. Madera, Mueble y Corcho<br>17. Textil, Confección y Piel<br>18. Artes Gráficas<br>19. Imagen y Sonido | Nivel 3 | – Competencia en actividades que requieren dominio de técnicas y se ejecutan con autonomía.<br>– Responsabilidad de supervisión de trabajo técnico y especializado.<br>– Comprensión de los fundamentos técnicos y científicos de las actividades y del proceso. |
| 20. Informática y Comunicaciones<br>21. Administración y Gestión<br>22. Comercio y Marketing<br>23. Servicios Socioculturales y a la Comunidad<br>24. Hostelería y Turismo<br>25. Actividades Físicas y Deportivas<br>26. Artes y Artesanías | Nivel 4 | – Competencia en un amplio conjunto de actividades complejas.<br>– Diversidad de contextos con variables técnicas científicas, económicas u organizativas.<br>– Responsabilidad de supervisión de trabajo y asignación de recursos.<br>– Capacidad de innovación para planificar acciones y desarrollar proyectos, procesos, productos o servicios. |
| | Nivel 5 | – Competencia en un amplio conjunto de actividades muy complejas ejecutadas con gran autonomía.<br>– Diversidad de contextos que resultan, a menudo, impredecibles.<br>– Planificación de acciones y diseño de productos, procesos o servicios.<br>– Responsabilidad en dirección y gestión. |

**Fuente**: Instituto Nacional de Cualificaciones - INCUAL

El Catálogo Nacional de Cualificaciones Profesionales (CNCP) incluye, además, el contenido de la Formación Profesional asociada a cada cualificación, de acuerdo con una estructura de módulos formativos articulados. El Instituto Nacional de las Cualificaciones es el responsable de definir, elaborar y mantener actualizado el CNCP y el correspondiente **Catálogo Modular de Formación Profesional**, que es el conjunto de módulos formativos asociados a las diferentes unidades de competencia de las cualificaciones profesionales. Proporciona un referente común para la integración de las ofertas de Formación Profesional que permita la capitalización y el fomento del aprendizaje a lo largo de la vida.

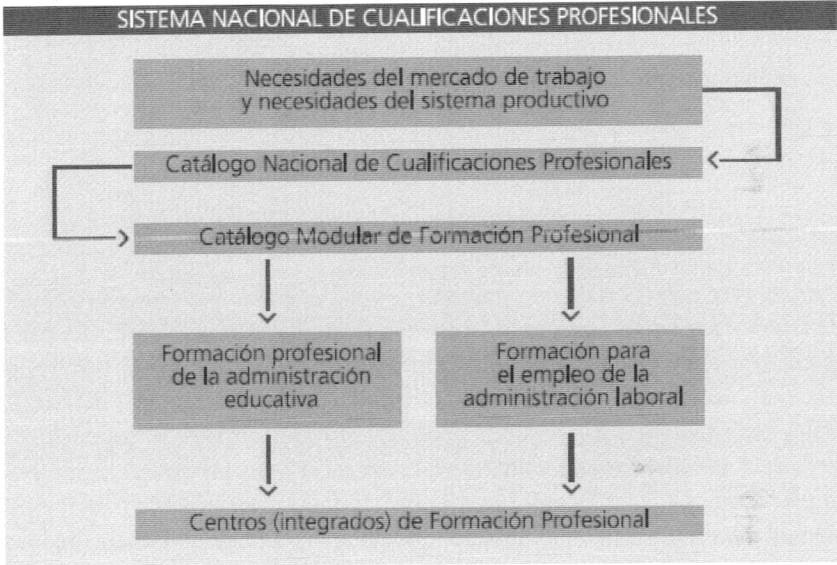

**Fuente**: Instituto Nacional de Cualificaciones - INCUAL

Mediante el Catálogo Modular de Formación Profesional se promueve una oferta formativa de calidad, actualizada y adecuada a los distintos destinatarios, de acuerdo con sus expectativas de progresión profesional y de desarrollo personal. Además, atiende a las demandas de formación de los sectores productivos, por lo que pretende generar un aumento de la competitividad a través del incremento de la cualificación de la población activa.

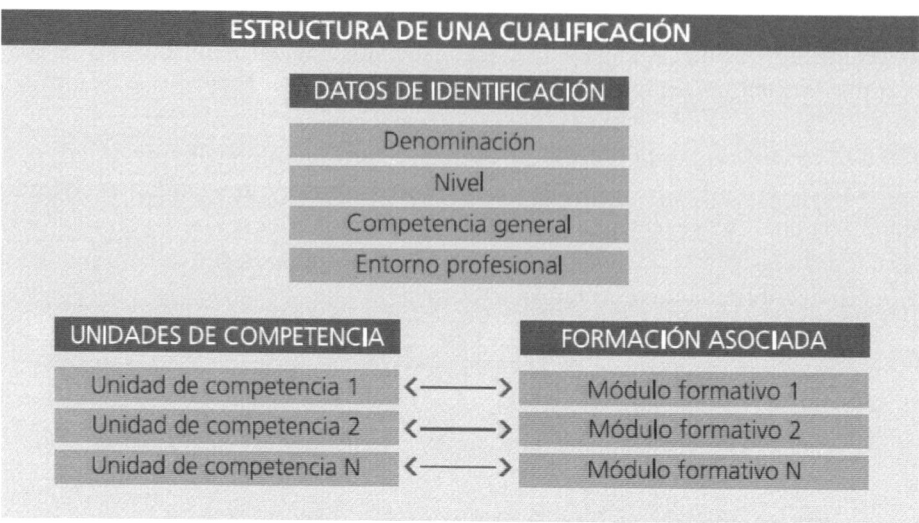

**Fuente:** Instituto Nacional de Cualificaciones - INCUAL

El Real Decreto 1538/2006, de 15 de diciembre, sobre la ordenación general de la FP en el sistema educativo, establece que en la norma por la que se regule cada título de FP se establecerá a qué especialidades del profesorado del sector público se atribuye la impartición de los módulos profesionales correspondientes, las titulaciones requeridas y los requisitos, así como las equivalencias a efectos de docencia y la cualificación de los profesores especialistas que en cada caso procedan. Por tal motivo, para complementar las cualificaciones y competencias específicas de un formador de FP, se deberá recurrir tanto al Catálogo Nacional de Cualificaciones Profesionales como al Catálogo Modular de FP descritos anteriormente.

## Competencias genéricas del profesor de FP

(Además de aquellas de intervención relacionadas con el contexto, que es la base de sus tareas y funciones profesionalizadoras)

| Servicio Público de Empleo Estatal - INEM (1996) | Programa de Máster en Formación del Profesorado de Educación Secundaria (2005) | A. Navío y el Grupo de Investigación CIFO (2005) |
|---|---|---|
| Unidades de competencia | Competencias genéricas | Competencias específicas |
| 1. Programar acciones formativas vinculándolas al resto de las acciones de formación de la organización, de acuerdo con las demandas del entorno. 2. Proporcionar oportunidades de aprendizaje adaptadas a las características de los individuos o grupos y a sus necesidades de cualificación. 3. Acompañar y orientar de manera contextualizada el proceso de aprendizaje y la cualificación de los mismos. 4. Verificar el nivel de cualificación alcanzado, los programas y las acciones, de modo que permitan la toma de decisiones para la mejora de la formación. 5. Participar en la planificación y organización del dispositivo de formación. 6. Gestionar la infraestructura, dotación y distribución de actividades de formación. 7. Evaluar la efectividad de las actividades de formación. 8. Contribuir activamente al desarrollo del sistema de promoción de la formación. | 1. Conocer en profundidad los contenidos de las materias de Educación Secundaria correspondientes a la especialidad cursada y saber enseñarlos de manera adecuada al nivel y a la formación previa de los estudiantes. Las especialidades de Formación Profesional incluirán el conocimiento de las profesiones relacionadas. 2. Ser capaz de planificar, desarrollar y evaluar el proceso de enseñanza y aprendizaje de los estudiantes. 3. Concretar el currículo que se vaya a implantar en un centro docente participando en la toma colectiva de decisiones. 4. Desarrollar y aplicar metodologías didácticas, tanto grupales como personalizadas, adaptadas a la diversidad del alumnado. 5. Diseñar y desarrollar espacios de aprendizaje con especial atención a la diversidad, la equidad, la educación en valores y la formación ciudadana. 6. Saber estimular el esfuerzo del alumno y promover su capacidad para aprender por sí mismo y con otros, desarrollando habilidades de pensamiento. | 1. Flexibilidad metodológica docente. 2. Capacidad de adaptación al entorno. 3. Capacidad de previsión y anticipación. 4. Capacidad de reacción ante situaciones (conflictivas, imprevistas, novedosas, no habituales, inciertas...) 5. Capacidad de argumentación. 6. Capacidad de comunicación verbal y no verbal. 7. Capacidad de ejemplificar. 8. Capacidad para relacionar ideas, conceptos y experiencias. 9. Capacidad de organización y planificación de su trabajo. 10. Capacidad de análisis y síntesis. 11. Capacidad crítica. 12. Capacidad de ponerse en el lugar de otro. 13. Capacidad de relación social. 14. Capacidad de trabajo en equipo. 15. Capacidad de trabajo autónomo. 16. Capacidad de asumir responsabilidades. 17. Capacidad de participar en la institución. 18. Capacidad de modificar constructivamente los propios planteamientos. |

| | | |
|---|---|---|
| | 7. Conocer los procesos de interacción y comunicación en el aula y dominar las destrezas y habilidades sociales necesarias para fomentar el aprendizaje y la convivencia en el aula, abordar problemas de disciplina y resolver conflictos.<br>8. Desarrollar las funciones de tutoría y de orientación de los alumnos.<br>9. Diseñar y realizar actividades formales y no formales que contribuyan a hacer del centro un lugar de participación y cultura.<br>10. Participar en la investigación y la innovación de los procesos de enseñanza y aprendizaje.<br>11. Conocer la normativa y organización institucional del sistema educativo.<br>12. Conocer modelos de gestión de calidad y su aplicación a los centros de enseñanza secundaria.<br>13. Conocer y analizar las características de la profesión docente, su situación actual y sus perspectivas. | 19. Capacidad de transmitir contenidos (conceptos, procedimientos, habilidades, destrezas, actitudes…).<br>20. Capacidad de realizar valoraciones objetivas.<br>21. Capacidad creativa y de innovación didáctica.<br>22. Capacidad para tomar decisiones.<br>23. Capacidad de liderazgo.<br>24. Capacidad de adopción/ adaptación de innovaciones relativas a su entorno profesional.<br>25. Capacidad para extrapolar y transferir contenidos de situaciones concretas a diferentes contextos.<br>26. Capacidad de resolución de problemas (previstos y no previstos).<br>27. Capacidad de adaptación al cambio.<br>28. Capacidad de generar ideas distintas ante la misma situación.<br>29. Capacidad para mantener la atención en el desarrollo de su trabajo.<br>30. Capacidad de memoria a largo plazo.<br>31. Capacidad de representación mental de la realidad.<br>32. Capacidad de autocontrol de las propias emociones.<br>33. Capacidad de resistencia al estrés.<br>34. Capacidad de compromiso ético con su actividad profesional. |

Como hemos visto hasta ahora, la situación de España, especialmente acerca de estándares de la formación de FP, se ha desarrollado únicamente hasta el nivel de las competencias, es decir, el foco en las competencias es relativamente reciente, dado que anteriormente se había venido trabajando por objetivos en el sistema educativo. Hemos descrito brevemente en este documento el marco legal y científico con el fin de explicar que, en España, el tema de estándares, específicamente en la Formación Profesional, es todavía una cuestión de debate y discusión en todos los niveles del campo educativo.

Efectivamente, las competencias parecen ser nuestro enfoque más cercano al establecimiento de estándares y un paso adelante para iniciar en el país la definición de indicadores de calidad para el formador de FP y aplicar este acercamiento a los dominios de competencia que han sido identificados específicamente en el contexto español, que a su vez sirvan para construir los estándares requeridos para el cambio, innovación y calidad en la educación. Así, como hemos visto, nuestra base para los formadores de FP reside básicamente en:

1. Las unidades de competencia de los profesores y el responsable de la formación dados por el Servicio Público de Empleo Estatal (INEM, 1996).
2. Los decretos del Ministerio de Educación, el Catálogo Nacional de Cualificaciones y el Catálogo Modular de Formación Profesional.
3. El perfil de competencias genéricas del Máster de Formación del Profesor de Educación Secundaria (pendiente de aplicación).
4. Las competencias genéricas del formador de FP desarrolladas por el Dr. Antonio Navío y el grupo de investigación CIFO de la Universidad Autónoma de Barcelona, como una propuesta científicamente validada en nuestro contexto.

Deberíamos tomar también en cuenta, como marco de referencia, a dos de las principales instituciones de calidad en España: la ANECA (Agencia Nacional de Evaluación de la Calidad y Acreditación - España/UE) y la AQU (Agencia para la Calidad del Sistema Universitario de Cataluña), así como al Instituto de Evaluación del Ministerio de Educación.

## 3.7. Referencias bibliográficas

AQU (2007). Proyecto de Real Decreto (aprobación pendiente) por el cual se establece la Ordenación de las Enseñanzas Universitarias Oficiales. Agencia para la Calidad del Sistema Universitario de Cataluña.

Bricall, J.M. (2000). Informe Universidad 2000. Conferencia de Rectores de las Universidades españolas (CRUE). Barcelona.

ENQUA (2005). *Estàndards y directrius per a l'assguroment de la qualitat en l'Espai Europeu d'Educació Superior*. Barcelona: AQU Catalunya.

Gairín, J.; Essomba, M.; Petitpierre, M. (2007): Scientific Report and Legal Framework. Current Situation of Competencies on Teacher Training and Teacher Training of Vocational Education Teachers. Presented in Asia Link's Meeting in Barcelona. Spain.

Gallardo, L. (2007). *Nuevo retraso en el Master que sustituirá al CAP para ser profesor en Secundaria.* En "Redacción Aprendemás", tomado el 10 de septiembre de 2007: http://www.aprendemas.com/Reportajes/P2.asp?Reportaje=921

INCUAL - Instituto Nacional de las Cualificaciones (2007). Reportajes. Ministerio de Educación. Tomado en octubre de 2007: http://www.mec.es/educa/incual/ice_incual.html

Dittrich, J.; Kämäräinen, P.; Spötl, G. (2007). "Quality indicators and shaping measures as a basis for standard setting in TVET Teacher Education". Based on the discussion of the Working Group 'Standards' at the Barcelona meeting. ITB, University of Bremen.

Ministers responsible for higher education in 45 European countries (2005). *The European Higher Education Area - Achieving the Goals.* Communiqué of the Conference of European Ministers. Bergen, 19-20 May 2005.

MEC (2006). Documento de trabajo: Propuesta La Organización de las Enseñanzas Universitarias en España. Ministerio de Educación y Ciencia. Tomado el 26 de septiembre de 2007:

http://www.mec.es/mecd/gabipren/documentos/Propuesta_MEC_organizacion_titulaciones_Sep06.pdf

Navío, A. (2005). *Las competencias profesionales del formador. Una visión desde la formación continua.* Barcelona: Octaedro.

Organización Internacional WorldSkills, (2007). Spainskills – Gobierno de España, MEC y FP. Tomado en octubre de 2007: http://www.mec.es/spainskills/index.html

Tejada, J. (2003): Formación *Profesional. Universidad y Formación Permanente.* Conferencia del Seminario "La Universidad profesional. Relaciones entre la Universidad y la Nueva Formación Profesional". Consejería de Educación y Cultura, Dirección General de Universidades. España.

Trillo, F. (2006): Declaración Pública del Presidente de la Conferencia de Decanos y Directores de Magisterio y Educación sobre la propuesta de máster oficial en Formación del Profesorado de Educación Secundaria. Santiago de Compostela, 8 de mayo de 2006.

## Sitios web consultados

AQU-Agència per a la Qualitat del Sistema Universitari de Catalunya. http://www.aqucatalunya.org/

Página web oficial de Formación Profesional del Ministerio de Educación: http://www.mec.es/educa/formacion-profesional/index.html

CNCP - Catálogo Nacional de Cualificaciones Profesionales. http://www.mec.es/educa/incual/ice_catalogoWeb.html#CP

SNCFP - Sistema Nacional de Cualificaciones y Formación Profesional. http://www.mec.es/educa/incual/ice_ncfp.html

INCUAL - Instituto Nacional de las Cualificaciones. http://iceextranet.mec.es/iceextranet/accesoExtranetAction.do#

INEM - Servicio Público de Empleo Estatal. http://www.inem.es/

## Legislación consultada

Ley Orgánica 2/2006, de 3 de mayo, de Educación.

Ley Orgánica 1/1990, de 3 de octubre, de Ordenación General del Sistema Educativo.

Ley Orgánica 6/2001, de 21 diciembre, de Universidades.

Ley Orgánica 4/2007, de 12 de abril, por la que se modifica la Ley Orgánica 6/2001, de 21 de diciembre, de Universidades.

Ley Orgánica 5/2002, de 19 de junio, de las Cualificaciones y de la Formación Profesional.

Ley 7/2007, de 12 de abril, del Estatuto Básico del Empleado Público.

Proyecto de Real Decreto remitido al Consejo de Estado por el que se establece la Ordenación de las Enseñanzas Universitarias Oficiales. En http://www.aqucatalunya.org/uploads/pagines/arxiu%20pdf/RD2007OrdenacionEnseñanzas.pdf (consultado el 10 de octubre de 2007).

Real Decreto 276/2007, de 23 de febrero, por el que se aprueba el Reglamento de ingreso, acceso y adquisición de nuevas especialidades en los cuerpos docentes a que se refiere la Ley Orgánica 2/2006, de 3 de mayo, de Educación.

Real Decreto 806/2006, de 30 de junio, por el que se establece el calendario de aplicación de la nueva ordenación del sistema educativo establecida por la Ley Orgánica 2/2006, de 3 de mayo, de Educación.

Real Decreto 1318/2004, de 28 de mayo, por el que se modifica el Real Decreto 827/2003, de 27 de junio, por el que se establece el calendario de aplicación de la nueva ordenación del sistema educativo, establecida por la Ley Orgánica 10/2002, de 23 de diciembre, de Calidad de la Educación.

Real Decreto 1538/2006, de 15 de diciembre, por el que se establece la ordenación general de la Formación Profesional del sistema educativo.

Real Decreto 56/2005, de 21 de enero, por el que se regulan los estudios universitarios oficiales de Postgrado.

Real Decreto 1509/2005, de 16 de diciembre, por el que se modifica el Real Decreto 55/2005, de 21 de enero, por el que se establece la estructura de las enseñanzas universitarias y se regulan los estudios universitarios oficiales de Grado.

Real Decreto 56/2005, de 21 de enero, por el que se regulan los estudios universitarios oficiales de Postgrado.

Education and Culture

**Leonardo da Vinci**
Pilot projects

# SEGUNDA PARTE

# PROYECTO LEONARDO DA VINCI QUALIVET:

Desarrollo y garantía de calidad vinculada al mercado laboral para los sistemas de enseñanza y formación profesional en el sector del metal

# Capítulo VII
# Guía de utilización de QualiVET – Marco de Desarrollo de la Calidad (QDF)

**Matthias Becker, Jessica Blings, Michael Gessler, Stanislav Michek, Georg Spöttl y Grupo del proyecto QualiVET**

# 1. ¿QUÉ ES EL MARCO DE DESARROLLO DE LA CALIDAD DE QUALIVET?

> *El Marco de desarrollo de la calidad de QualiVET (QDF) es un instrumento y una directriz para que los profesores y educadores desarrollen mejoras para los procesos de aprendizaje en el sector del metal apoyadas por indicadores adaptables y un concepto de equipo.*

El requisito paneuropeo para la mejora de la calidad en los sistemas de formación profesional, y la creciente responsabilidad de los centros de formación profesional en relación con la competitividad de las economías nacionales, hace imprescindible tratar asuntos relacionados con el desarrollo y la garantía de la calidad. El rápido aumento del desarrollo económico y social de las estructuras de trabajo, las tecnologías y las profesiones que se está produciendo en la actualidad obliga al sistema de formación profesional a hacer frente a estos cambios y a reaccionar consecuentemente.

En nuestra opinión, los requisitos de calidad de la formación profesional son básicamente muy diferentes de los sistemas de desarrollo de la calidad orientados a las empresas tales como la ISO 9000 que, mientras tanto, también se ha aplicado en las escuelas. Suponemos que la calidad en las escuelas es el resultado de unos procesos continuos de mejora en la optimización de los procesos de aprendizaje y que refleja el desarrollo de competencias de los aprendices y alumnos. Los profesores y educadores son los elementos clave del desarrollo de la calidad en la formación profesional. Los debates nacionales e internacionales se centran en el aspecto de la garantía de la calidad –al menos cuando está implicada la aplicación de instrumentos, con los cuales la calidad en las escuelas profesionales debe mejorarse en cuanto al sistema–. Sin embargo, con el proyecto QualiVET se está creando un instrumento que permite desarrollar la calidad a partir de medidas orientadas a la adaptación.

El Marco de desarrollo de calidad de QualiVET (QDF) respeta los aspectos especiales de los entornos de aprendizaje centrándose en la orientación, la estructura y el desarrollo de procesos. Por consiguiente, el objetivo primordial de QDF es desarrollar una nueva evaluación de la calidad. El marco de desarrollo de la calidad de QualiVET se ha elaborado para mejorar la formación escolar y la profesional. Los profesores y educadores deben disponer de un marco que les permita concretar los requisitos de calidad en la formación de carpintería metálica desde las necesidades primordiales (por ejejemplo, programas de estudios) y, así, proporcionar una mejora de la enseñanza ofrecida en un proceso ascendente mediante la orientación hacia los indicadores de calidad. Con la ayuda del marco de desarrollo de la calidad, los profesores y educadores del sector del metal dispondrán de una herramienta para la identificación y la implementación de medidas adaptables para mejorar la calidad de la formación y la enseñanza. Como tal, este concepto de marco se centra en la mejora de los procesos de aprendizaje.

## 2. 12 PREGUNTAS CLAVE

Este artículo sirve como un manual que expone el marco de desarrollo de la calidad de QualiVET, que se presenta y explica a partir de 12 preguntas clave.

### 2.1. ¿Para qué sirve el QDF?

*El QDF de QualiVET se desarrolla para indicar prácticas que requieren la mejora y para adaptar la calidad del trabajo de los profesores.*

En Europa se ha observado, durante varios años, la tendencia a implementar sistemas modernos de gestión organizativa, incluida la implementación de sistemas de gestión de la calidad (por ejemplo, ISO 9001:2000, el modelo de excelencia EFQM, el modelo CAF). El objetivo de la aplicación de los sistemas de gestión de calidad en la formación profesional es el desarrollo de la calidad de los proveedores de formación profesional.

La garantía de calidad de la educación y formación profesional se convirtió en un elemento de gran interés en la Unión Europea mediante la decisión del Consejo de la Unión Europea de diciembre de 2002 y mediante la declaración de los ministros europeos responsables de educación de los estados miembros de la Unión, que se aprobó en el consejo del 29 y 30 de noviembre de 2002 en Copenhague ("Fomento de la cooperación para garantizar la calidad centrándose especialmente en el intercambio de modelos y métodos, así como los criterios y principios comunes para la calidad en material de educación y formación profesional").

En los países europeos existen muchas actividades e iniciativas en términos de garantía y desarrollo de la calidad. Sin embargo, las iniciativas individuales normalmente no presentan relaciones mutuas; los instrumentos de calidad sólo se usan de forma muy segmentada y los conceptos desarrollados en el ámbito europeo hasta el momento no desempeñan ninguna función, o es sólo muy limitada, en las escuelas, institutos y empresas cuando hacen referencia a conceptos de calificación.

Los resultados de nuestra evaluación demuestran que los sistemas actuales de gestión de la calidad suelen tener un efecto limitado. Los sistemas de gestión de la calidad son efectivos cuando desarrollan la calidad de la enseñanza y el aprendizaje. Las experiencias que existen con la aplicación de los sistemas de gestión de la calidad demuestran que tienen tendencia a ayudar a las organizaciones educativas mejorar el sistema de gestión (ver Spöttl/Becker 2006). Pero hasta ahora no se ha demostrado una conexión directa entre la aplicación de sistemas de gestión de la calidad y la mejora de los procesos educativos de los alumnos (ver *Country Reports* en Blings/Gessler [Eds.] 2007). Por no mencionar la conexión entre la implementación de sistemas de gestión de la calidad y la mejora del trabajo de los profesores. El QDF de QualiVET trata el ámbito de la mejora de la calidad del trabajo de los profesores. Se ha creado un Marco de calidad, que respeta las particularidades del entorno del instituto poniendo énfasis en el éxito educativo de los estudiantes.

## 2.2. ¿Quién puede usar el QDF?

> *El QDF se elabora para que lo apliquen profesores y educadores en el sector del metal y este trabajo debería estar apoyado por la dirección de los centros de formación profesional y los departamentos de educación.*

Todo el QDF de QualiVET está orientado a los profesores y educadores de los centros y empresas de formación profesional. Para la aplicación de los cuatro elementos del marco, lo ideal es la participación de toda la organización o, al menos durante la fase de implementación, se recomienda la participación absoluta de una unidad de trabajo como, por ejemplo, un departamento. Será posible aplicar todo el QDF con éxito si la dirección del instituto apoya su uso y no duda a la hora de abrir la organización para la creación y el desarrollo de estructuras de equipo. Sin embargo, el elemento de indicadores orientados a la adaptación también puede aplicarse de forma individual a educadores de empresas, así como a profesores individuales que desean mejorar la calidad de las clases. Todo el QDF está orientado a institutos, pero los indicadores/estándares también se pueden usar en empresas. Incluyen la perspectiva de aprendizaje en el lugar de trabajo y dentro de la empresa.

## 2.3. ¿Cuáles son los aspectos/elementos centrales/esenciales del QDF?

*Los elementos del QDF son un conjunto de 28 indicadores para detectar las medidas de adaptación adecuadas ("estándares de desarrollo"), una directriz para explicar el concepto de marco, los enfoques para implementar conceptos de equipo y un manual.*

El siguiente Diagrama presenta todo el Marco de desarrollo de la calidad. En la parte superior muestra, como punto de partida, la investigación empírica para los desarrollos en sectores de los países socios: el análisis de la práctica existente de la gestión de la calidad en el sector del metal. En el contexto del proyecto de QualiVET, cada socio analizó los conceptos de gestión de la calidad que se aplican al sistema VET de su país. El concepto de investigación estaba formado por dos elementos principales: análisis del sector y estudios de casos. El objetivo del análisis del sector era obtener una imagen exacta del éxito de la gestión de la calidad en el sistema VET dentro del sector del metal de los países. En los estudios de casos en la institución VET y su cooperación con empresas, las entrevistas estaban orientadas a la obtención de datos básicos, a la función de los sistemas de calidad existentes así como a los estados, problemas, enfoques anteriores, resultados, sugerencias para las aplicaciones actuales de la gestión de la calidad. Los resultados de esta investigación constituyen la base empírica para el desarrollo del QDF (ver *Country Reports* en Blings/Gessler [Eds.] 2007).

El Marco está formado por cuatro componentes principales que son las herramientas para los dos procesos que se desarrollarán en el instituto. Uno de los procesos es la optimización de la enseñanza y el otro es la optimización de la organización mediante la implementación de una estructura de equipos.

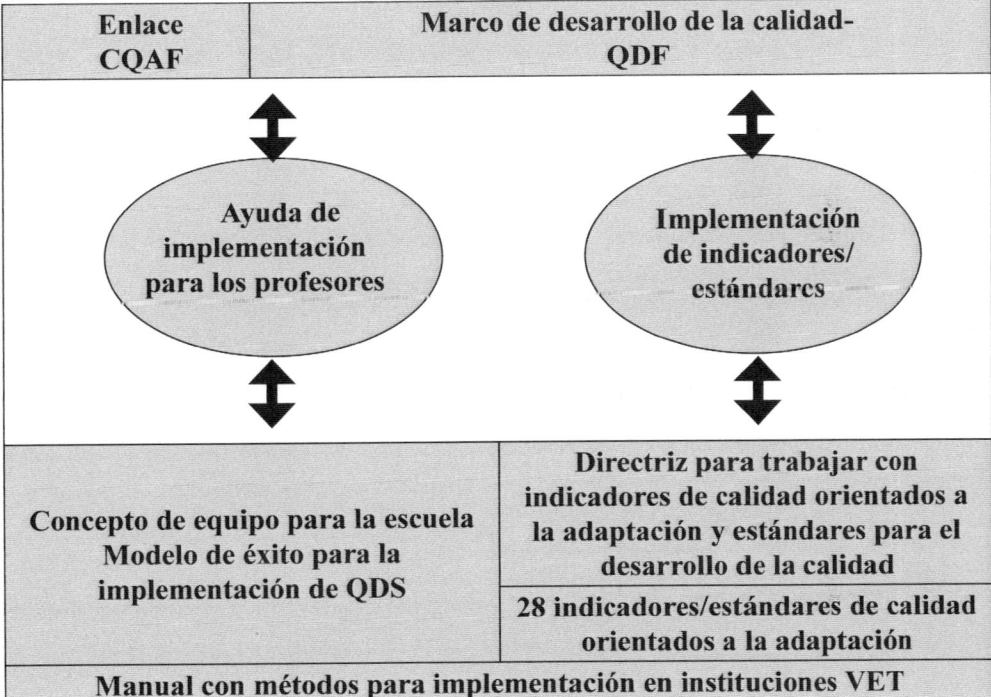

**Diagrama 1**: El Marco QDF de QualiVET

Estos procesos están apoyados por

1. Una directriz como una base teórica que explora el nuevo enfoque de la QDF. Está directriz pretende apoyar a los educadores y profesores que trabajan en el sector del metal del sistema VET para identificar y transferir las medidas adaptables para una mejora de la calidad de su formación e instrucción. Se describe la base teórica de una nueva concepción de la calidad. En el centro del concepto se encuentra el proceso de aprendizaje; es el campo de cristalización de todas las ideas relacionadas con la calidad.

2. Un conjunto de indicadores orientados a la adaptación. Estos 28 indicadores ayudarán a los profesores y educadores a efectuar una auto-evaluación de su práctica profesional junto con la identificación y el desarrollo de nuevas prácticas de enseñanza y aprendizaje. Las características y las áreas de calidad se definen de modo que no se centran en la capacidad de detectar/medir que tiene una condición sino que el centro de interés debe estar en la capacidad de cambiar/ adaptarse que tiene una discrepancia entre la situación actual y el estado de destino. Esto se convierte en obvio con la denominación de las áreas de calidad de QualiVET:

- la función de los educadores y profesores,
- los procesos de aprendizaje,
- los métodos de formación y enseñanza,
- los contenidos de formación y enseñanza,
- el entorno de aprendizaje y las condiciones de formación en las empresas y de enseñanza en los institutos y, por ultimo,
- la reflexión sobre la formación y enseñanza.

Cada una de estas áreas se elabora con más profundidad usando varios "indicadores adaptables", que se diseñan para que los profesores los usen para su desarrollo. Estos indicadores constituyen el marco con el que los profesores pueden evaluarse a sí mismos = pensar en su propio trabajo desde diferentes perspectivas.

Características del "indicador adaptable":

- El "indicador adaptable" permite varios modos de alcanzar el estado de destino que describe. Esto significa que existen varios modos de alcanzar el objetivo que establece el indicador.
- el indicador sugiere cómo abordar la oportunidad para la mejora (problema)
- más importante que la realización del indicador es el proceso de resolver la oportunidad de mejora en sí misma – "También el medio es el objetivo" – y aquí es especialmente verdad. Aunque no se lograrán todas las expectativas, cualquier avance es valioso y es una condición previa para un mayor crecimiento.

| Preguntas clave | Prácticas que requieren mejoras | Objetivo deseado | Estándares: Medidas de adaptación adecuadas |
|---|---|---|---|
| | | | |

**Tabla 1:** Estructura de los "indicadores adaptables"

La relación concreta de los indicadores con la actuación ocupacional implica que la descripción debería establecer los cambios en relación con las situaciones actuales. Los estándares, por otro lado, citan los requisitos para los cambios.

Este elemento de los indicadores orientados a la adaptación dentro del marco de desarrollo se basa metodológicamente en la autoevaluación de los profesores/educadores y en la búsqueda de enfoques sobre cómo pueden desarrollarse ellos mismos en algunas áreas del trabajo. De modo que se basa en la suposición de que el profesor/educador es quien mejor conoce cuáles son sus propias cualidades, en qué áreas y cómo debe mejorar.

Durante la autoevaluación en áreas individuales, los profesores/formadores piensan en su situación durante la respuesta a la "pregunta clave". Anotan su situación actual en la columna "situación actual" y la comparan con el "objetivo deseado". Durante la comparación pueden producirse varias situaciones:

- Los profesores/educadores descubren que la situación es mejor o es la misma que la que se describe en la columna "objetivo deseado". En este caso, ellos intentarán pensar si podrían mejorar usando cualquiera de los procedimientos especificados en la columna "Estándares: medidas de adaptación adecuadas". Si es que sí, ellos anotarán este enfoque en "mi/nuestro enfoque/procedimiento futuro".
- Los profesores/educadores descubren que aún no están en el "objetivo deseado". La diferencia entre la "situación actual" y el "objetivo deseado" es diferente para cada profesor/educador y constituye una oportunidad de mejorar para los profesores/educadores. Pueden aprovechar esta oportunidad de formas diferentes –por ejemplo, de los modos especificados en las "medidas de adaptación adecuadas"–. Entonces anotarán el procedimiento que utilizan para mejorar en "Mi/nuestro enfoque/procedimiento futuro". Se descubre que existe algún obstáculo en el camino hacia la mejora, se anota así como también se documenta para debatirlo más adelante dentro de la escuela/empresa.

- 

| Preguntas clave | Prácticas que requieren mejoras | Situación actual | Objetivo deseado | Estándares: Medidas de adaptación adecuadas | Mi/nuestro enfoque/ procedimiento futuro |
|---|---|---|---|---|---|

**Tabla 2:** Tabla de trabajo con los indicadores orientados a la adaptación para profesores/educadores

3. Un concepto de equipo como modelo de éxito para la implementación. Las estructuras en equipo determinadas son un elemento imprescindible para incrementar la eficiencia de la formación como área central de la calidad de un instituto. Los nuevos programas de estudios requieren un mayor nivel de coordinación entre los profesores. El concepto de equipo de QualiVET explica los principios más importantes para la gestión del cambio en los institutos que se basan en la investigación empírica en los institutos.

4. Y en último lugar, pero no por ello menos importante en este artículo: lo que está destinado a apoyar a los actores clave que tienen interés en implementar el QDF con la información práctica y teórica necesaria para comprender qué es el QDF (véase imagen 1).

## 2.4. ¿Por qué el concepto de equipo es un elemento central del Marco de Desarrollo de Calidad de QualiVET?

> *Medidas adaptables para mejorar la calidad del aprendizaje requieren la cooperación entre profesores/educadores dentro de una red para detectar las posibilidades de mejora e intensificación del trabajo cooperativo.*

Si un colegio, por ejemplo, persigue el enfoque de un proceso de mejora continua (CIP) en su desarrollo, normalmente no cambia la estructura jerárquica que se ha implementado. En lugar de ello, reúne a los profesores de los departamentos existentes 'descendentes', con la tarea de coordinar el trabajo administrativo y pedagógico dentro del contexto de sus grupos de aprendizaje. Esto ignora el hecho de que el trabajo en equipo es cualitativamente muy diferente a la simple suma de luchadores solitarios para la finalidad de coordinar el trabajo (Ratzki 1997, p.4). Se puede suponer que cada profesor sigue su propio modelo en este proceso de trabajo. Esto no puede resultar en un concepto pedagógico común como una meta fijada que atiende a los objetivos del programa de la escuela.

En esta etapa, es útil proporcionar una visión general de los requisitos actuales de los profesores en las escuelas de formación profesional. En relación con los aspectos pedagógicos, éstos incluyen:

- Configuración de las situaciones de formación en grupos de aprendizaje heterogéneos,
- Campos de aprendizaje y desarrollo de situaciones de aprendizaje,
- Planes de aprendizaje individual,
- Diagnóstico y previsión de la seguridad,

- Práctica del aprendizaje cooperativo y del trabajo en equipo en grupos de aprendizaje,
- Formas de cooperación con el objetivo de mejorar la enseñanza,
- Estándares y evaluaciones.

Además, existen cuestiones sobre el plan de estudios y la organización, medidas de desarrollo de la escuela y relaciones de cooperación regionales, así como formación complementaria y continuada.

Frente al telón de fondo de la actual presión social y económica de mejora permanente de la calidad, el profesor individual no puede lograr o, en el mejor de los casos, alcanza de forma insuficiente, las tareas que se presentan en el con la amplitud y profundización necesaria (Ratzki 2007, S.4). Enseñar solo, que pretende que aquellos que aprenden acepten la responsabilidad de su proceso de aprendizaje, requiere formas de cooperación y espacio para la reflexión entre los profesores y con el socio doble para crear una base común de aprendizaje pedagógico en grupos de aprendizaje, y a mejorar de forma continua esta base. Esto requiere una forma adecuada de cooperación de equipos de profesores, que ya se ha puesto a prueba (Becker; Kunze; Riegel; Weber 1997, p.77). Los grupos de profesores son grupos organizados que trabajan de forma conjunta a largo plazo centrándose en un elemento de enseñanza concreto.

A causa de la creciente independencia de las escuelas de formación profesional, que deja lugar para medidas de adaptación internas, los equipos pueden lograr estos requisitos de forma innovadora y competente y, de este modo, efectuar una contribución decisiva al desarrollo de la calidad del colegio, si pueden actuar de forma independiente dentro de una red interna de la escuela, concentrándose en el programa escolar respectivo. En este contexto, la información en la comunicación de la escuela no es un medio de poder sino un medio de trabajo. Los portavoces de los equipos, como representantes de éstos, negocian de igual a igual en la reunión de coordinación de la escuela. Los medios de control para la gestión de la escuela incluyen los comentarios estructurales e individuales, los acuerdos de objetivos, así como los talleres escolares y las reuniones profesionales (Schwenger 2007, S.12). Durante este proceso, los equipos deben cumplir los criterios reales de los acuerdos de objetivos, de contabilidad y de presupuesto. "La principal motivación para que los profesores trabajen en equipos pedagógicos incluyen un aumento de la eficiencia, la implementación de procesos en el campo del aprendizaje, la obtención de autonomía, el desarrollo personal y la eliminación del aislamiento profesional" (Tenberg 2002, p.6).

Los equipos que tienen esta competencia no se pueden integrar como un elemento estructural dentro de la estructura convencional jerárquica de una escuela de formación profesional. Sólo pueden mostrar su efecto innovador y motivador dentro del marco de una escuela que adquiera autonomía, si se encuentran dentro de una red cooperativa de la escuela como puntos nodales relativamente independientes. Se pueden comparar con un centro de beneficios que proporciona servicios escolares en una región basándose en la demanda (Schwenger 2007, S.4.).

Esto aclara por qué una mejora de los procesos de aprendizaje está idealmente vinculada con la introducción de la orientación en equipos:

- Una escuela orientada en equipos tiene una calidad diferente de una escuela organizada jerárquicamente. El mayor alcance de adaptación de la escuela orientada en equipos proporciona la oportunidad para los profesores de incorporar su potencial de forma efectiva en el proceso de desarrollo de la escuela y, de este modo, dar apoyo de forma intensiva al desarrollo de la calidad de la escuela.
- Con una red de escuelas cooperativa, el equipo puede promover el desarrollo sostenido de la calidad en la escuela en términos de los objetivos del programa de la escuela usando instrumentos de gestión del cambio. Esto requiere un equipo relativamente independiente con amplia experiencia.
- El equipo, como foro competente para ideas con una intensa comunicación, puede fomentar el desarrollo de la enseñanza como un aspecto central de las escuelas de formación profesional categóricamente y, de este modo, efectuar una contribución decisiva al desarrollo de la calidad de la escuela de formación profesional.
- El trabajo en equipo fomenta la capacidad de diagnosticar y solucionar problemas mediante procesos de aprendizaje informal y una formación adicional y continuada de los miembros del equipo de conformidad con su etapa de desarrollo respectiva.
- La práctica de una organización en equipo activa inicia y fomenta el trabajo en equipo entre los alumnos en los procesos de aprendizaje e intensifica la cooperación con los socios regionales.

## 2.5. ¿Cómo está vinculado el QDF con otros sistemas de calidad existentes?

*QDF es explícito para el trabajo de los profesores y educadores en el "ámbito de la clase" y la adaptación de procesos educativos y completa los enfoques de garantía de calidad de los conceptos de gestión de calidad a nivel de los proveedores de VET.*

El Marco de desarrollo de la calidad de QualiVET se basa en la experiencia con la aplicación de sistemas de gestión de la calidad (por ejemplo, ISO 9001:2000, el modelo de excelencia EFQM, el modelo CQAF), pero se centra principalmente en los procesos educativos y en los factores (profesores, métodos de enseñanza, reflexión sobre la formación y la enseñanza, contenido de la formación – planes de estudios, condiciones externas de aprendizaje y condiciones para la formación en empresas y para la enseñanza en clases), que le afectan.

El Marco se basa en la auto evaluación del trabajo de un profesor real y en la especificación del camino de desarrollo por parte del propio profesor. Es un marco orientado a los profesionales de una empresa o escuela. Se puede aplicar solo o en combinación con otros sistemas de gestión de la calidad.

El Marco europeo de garantía de la calidad (CQAF 2005) postula abarcar "al mismo tiempo... todos los criterios centrales para fomentar la calidad en VET" y también respeta "las diferentes elecciones de cada estado miembro". Sin embargo, esto es también el objetivo de CQAF. Con esta postulación el CQAF sigue siendo impreciso y ni tan solo responde básicamente a la cuestión de la calidad en VET. Aunque la idea de modificar el Marco de calificación europea (EQF) mediante un Marco europeo de garantía dc la calidad (CQAF) es muy interesante, debe afirmarse que todo el carácter del CQAF hasta el momento se ha formulado sólo de forma muy abstracta (COM 2006). Asimismo, la dirección del debate de concretización sigue sin producirse.

Por consiguiente, es imprescindible influenciar el proceso de adaptación desde una perspectiva concreta profesional y pedagógica siempre que sea relevante y añadir una noción de calidad que no solamente describa claramente el término sino que también coloque el tema del desarrollo de la competencia entre los jóvenes en el centro de todas las reflexiones y en las medidas de implementación.

## 2.6. ¿Por qué la orientación al trabajo especializado desempeña un papel tan significativo en el MDC?

*La calidad del aprendizaje y de las competencias en tanto que resultado de la formación profesional depende crucialmente de si los conocimientos y las destrezas tienen aplicación en el desempeño laboral.*

Para estar en condiciones de aportar valor, los titulados en formación profesional deben desenvolverse en el día a día de talleres y empresas, resolviendo los problemas y las tareas que se presenten en ellos. Las competencias necesarias para hacerlo se adquieren única y exclusivamente por medio del contacto con esas tareas y problemas, sin que sea posible desarrollarlas lejos del mundo laboral. En el mundo laboral se mueven, además, profesionales especializados que con su inventiva y su capacidad creadora desarrollan soluciones específicas y adaptadas a cada caso, para lo cual necesitan las correspondientes competencias de orientación creadora (incluso trabajando sobre sí mismos para poder responder a las exigencias de un mundo laboral en continua transformación). En la formación profesional, por lo tanto, la calidad del aprendizaje y de las competencias en tanto que resultado de la formación depende decisivamente de si el conocimiento transmitido y las destrezas adiestradas tienen o no aplicación en el desempeño laboral. De lo anterior se desprende que los contenidos, métodos y medios de la formación profesional deben estar orientados a fomentar el contacto con los procedimientos comerciales y laborales de la profesión y a profundizar en las conexiones entre unos y otros. La calidad de un aprendizaje así concebido –y, con él, de su traducción normativa– redunda en beneficio de la capacidad de rendir (o eficiencia) de los alumnos y contribuye simultáneamente a consolidar una capacidad creadora autónoma que trasciende el contexto estrictamente profesional. En consecuencia, la principal vía de actuación para aumentar la calidad en la formación profesional pasa por una decidida orientación al desarrollo de competencias profesionales en esta línea.

## 2.7. ¿Qué beneficio se obtiene del Marco de Desarrollo de la Calidad de QualiVET?

> *El QDF proporciona un valor adicional claro puesto que está directamente orientado a las situaciones de enseñanza, ayuda a definir acciones concretas para mejorar la calidad fuera de la propia valoración profesional que realizan los profesores/educadores y conduce al usuario a través de los elementos de la educación que son centrales y que están relacionados con la calidad.*

Los sistemas de gestión de la calidad a menudo afirman que representan un término de calidad relacionado con la situación, pero en la implementación concreta del modelo en general se usan términos abstractos, separados de las situaciones profesor-estudiante. Una segunda alternativa que nos encontramos es que los procesos de gestión que se describen están muy alejados del escenario real de la enseñanza. El QDF proporciona un valor adicional claro puesto que los criterios e indicadores siempre están directamente orientados a situaciones de enseñanza concretas, y se han desarrollado para la mejora de la calidad usando la enseñanza como elemento central.

Otro problema de los sistemas de gestión de la calidad es que los instrumentos analíticos a menudo se proporcionan para evaluar la situación actual. Estos instrumentos son de naturaleza cambiante. Se han elaborado cuestionarios para diferentes formas de escuelas, para diferentes grupos de edad y diferentes grupos de personas (estudiantes, profesores, padres, centros extraescolares). Sin embargo, cuando estos datos se hayan recopilado, el usuario interesado en el desarrollo se enfrenta con una pregunta clave: ¿Y ahora qué? Este paso lo han dejado sin terminar muchos sistemas, puesto que la opinión predominante es que cada persona tendría que definir ella misma su calidad. En principio, estamos de acuerdo con ello. Las condiciones culturales, sociales y materiales en las diferentes escuelas son tan diferentes que no es posible definir un solo estándar que sea válido en todas partes en cualquier momento. Pero no hemos renunciado a una afirmación con el QDF de que un modelo como este podría proporcionar orientación y, como tal, es necesaria una declaración sobre cómo debería aplicarse la enseñanza. En el modelo siempre se especifica un objetivo conceptual es opcional. No como una norma, sino como una orientación. No como un requisito obligatorio, sino como una plataforma de ideas.

Esto está relacionado con el tercer valor adicional del modelo: reflexión. El modelo QDF conduce de forma sistemática al usuario a través de elementos de enseñanza centrales y relevantes para la calidad. Las cuestiones ayudan, por ejemplo, al profesor en cuestión a pensar sobre su propia función o su propio método. Y: el modelo es escalable: se puede usar solo así como en equipo. En general, consideramos que la reflexión individual presenta mayores riesgos. A menudo sucede que los desarrollos en una sección no son posibles, puesto que la interrelación de varios contenidos educativos y bloques educativos representan un aspecto relevante de la calidad. El desarrollo simultáneo de la calidad educativa y las estructuras de contexto (especialmente el trabajo en equipo) crea un mayor rendimiento prolongado y genera más placer y menos estrés al equipo. Sin embargo: si las condiciones en su escuela no están orientadas al trabajo en equipo, puede seguir aprovechando este modelo. Sólo tiene que intentarlo y dar el primer paso.

## 2.8. ¿Se necesita el apoyo de la dirección de la escuela para implementar el Marco de Desarrollo de Calidad de QualiVET?

*El apoyo de la dirección es necesario en mayor o menor medida dependiendo de si usa el modelo individualmente, como base para su trabajo en equipo, o como modelo en la escuela.*

La respuesta a esta pregunta es sí y no. Como hemos mencionado en el punto 7, el modelo es escalable. Puede usar el modelo individualmente, como base para el trabajo del equipo, o como modelo en la escuela. En función del alcance de uso necesario, el apoyo de la dirección es necesario en mayor o menor medida. Dirección significa la planificación, coordinación, control, evaluación y mejora de los diferentes procesos de trabajo orientados hacia un objetivo común, para lograr un valor añadido que no sería posible individualmente. El principio básico es la mejora de la calidad mediante la especialización y profesionalización, así como la mejora de la calidad a través de la coordinación de rendimientos parciales orientados a los procesos integrados cuyo objetivo es proporcionar servicios. En un centro educativo, esto está relacionado con la propia educación, y en un colegio es la instrucción o los profesores como medios de organización de la escuela, y los estudiantes como actores del proceso de aprendizaje.

La dirección de las escuelas no sirve para generar beneficios, por este motivo, a diferencia de los sistemas orientados a los negocios, el beneficio no apunta al nivel superior (o al inversor), sino a la base, donde se encuentran los que aprenden. Por este motivo, la dirección en las escuelas debería planificarse de forma ascendente, aunque se implemente de modo descendente. Este también es el motivo por el que recomendamos que el modelo se incorpore en un trabajo orientado en equipos. El apoyo de la dirección se proporciona a un equipo, incluso si este apoyo se entiende de forma diferente a la idea clásica de gestión, a saber, no como una gradación de la división de los procesos de trabajo en las estructuras jerárquicas.

La educación en una sociedad democrática debería en sí misma reflejar el principio de democracia, y debería hacer que la experiencia democrática fuera posible para todos los participantes. Sin embargo, en algunas escuelas existen estructuras que se asemejan al absolutismo. En esas escuelas, los procesos de mejora de la calidad son difíciles, puesto que la responsabilidad del sistema siempre se mueve de un nivel al siguiente, hasta que finalmente llega al director y a la administración de la escuela. Un sistema como este está separado de la petición de proporcionar y desarrollar la calidad. En un sistema como este, la petición de calidad debe organizarse de forma descendente y debe estar controlada, y en un sistema como ese el desarrollo de la calidad es difícil de implementar sin el apoyo o el permiso de la dirección de la escuela. Sin embargo, nuestro leitmotiv es una escuela madura dentro de una sociedad democrática. El apoyo de la dirección es, pues, la tarea de todos los participantes y no una petición individual a los dirigentes; y la calidad no es una tarea de control, sino una tarea de creación de confianza. En algunos sistemas esto requiere un cambio que incluye un cambio en los valores. Lo que nos lleva a la siguiente pregunta:

## 2.9. ¿Cómo incluyo a los profesores en el Marco de Desarrollo de la Calidad de QualiVET y cómo los motivo para que lo implementen?

*Nos gustaría responder a la pregunta con una idea de Kurt Lewin: no se trata de que los participantes se sientan afectados, sino que se trata de que los que se sientan afectados se conviertan en participantes.*

Esta pregunta aborda el tema de la motivación y el compromiso. Tres fuerzas básicas fomentan la motivación: (1) Autonomía: es decir, la pregunta, hasta qué punto las decisiones las puede tomar el actor en sí y hasta qué punto las decisiones se conciben como autodeterminadas. (2) Autoeficacia: hasta qué punto el sistema puede proporcionar observaciones –observaciones desde el trabajo en sí y desde los participantes–, y hasta qué punto el actor siente que sus acciones tienen un efecto. Y, finalmente: (3) Inclusión social: hasta qué punto experimento vecindad social, apoyo y comprensión, y siento que pertenezco a un equipo.

Estas tres condiciones son condiciones del contexto: ¿la autonomía es posible, puede experimentarse la autoeficacia y hay alguna inclusión social? La respuesta difiere entre las escuelas y en diferentes niveles; el nivel de autonomía, el nivel de autoeficacia y el nivel de inclusión social no solamente es diferente entre escuelas, sino también dentro de las diferentes unidades escolares, y estos niveles están sujetos a dinámicas o a oscilaciones temporales. Aquí nos estamos refiriendo al cambio natural de fases de atmósferas positivas y negativas.

Escenario del peor caso: La libertad de decisión está restringida, las observaciones escasean y el personal está dividido. En estas condiciones, hay objetivos más importantes que la implementación de un nuevo sistema educativo. Primero, deben crearse las condiciones que permiten el trabajo comprometido, o los factores desmotivadores deben eliminarse. El punto de partida para la mejora de la calidad en un sistema como este probablemente sería la inclusión social, que entonces permitiría obtener observaciones y crear una base de confianza para una mayor autonomía.

Este tema trata el elemento central sobre cómo se puede implicar y comprometer a los profesores en un sistema que proporciona condiciones iniciales favorables. Nos estamos refiriendo a la comprensión. La comprensión para la idea de una persona requiere interés honesto y comunicación abierta. Sin la comprensión mutua, sin el conocimiento de los motivos del rechazo o la aprobación, sin diálogo, la participación no es posible; y sin la participación, no existe una base para los argumentos profesionales sobre por qué y cómo es posible el desarrollo de la calidad en la enseñanza. Por consiguiente, la respuesta a la pregunta de motivación y compromiso finaliza con un descubrimiento fundamental y clásico, a saber, que la relación sostiene la cuestión, mientras que los buenos contenidos fácticos no se pueden relacionar sin relaciones sólidas. Para citar una idea de Kurt Lewin, no se trata de hacer que los participantes se sientan afectados, sino que se trata de que aquellos que se sientan afectados se conviertan en participantes.

## 2.10. ¿Qué recursos necesito para implementar el QDF de QualiVET?

*Se desempeñarán funciones importantes relativas a los profesores/formadores: tiempo para la reflexión, un calendario y recursos materiales: un lugar para las reuniones de los equipos es necesario para permitir demostrar determinados problemas en relación con los procesos del trabajo profesional de verdad.*

Los recursos principales se han comentado en la pregunta 9. Sin embargo, no debería suponerse que sólo son importantes los recursos sociales y que los recursos materiales (especialmente los financieros) son de importancia subordinada. La idea de un esquema de sugerencia empresarial, por ejemplo, surge en un período en el que las organizaciones tenían que funcionar con pocos recursos. La falta de recursos externos afectó a las organizaciones y les obligó a activar sus recursos ocultos. Estos implican especialmente los recursos intelectuales. La creatividad del profesor proporciona una variedad de posibilidades. Sin embargo, una escuela no puede generar una calidad superior permanente, si continuamente tiene que luchar frente a los cuellos de botella de los recursos y debe invertir toda su creatividad en la pregunta sobre cómo solucionar el problema del número insuficiente de profesores, de equipos y material para las aulas. Dado que un colegio como este no puede aguantar solo la responsabilidad para el desarrollo de la calidad, y debe plantearse la cuestión política sobre el valor que tiene el futuro dentro de la sociedad.

La reflexión requiere tiempo, y se debería proporcionar a los profesores la misma cantidad de tiempo, del mismo modo que la programación de tiempo de las unidades de formación es también un factor evidente en sí mismo. El desarrollo de la calidad requiere un lugar para las reuniones del equipo, y los espacios para el equipo tendrían que ser algo normal, del mismo modo que la enseñanza no sería posible sin una clase adecuada. Asimismo, la enseñanza quedaría liberada del trabajo administrativo, por este motivo una infraestructura que funcione bien y la gestión profesional deberían proporcionar ayuda de forma externa. Y, por último, es necesario un equipamiento básico para poder demostrar determinados problemas en relación con los procesos reales del trabajo profesional. Por ejemplo, aprender técnicas de automatización simplemente no es posible sin ello. No se puede tener calidad sin coste alguno, aunque los atractivos políticos de la calidad a menudo disimulan este aspecto, y la responsabilidad se coloca en su totalidad a los profesores.

## 2.11. ¿Por qué deberíamos implementar el Marco de Desarrollo de la Calidad de QualiVET en nuestra escuela?

*El desarrollo de la calidad hasta ahora ha sido a menudo una tarea individualizada y era responsabilidad de cada profesor. Este es el nuevo aspecto: la mejora de la calidad ahora se ve como una tarea común, en términos de acción completa (planificación, ejecución, mejora), y es una parte natural de la enseñanza.*

Nuestro modelo de QDF no es un dogma. La calidad se puede lograr con otros sistemas de gestión de la calidad. Este modelo se puede incorporar a un sistema de gestión de la calidad existente, o puede dar el primer paso para mejorar la calidad empezando con este modelo.

Nos gustaría distanciarnos de dos malentendidos: para nosotros, la mejora de la calidad no es un cliché retórico en tiempos de reducciones financieras, en términos de un cambio de responsabilidad del aspecto de la calidad en los profesores. Y: para nosotros, la mejora de la calidad no es una acusación efectuada por los profesores, que hasta ahora este concepto no ha estado presente, y sólo con la introducción del QDF el desarrollo de la calidad se ha convertido en una tarea de desarrollo observada.

El desarrollo de la calidad a menudo hasta ahora ha sido una tarea individualizada y era responsabilidad de cada profesor. Este es el nuevo aspecto: la mejora de la calidad actualmente se ve como una tarea común, en términos de una acción completa (planificación, ejecución, mejora) y es parte natural de la educación. Se proporcionan instrumentos que hasta el momento no estaban disponibles. Son parte de la modernización reflexiva que mejora el alcance de las tareas del profesor que, además de la función de mediador del contenido, profesor, consultor y asesor también incluye la función de innovador.

Tras un largo período de constancia, los sistemas educativos en Europa, así como las escuelas incluidas en esos sistemas, están en fase de renovación. La implementación de un sistema de QDF es un componente de un desarrollo global. El modelo europeo que estamos presentando, esperamos que forme parte de este desarrollo y que ayude en su trabajo en las escuelas.

## 2.12. ¿El Marco de Desarrollo de Calidad de QualiVET requiere un cambio en la organización?

La respuesta solo puede ser 'depende'. Para una escuela puede ser un empezar de nuevo y para otra un componente en un sistema que ya está implementado.

Para despejar cualquier miedo, sería útil en esta etapa afirmar que nada cambiará al introducir el QDF. Sin embargo, dicha afirmación sería deshonesta y falsa. Claro que algo cambiará. Sin embargo, la pregunta que aquí se plantea es si el cambio de las formas de organización es una condición previa necesaria. La respuesta sólo puede ser, 'depende'. Las posiciones de partida son diferentes en cada escuela. No sólo lo son las diferentes tradiciones educativas y las estructuras desarrolladas que afectan al sistema educativo y el crecimiento a partir de este sistema, sino que también la historia de la escuela en sí, el entorno y la experiencia de los actores constituyen un fundamento básico que puede fomentar y dificultar el discurso relativo a la calidad. Para una escuela puede ser un nuevo comienzo y para otra escuela un componente en un sistema que ya está implementado. La medida en que la organización en sí es un aspecto del QDF depende del nivel de aplicación previsto y de las oportunidades disponibles. Debe establecerse una diferencia entre el sistema de criterios y el modelo de equipo: Mientras que el sistema de criterios es extensivamente neutral en términos de organización, puesto que está concebido de forma consistente desde el punto de vista de la educación, el modelo de equipo requiere un proceso de desarrollo de la organización de la escuela. El acoplamiento de ambos elementos es útil y consideramos que es el mejor modelo global. Por consiguiente, la respuesta puede exponerse de forma más precisa: Si la escuela ya funciona con un fundamento basado en equipos, el marco organizativo ya existe. Si una escuela aún no ha implementado el concepto de equipo, la tarea de desarrollo es más exigente. El debate sobre el alcance al que es capaz de llegar un escuela en este desarrollo ya es parte de un proceso de QDF incipiente.

## 3. REFERENCIAS BIBLIOGRÁFICAS

Bastian, J. (2004). Unterrichtsentwicklung (*Teaching Development*). Kaiserslautern.

Becker, G.; Kunze, A.; Riegel, A.; Weber, H. (1997). Die Helene-Lange-Schule Wiesbaden, Das andere Lernen, Entwurf und Wirklichkeit. *(The Helene-Lange School Wiesbaden, Different Learning, Draft and Reality).*

Bildungskommission NRW (1995). Zukunft der Bildung - Schule der Zukunft: Denkschrift der Kommission, Zukunft der Bildung - Schule der Zukunft" beim Ministerpräsidenten des Landes NRW. *(Education Committee NRW: „Future of Education – School of the Future" at the Minister President of the state, NRW).*

Blings, J.; Gessler, M. [Hrsg.] (2007). Quality Development and Quality Assurance with Labour Market Reference for the Vocational Education and Training System in the Metal Sector. Analysis reports from Austria, Czech Republic, Germany, Netherlands, Slovenia, Spain and United Kingdom. Evaluate Europe Handbook Series Volume 3, Bremen.

CQAF 2005. Fundamentals of a Common Quality Assurance Framework (CQAF) for VET in Europe. Technical Working Group 'Quality in VET' (TWG), updated version, September 2005.

COM (2006) 479 final, 2006/0163 (COD). Implementing the Community Lisbon Programme. Proposal for a RECOMMENDATION OF THE EUROPEAN PAR-LIAMENT AND OF THE COUNCIL on the establishment of the European Qua-lifications Framework for lifelong learning.

Göndör, J.(1996). Die Schlaraffenlandschule: Was man von der Wirtschaft lernen kann. In: Deutsche Lehrerzeitung, Nr. 2/1996, Berlin. *(The School of Milk and Honey: What one can learn from Business. In Deutsche Lehrerzeitung, Nr. 2/1996, Berlin).*

Ratzki, A. (1997). Schulaufsicht im „Haus des Lernens". Teamarbeit in der Schu-laufsicht als Basis für Qualitätsentwicklung. *(School Supervision in the 'House of Learning'. Team work in school supervision as a basis for quality development).*

Ratzki, A.(2007). Teamarbeit als Grundlage für Schulentwicklung. In: Glattfeld, E.; Larisch, B.; Ratzki, A. (ed.): Innovatives und kooperatives Lernen im Team. *(Team work as a basis for school development: Innovative and cooperative lear-ning as a team).*

Schwenger, U. (2007). Teams im Zentrum schulischer Organisationsentwicklung. *(Teams at the centre of school organisational development).*

Spöttl, G.; Becker, M. (2006). Qualität in der beruflichen Bildung – Perspektiven für einen Handlungsrahmen. In: Lernen & Lehren, Vol. 82, Wolfenbüttel. *(Quality in vocational training – perspectives for a framework of action).*

Tenberg, R. (2002). Kollegiale Teamarbeit als Perspektive für innovative Lehrerbil-dung *(Cooperative team work as a perspective for innovative teacher training).*

# Capítulo VIII
## Utilización de indicadores y estándares de calidad dirigidos a mejorar la propia calidad

Matthias Becker, Georg Spöttl, Jessica Blings

# 1. OBJETIVO DE LA DIRECTRIZ

Esta directriz parte del supuesto de que la oferta de aprendizaje de FP en el sector del metal puede mejorar con la ayuda de "indicadores de calidad orientados a la mejora" y de los estándares relacionados.

En primer lugar se describe un nuevo concepto de *mejora de la calidad*, en línea con los debates nacionales e internacionales centrados en la *garantía* de calidad y a propósito de la aplicación de instrumentos para ayudar a mejorar la calidad de la educación y de la formación profesional a nivel de sistema. El proyecto QualiVET aspira a crear, en este contexto, un instrumento que fomente la *mejora* de calidad a partir de una serie de indicadores de calidad. A primera vista, este proyecto comporta una confusión de términos, ya que hasta hoy la medida de calidad y los objetivos de calidad orientados al resultado han sido el centro de las metodologías en relación con la calidad en FP. Se justifican así algunas reflexiones de vocabulario como área de calidad, características de calidad, indicador y estándares de calidad en el sentido de mejora de la calidad.

Esta directriz trata de apoyar a formadores y profesores que trabajen en la FP en el sector del metal para identificar y ejecutar medidas de remodelación para una mejora de la calidad de su formación y enseñanzas. En otras palabras: la calidad del proceso de aprendizaje es la cristalización de todas las ideas relativas a la calidad de este informe. Además del Marco Común de Garantía de Calidad Europeo (CPRF por sus siglas en inglés), el enfoque no está únicamente (con la ayuda del ciclo PDCA[100]) en la afirmación de las características de calidad orientadas al resultado a nivel de sistema o a nivel del proveedor de FP (ver. CE 2004; http://ec.europa.eu/education/policies/2010/qualitynet_en.html; http://www.qavet.com). La siguiente pregunta que se debe responder en relación al desarrollo de estrategias de apoyo a nivel europeo es: ¿dónde estan las herramientas de apoyo para los formadores y profesores, principales promotores de la calidad?

La Comisión Europea presentará en el 2008 recomendaciones para el establecimiento de un Marco de Referencia Europeo de Garantia de Calidad (EQARF, European Quality Assurance Reference Framework), que sirva de herramienta de apoyo para los estados miembros que quieran a promover y hacer seguimiento de la mejora de la calidad de los sistemas de Formación Profesional.

Este marco de referencia incluye instrumentos para utilizar tanto al nivel del sistema educativo como al nivel de los proveedores del sistema educativo. También incluye herramientas de medida (con referencia a indicadores de calidad) con el proposito de mejorar la calidad del sistema de la Formación Profesional y/o de los proveedores. Las aproximaciones desarrolladas son muy similares a las propias de los sistemas de gestión de calidad, que cuentan con espacios para aquellos que están trabajando al nivel del aula y otros contextos formativos. El grupo olvidado en estas consideraciones són los profesores, los formadores y los mismos estudiantes.

El cuadro 1 permite observar la naturaleza distinta del enfoque del CPRF y EQARF comparado con el enfoque de QualiVET explicado en esta directriz. Se compara un diseño orientado al sistema con otro diseño orientado al proceso de aprendizaje. Además, los actores se implican en el debate sobre la calidad en la base (es decir, en el entorno de aprendizaje; en el lugar de aprendizaje). Las medidas de mejora se describen en forma de estándares para apoyar la metodología relacionada con el proceso de los cambios. Así, sobre todo se da una respuesta a la pregunta clave del CPRF *"¿Qué estrategias aseguran la implementación del cambio?"* (CE 2004, p. 11). El desarrollo de la calidad es el principio de un proceso que va des de abajo a arriba y que está conducido por las personas que son capaces de poner en práctica el cambio necesario para mejorar el aprendizaje.

---

100. PDCA como resumen de los procesos Plan, Do, Check, Act (Planificar, Realizar, Comprobar, Actuar).

| Enfoque | Objetivo principal | Aplicación |
|---|---|---|
| Nivel de sistema | Valoración de rendimientos y resultados de la FP. | CPRF/ EQARF Agentes del sistema, políticos |
| Nivel del proveedor de FP | Valoración de las "actividades" de las instituciones para mejorar la calidad. | CPRF/ EQARF Directores de los centros |
| Nivel de los procesos de aprendizaje en FP | Valoración de las actividades de desarrollo de profesores, formadores y estudiantes. Valoración del proceso de cambio con especial atención al proceso de aprendizaje. | QualiVET Profesores, formadores |

**Cuadro 1:** Enfoque de calidad del proyecto de QualiVET

## 2. ÁREAS DE CALIDAD Y CARACTERÍSTICAS DE CALIDAD PARA LA PROMOCIÓN DE LOS CAMBIOS

Las áreas de calidad sirven, básicamente, para designar las características de los procesos, los resultados y el impacto[101] de las medidas educativas que influyen en la calidad, y para establecer sinergias entre ellas. Una desventaja considerable de esta estructuración es que se presta demasiada atención a la determinación de un cierto grado de calidad para cada característica designada y que las personas que actúan en las escuelas no pueden determinar claramente qué hay que hacer para lograr un aumento de la calidad. Por ejemplo, en el actual debate sobre indicadores de calidad a nivel internacional, se utiliza el término siguiente, que se centra exclusivamente en un estado final sin respetar la necesidad de progresos y medidas de mejora.

- Indicador: *"Fenómeno cuantitativo y/o cualitativo medido y evaluado"* (CEDE-FOP 2003, p. 11) o

---

101. Altrichter und Posch (1990) identifica calidades de entrada, proceso y producción/resultado, en línea con la mayoría de los sistemas de gestión de la calidad para los centros educativos.

- Indicador de calidad: *"Cifras o proporciones formalmente reconocidas que se utilizan como criterios para juzgar y evaluar el rendimiento de calidad"* (ibíd. p. 24).

Estos supuestos sobre indicadores de calidad son sin duda insuficientes para poder impulsar la calidad del aprendizaje. Para fomentar la calidad durante el proceso de aprendizaje mediante medidas de mejora adecuadas, no basta con considerar sólo las condiciones del marco formal.

Las características de calidad desarrolladas en el desarrollo del proyecto Leonardo da Vinci QualiVET buscan así el cambio / la mejora / la revisión de la "calidad" centrándose en la calidad del proceso de aprendizaje. Las características y las áreas de calidad se definen de tal manera que no se centran en la detectabilidad / capacidad de medición de una condición sino que el centro de interés está en la posibilidad de cambiar / reformar la discrepancia entre la situación actual y el estado deseado. Así se evidencia en la denominación de las áreas de calidad realizadas en el proyecto QualiVET:

- el papel de formadores y de profesores,
- los procesos de aprendizaje,
- los métodos de formación y de enseñanza,
- contenidos de la formación y de la enseñanza,
- entornos de aprendizaje y condiciones para la formación en empresas y en clase, y, finalmente,
- la reflexión sobre la formación y la enseñanza.

En la lista del cuadro 2 se presenta una definición general de la terminología de calidad que estamos utilizando. Esta terminología se aplica en "revisión" de las áreas de calidad antes citadas y es el foco del "proceso de cambio".

### Terminología fundamental sobre calidad

**Característica**
La propiedad de una persona y/o la denominación de una actividad o una institución.
Característica, elemento fundamental, criterio, rasgo, especialidad, atributo, símbolo de situación (Duden).
Ejemplo:
La escuela es grande. Grande es la característica de la escuela.

**Indicador**
Evidencia de la propiedad y/o la denominación.
Característica que sirve como prueba (convincente) o como pista de alguna otra cosa (Duden).
Ejemplo:
El número de estudiantes es un indicador del tamaño de la escuela.

**Criterio**
Característica que se puede concretar.
Elemento fundamental, característica distintiva (Duden).
Ejemplo:
La escuela tiene 1.000 estudiantes. "1.000 estudiantes" es el criterio que ayuda a diferenciar entre escuelas pequeñas y grandes.

**Estándar**
El requisito mínimo para la característica/criterio concretable. También puede significar un requisito máximo o un requisito de nivel medio.
1. Medida estándar, condición media, directriz.
2. Estándar general de rendimiento, calidad, estilo de vida, estándar de vida (Duden).
Ejemplo:
La escuela tiene más de 1.000 estudiantes. ">1.000 estudiantes" es el estándar de la propiedad de "grande".

**Cuadro 2:** Terminología de calidad en QualiVET

Cada cambio en las citadas áreas de calidad se relaciona con cambios en otras áreas (ver gráfico 1). Por ejemplo, si se cambia un método de instrucción, afecta a distintos procesos de aprendizaje. A pesar de las interdependencias, se pueden citar características –características a mejorar– cuya finalidad concreta es cambiar cierto aspecto del área de calidad analizada.

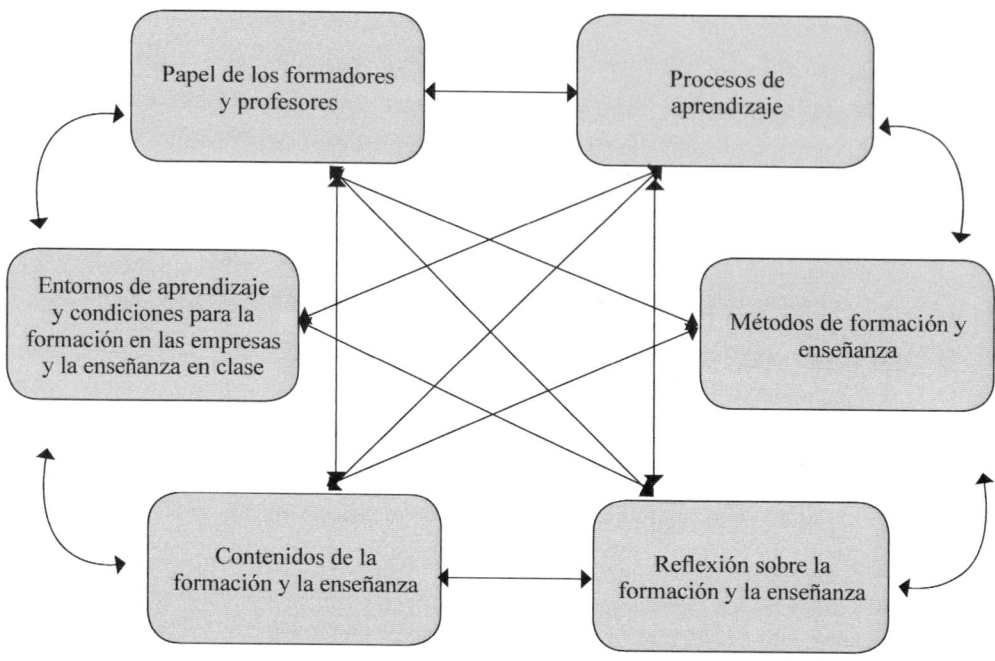

**Gráfico 1:** Áreas de calidad en QualiVET

Con relación a la terminología de calidad, nos regimos por las definiciones fundamentales recogidas en el cuadro 1 y aplicadas a actuaciones dirigidas a la mejora. Con la intención de centrarnos en la mejora permanente y en el cambio utilizamos el término **indicador de calidad (orientado a la mejora permanente)** para las características que nos dan indicaciones de áreas mejorables.

Estas áreas de calidad son áreas que pueden mejorar. Se describen 28 indicadores de calidad en estas seis áreas de calidad, que tienen la función de apoyar a los actores a remodelar las circunstancias para lograr el aprendizaje. Se presentan en esta publicación bajo la denominación de "*Indicadores y estándares de calidad orientados a la mejora de la FP en el sector del metal.*"

| Área de calidad | Área remodelable / destinataria del cambio |
|---|---|
| 1 | El **papel de formadores y profesores**. Se presume que un autoconcepto diferente y maneras distintas de actuar de profesores y formadores mejorarán la calidad de la formación y de las clases.<br>Pregunta clave: ¿Qué tipo de autoconcepto favorece la calidad de la formación?<br>Directriz: *El formador / profesor favorece el proceso para una buena formación* |
| 2 | Los **procesos de aprendizaje / papel de los estudiantes**. El diseño de los procesos de aprendizaje tiene un impacto inmediato en los resultados del aprendizaje y sitúa al estudiante en el centro del mismo. Formadores y profesores influyen mucho en determinar qué procesos de aprendizaje se pueden llevar a cabo realmente y en dirigirlos hasta una meta determinada.<br>Pregunta clave: ¿Cómo se sitúa al estudiante en el centro del proceso de aprendizaje?<br>Directriz: *Los procesos de aprendizaje cubren las necesidades del estudiante* |
| 3 | Los **métodos de formación y enseñanza**. El objetivo central de la formación y de las clases se relaciona con la implementación de métodos de aprendizaje y enseñanza. Su utilización exige determinar las características supraindividuales que comportan la calidad deseable. Los métodos también reflejan las orientaciones didácticas subyacentes.<br>Pregunta clave: ¿Qué características del método mejoran la calidad de la enseñanza?<br>Directriz: *Los métodos de formación y de enseñanza favorecen el desempeño de los alumnos/aprendices según sea su capacidad.* |
| 4 | **Contenidos de la formación y de la enseñanza**. En formación profesional, el éxito viene determinado por la mayor experiencia de los aprendices al enfrentarse a tareas profesionales. La formación y la enseñanza pueden contribuir a ello estructurando lógicamente los contenidos. Por consiguiente, se necesitan concreciones que describan si se tienen en cuenta o no las tareas y problemas profesionales, fomentando el desarrollo de la competencia con respecto a la etapa concreta de desarrollo profesional donde nos situamos.<br>Pregunta clave: ¿Qué características de estructuración de los contenidos de formación comporta un progreso de las competencias de los estudiantes adecuado a su nivel de desarrollo?<br>Directriz: *Los contenidos de la enseñanza están orientados al proceso laboral, adaptados al nivel de progreso de los estudiantes y son el resultado de procesos de estructuración del trabajo en equipo* |
| 5 | El **entorno de aprendizaje y las condiciones para la formación en las empresas y en la enseñanza en clase**. Remodelando el entorno de aprendizaje, colaborando con la empresa / escuela asociada, influyendo en las condiciones de la enseñanza y de la formación, los profesores y formadores tienen una influencia inmediata en la mejora de la calidad de la formación y de la enseñanza.<br>Pregunta clave: ¿Cómo hay que remodelar los entornos de aprendizaje para mejorar la calidad de la formación y la enseñanza?<br>Directriz: *Todas las dimensiones del entorno escolar favorecen los procesos de aprendizaje* |
| 6 | La **reflexión sobre la formación y la enseñanza** será tomada en cuenta como área transversal para todas las áreas de calidad consideradas. La reflexión sobre los procesos de enseñanza y de aprendizaje aporta ideas que se pueden utilizar para una mejora continuada.<br>Pregunta clave: ¿Qué tipo de reflexión lleva a una optimización del aprendizaje en el sector del metal?<br>Directriz: *La reflexión ofrece la posibilidad sistemática de detectar actuaciones que deben mejorar* |

**Cuadro 3:** Áreas de mejora

## 3. INDICADORES DE CALIDAD Y MEDIDAS DE REVISIÓN COMO ESTÁNDARES PARA LA MEJORA DE LA CALIDAD

Un indicador[102] de calidad consiste en la designación de una condición presente y la mención de una situación deseada. La diferencia, comparada con las escalas de medición utilizadas en los procesos de evaluación, está en el hecho de que el centro de interés no está en la medición y la determinación de un cierto grado de calidad; además, se visibilizan los cambios necesarios para mejorar la calidad de las prácticas que requieren mejora. El indicador de calidad es designado de modo que indica claramente el cambio necesario. Es crucial que el cambio, en este sentido:

a) describa una innovación en el área de calidad,
b) esté expresamente dirigido al área de calidad.

A pesar de las interdependencias entre las áreas de calidad, los cambios deben ser, por tanto, realizados por el destinatario. En el ejemplo siguiente, el profesor y su comportamiento son el destinatario (área de calidad 1). Esto puede implicar, por supuesto, cambios en los métodos de formación y enseñanza. En el ejemplo, el indicador de calidad señala que los profesores deberían utilizar tareas distintas de las utilizadas hasta ahora en su práctica de la enseñanza. El "objetivo" (fin deseado) del ejemplo es el resultado de la estipulación alemana sobre el desarrollo de currículos según la cual la enseñanza en las escuelas profesionales *debería basarse generalmente en una actuación laboral concreta*" (KMK 2000, p. 10).

| Área de calidad: Papel de formadores y profesores | | |
|---|---|---|
| **Indicador de calidad:** | | |
| Prácticas que requieren una mejora (ejemplos de situaciones presentes) | Fin deseado (posible papel de profesores y formadores) | **Estándar:** **Medida adecuada de la mejora** |
| El profesor elabora tareas relacionadas con el tema y confronta a los alumnos con problemas técnicos. | El profesor elabora tareas relacionadas con la profesión y confronta al alumno con problemas profesionales. | El profesor: <br>• Elabora una estructura de enseñanza centrada en el proceso operativo. <br>• Elabora tareas profesionales que se pueden asignar al currículo y las prepara didácticamente como tareas de aprendizaje y trabajo. <br>• Aplica en clase tareas de aprendizaje y trabajo. |

**Cuadro 4:** Ejemplo de indicador de calidad orientado a cambios (basado en Becker,Spöttl,Dreher 2003)

---

102. La palabra indicador es de origen latín (indicare) y significa "mostrar", "especificar", e incluso "revelar". Así, un indicador muestra o revela algo. El origen de la palabra subraya claramente que un indicador muestra algo que no es evidente a primera vista (Windelband/Spöttl 2003, S. 3).

El estándar completo describe los (mínimos, máximos o medios) *requerimientos para el cambio.*

El claro destinatario del cambio en el área de calidad citada en el cuadro 4 es el profesor, incluso si, como se ha mencionado antes, los cambios necesarios en su implementación implican también cambios en las otras áreas de calidad. En correspondencia con este ejemplo, el destinatario del cambio en las demás áreas son expresamente "el proceso de aprendizaje", "los métodos de formación y enseñanza", "el entorno de aprendizaje" y "la reflexión sobre la formación y la enseñanza." Dentro de la definición de estándares, hay que tener en cuenta estas implicaciones.

Por consiguiente, los estándares se describen de modo que indiquen claramente qué cambios deberían preverse en términos de mejora de la calidad de todos los procesos de enseñanza implicados.

Una definición dada por CEDEFOP para el término estándar de calidad es:

> *"Especificaciones técnicas que resultan medibles, obtenidas y aprobadas por consenso por una organización reconocida a nivel regional, nacional o internacional. El propósito de los estándares de calidad es la optimización de las inversiones y/o resultados del aprendizaje"* (CEDEFOP 2003, p. 27).

Como podemos ver con la ayuda de esta definición, la optimización, en el sentido de la implementación de cambio, juega un papel importante y, también que hay que mejorar la inversión y no sólo medirla.

Los estándares, sin embargo, no son currículos: estos últimos hay que desarrollarlos de acuerdo con los estándares. De todos modos, incluyen tanto los procesos de cambio como el resultado de aprendizaje deseado.

El **objetivo deseado** del estándar (ver cuadro 4) se basa en una decisión para la situación deseada que debe remodelarse de modo transparente (por ejemplo currículos, condiciones del marco legal, resultados de la investigación sobre enseñanza y aprendizaje, requerimientos sociales normativos).

La situación actual del proceso de aprendizaje se determina en la institución de FP respectiva y es el resultado de una pregunta clave, un suceso o un problema identificado y representa **prácticas que requieren mejora** (ver cuadro 4).

Los estándares vienen definidos por los requisitos de los cambios. Describen medidas de remodelación adecuadas que se presupone que motivarán y ayudarán a alcanzar la **situación final deseada** y a cambiar las prácticas que requieran mejora.

Es evidente que el término "estándar" utilizado aquí difiere de los términos que describen un requisito mínimo para una competencia o el estado de aprendizaje de un estudiante (expectativas de rendimiento). El estándar no describe una situación estática sino más bien la remodelación y el cambio en sí. Este cambio es el objetivo de un estándar orientado a la mejora, más que a la medición y la evaluación.

Algunos países europeos ya trabajan con esta concepción modificada de los estándares, que puede contribuir al desarrollo de una mejor instrucción. La novedad es la atención en los progresos y en los cambios en lugar de en la evaluación.

Con estándares orientados a la remodelación, QualiVET abrirá nuevos caminos para iniciar los procesos de desarrollo relacionados con una mejor instrucción. La libertad de revisión de los profesores no es reducida, como podría presumirse, de acuerdo al ejemplo anteriormente citado. Además, se mencionan medidas de revisión adecuadas, que pueden servir de ayuda para la mejora deseada de la calidad de la instrucción.

Cabe destacar que el concepto descrito de indicadores y estándares orientados a la revisión siempre se centra en el proceso, es decir, el proceso de aprendizaje, el proceso de mejora del entorno, el proceso de aplicación de métodos y otros. Los estándares indican el marco de la revisión en la forma de un posible resultado que se puede alcanzar mediante un cierto diseño del proceso de aprendizaje. Sin embargo, los estándares pueden cambiar durante el proceso, lo que significa que son moldeables. Así, habría que facilitar ciertas dinámicas para evitar los procedimientos estáticos. Los estándares, por tanto, deberían describir lo que los estudiantes, profesores y la organización (formadora) deberían saber y poder llevar a cabo (esto incluye aptitudes). Al mismo tiempo, se debería caracterizar qué resultados son posibles durante el aprendizaje respecto a los contenidos seleccionados y cómo habría que remodelar el entorno de aprendizaje. Para lograr este objetivo, hay que caracterizar los indicadores y estándares con más detalle.

## 4. FORMATO DE ESTÁNDARES E INDICADORES

Los indicadores y estándares que caracterizan los requisitos de calidad para escuelas, estudiantes, profesores, etc., se estructuran según las siguientes seis áreas de calidad y se especifican con la ayuda de un esquema de descripción:

1. Papel de profesores y formadores;
2. Papel de los estudiantes / procesos de aprendizaje;

3. Métodos de formación y enseñanza;
4. Contenidos de formación y enseñanza;
5. Entornos de aprendizaje y condiciones marco para la formación en empresas y escuelas;
6. Reflexión sobre la formación y la enseñanza.

La especificación de los indicadores y estándares se realiza según el esquema presentado en el cuadro 5. De este modo, se describen el problema y/o el requisito central en el campo de la actuación de la FP en el sector del metal relacionado.

| | Indicador: | | Estándar: |
|---|---|---|---|
| Preguntas clave | Prácticas que requieren mejora | Objetivo deseado | Medidas de remodelación adecuadas |

**Cuadro 5**: Definición formal de estándares

Así, los indicadores describen el proceso de los cambios que deben producirse para alcanzar las exigencias de calidad determinadas por los estándares. Por tanto, los estándares deben determinar lo que la escuela, la organización escolar, los entornos de aprendizaje colectivos, estudiantes, personal docente y organizaciones *"deberían conocer y ser capaces de hacer / asegurar como resultado del proceso de estudio o de los contenidos o de la remodelación de los entornos de aprendizaje, etc."* (Spöttl 2006).

Los estándares deberían citar referencias de actuación para la FP, que no sólo determinen su dimensión cognitiva sino que también contengan referencias al proceso. Esto es válido para todas las áreas de calidad y de sus estándares.

En el ejemplo de un proyecto de formación concreto de una escuela ocupacional, nos permite explicar la característica de los estándares moldeables. Durante un curso de formación de FP para técnicos metalúrgicos, los aprendices deben resolver una tarea tecnológica para el control de una puerta enrollable de garaje. Para alcanzar una alta calidad formativa, el formador / profesor (con referencia al área de calidad 1) se enfrenta a ciertos requisitos, que resultan de:

- los currículos donde se describen los contenidos y las competencias de formación a impartir,
- la tarea concreta que requiere desarrollar un cierto papel como profesor,
- el período disponible de tiempo, el equipamiento disponible y los prerrequisitos para alumnos y profesores que prefieren un cierto enfoque y ciertas estructuras de proceso.

Con la ayuda de – por ejemplo – el indicador 1C (ver Spöttl, Blings, Becker y grupo de proyecto QualiVET, 2007) resulta entonces posible citar indicadores de calidad y medidas de remodelación.

| Preguntas clave | Prácticas que requieren una mejora | Objetivo deseado | Medidas de remodelación adecuadas (estándares) Que describen ejemplos concretos del proyecto actual |
|---|---|---|---|
| 1. ¿Aplica el profesor conocimientos pedagógicos modernos y especializados? | • Los contenidos docentes del campo de aprendizaje se distribuyen entre los profesores sin interrelaciones.<br>• O bien: cada profesor imparte paralelamente los contenidos de un campo de aprendizaje diferente. | • El concepto de campos de aprendizaje / contenidos holísticos se desarrolla de acuerdo con las estipulaciones de los currículos.<br>• Existe un proyecto de campo de aprendizaje como base de la instrucción. | • Los contenidos didácticos se imparten dentro del marco de los objetivos del campo de aprendizaje 10a.<br>• La distribución del material docente se coordina con el progreso del proyecto del campo de aprendizaje.<br>• Se ha seleccionado el proyecto "control de una puerta enrollable de garaje". |
| | • No se tienen en cuenta los avances técnicos.<br>• No se aplican programas de desarrollo. | • Formación complementaria independiente en contenidos especializados.<br>• Se aplica software de aplicación. | • Los avances técnicos en sistemas tecnológicos de control han sido estudiados e integrados en las tareas de aprendizaje.<br>• Se aplica software de planificación para la tecnología de control. |

**Cuadro 6:** Ejemplo de concreción de estándares

En la segunda parte de esta publicación hay una tabla de indicadores y estándares pertenecientes a las áreas de calidad (ver Spöttl, Blings, Becker 2007).

Los estándares y sus posteriores formulaciones no sustituyen a los currículos. Además, deberían utilizarse como directrices para la implementación de los currículos. Los estándares no estipulan lo que debería "pasar" durante los procesos de aprendizaje; sin embargo, sí que tienen un carácter vinculante cuando se trata de cumplir las exigencias de calidad.

# Capítulo IX
# Indicadores y estándares de calidad orientados a la remodelación de la FP en el sector del metal

Georg Spöttl, Jessica Blings, Matthias Becker
y el Grupo del Proyecto QualiVET[103]

103.   El desarrollo de los indicadores ha contado con el apoyo de todo el grupo QualiVET del pro-
yecto Leonardo. Un agradecimiento especial para Miquel Àngel Essomba (Es), Brenig Davies (GB),
Helmut Dornmayr (Aus), Klara Ermenc (EsI), Joaquin Gairin (Es), Michael Gessler (Ale), Steve John
(GB), Slava Pevec Grm (EsI), Alexander Maschmann (Ale), Stanislav Michek (Ch), Daniel Muntané
(Es) y Theo Reubsaet (Hol).

# 1. OBJETIVO DE LOS INDICADORES Y ESTÁNDARES DE CALIDAD

Los indicadores y estándares de calidad orientados a la mejora son la herramienta que permite remodelar las ofertas de aprendizaje en FP y en el sector del metal. Su aplicación debe considerar la primera aportación de esta publicación.

Se describen 28 indicadores de calidad agrupados en seis áreas con la función de apoyar a los actores a nivel de procesos de aprendizaje.

Los indicadores y estándares que caracterizan los requisitos de calidad para escuelas, estudiantes, profesores, etc., se estructuran según las siguientes seis áreas de calidad:

1. Papel de profesores y formadores;
2. Papel de estudiantes / procesos de aprendizaje;
3. Métodos de formación y enseñanza;
4. Contenidos de formación y enseñanza;
5. Entornos de aprendizaje y condiciones marco para la formación en empresas y escuelas;
6. Reflexión sobre la formación y la enseñanza.

La concreción de los indicadores y estándares se hace de acuerdo con el cuadro 1. Así, se describen el problema y/o el requisito principal en el campo de la actuación de FP en el sector del metal relacionado con el indicador.

| Preguntas clave | Prácticas que requieren una mejora | Objetivo deseado | Estándares: Medidas de remodelación adecuadas |
| --- | --- | --- | --- |
| | | | |

**Cuadro 1:** Definición formal de los estándares

La vinculación concreta de los indicadores a actuaciones laborales concretas implica que la descripción debería establecer los cambios en relación con las situaciones reales concretas. Los estándares, por otra parte, señalan los requisitos para los cambios.

Los indicadores de la formación dentro del marco de su desarrollo están metodológicamente basados en la evaluación de los mismos profesores y formadores y en la investigación sobre aproximaciones de como estos pueden desarrollarse en algunas áreas del trabajo. Dicho de otra forma, el profesor y formador es el que mejor sabe cuáles son sus cualidades, en qué áreas y como mejorar.

Durante la autoevaluación en áreas individuales, los profesores/formadores piensan en su situación cuando responden "a la pregunta clave" que se plantea. Identifican su situación actual en la columna "la situación presente" y la comparan "con el objetivo deseado" (cuadro 2). Varias situaciones pueden ocurrir durante la comparación:

- Los profesores/formadores descubren que la situación es igual o mejor que la situación descrita en la columna "el objetivo deseado". En este caso, tratarán de pensar si pueden mejorar utilizando cualquiera de los procedimientos especificados en la columna "Estándares: medidas de formación adecuadas". Si es así, identificarán este acercamiento en la columna "mi/nuestro futuro acercamiento / procedimiento".
- Los profesores/formadores descubren que ellos todavía no están en "el objetivo deseado". La diferencia entre "la situación presente" y la situación del "objetivo deseado" es diferente para cada profesor y significa una oportunidad de mejora para los profesores/formadores. Ellos pueden aprovechar esta oportunidad de maneras distintas, por ejemplo, los que estan especificados en "las medidas de formación adecuadas", identificando el procedimiento para la mejora en "mi/ nuestro futuro acercamiento / procedimiento". Si se descubre que hay algún obstáculo en el camino hacia la mejora, se identifica como un aspecto a debatir dentro de la escuela/empresa.

Las tablas de indicadores orientados a la mejora (Din-A4), que incluyen la quinta y sexta columna vacías con referència a la "situación presente' y a "mi/nuestro futuro acercamiento/procedimiento" están disponibles en www.qualivet.info

| Preguntas claves | Prácticas que requieren una mejora | Situación presente | Objetivo deseado | Estándares: medidas de formación adecuadas | Mi/nuestro futuro acercamiento / procedimiento |
|---|---|---|---|---|---|
| | | | | | |

Cuadro 2: Concreción de los estándares en el proceso de autoevaluación

Se presentan a continuación de acuerdo a las seis áreas, indicadores (referidos a la situación presente y deseable) y estándares para la mejora.

## 2. EL PAPEL DE PROFESORES Y FORMADORES (DIRECTRIZ: EL PROFESOR / FORMADOR PREPARA EL CAMINO PARA UN BUEN APRENDIZAJE Y FORMACIÓN)

| PR 1 | Preguntas clave | Prácticas que requieren una mejora[104] | Objetivo deseado: Papel deseado de profesores / formadores | Medidas de remodelación adecuadas (estándares) |
|---|---|---|---|---|
| 1A Enfoque holístico de la enseñanza. | ¿Consideran los profesores / formadores la formación profesional como una fase importante en la carrera formativa de los estudiantes / aprendices? | Puesto que a los profesores / formadores se les asignan únicamente cursos especializados, el centro de atención de su trabajo es su propia asignatura, y no el desarrollo de aptitudes ocupacionales / profesionales. | Los profesores / formadores no tienen exclusivamente asignados cursos especializados de manera exclusiva, sino que también imparten contenidos globales; también, abordan la enseñanza desde un enfoque holístico. | Los profesores / formadores: <br> • trabajan en proyectos y así nunca imparten contenidos segmentados; más bien establecen una relación con las competencias; <br> • eligen contenidos del mundo laboral; <br> • coordinan el proceso de impartición de conocimientos entre la escuela y la empresa; <br> • sitúan la impartición de competencias en un contexto laboral que es la base de un proyecto. |

---

104. Reconocimiento a Brenig Davies del College Morgannwg de lo apropiado de la denominación.

| PR 1 | Preguntas clave | Prácticas que requieren una mejora | Objetivo deseado: Papel deseado de profesores / formadores | Medidas adecuadas de remodelación (estándares) |
|---|---|---|---|---|
| 1B Un aprendizaje centrado en la acción. | ¿Los profesores / formadores plantean la ayuda al aprendiz como el centro del aprendizaje y de sus actuaciones? | Como norma, la base del proceso de aprendizaje es únicamente la instrucción y no el aprendizaje activo. Los profesores creen que las características de los alumnos determinan la calidad del proceso docente (sus aptitudes, motivación y entorno familiar). Sin embargo, los profesores / formadores son los responsables de las rutinas de la enseñanza y los estudiantes son los responsables de los resultados de su aprendizaje. | Los profesores creen que su misión es la formación y, consecuentemente se esmeran en basar su relación con los alumnos en la autoridad profesional, el humanismo, la igualdad, el respeto y otros valores de una sociedad democrática. El aprendizaje activo se sitúa en el centro del proceso formativo. Hay que proporcionar las condiciones estructurales para asegurarlo. Los estudiantes asumen la responsabilidad de aprender. Los profesores son conscientes de que la calidad del proceso formativo depende de ellos. El profesor/a sabe que la mayoría de factores del fracaso escolar están en la incapacidad de los profesores y del sistema escolar para cubrir las necesidades de los estudiantes. | Los profesores / formadores: <br>• están al corriente de la situación vital y laboral de sus aprendices en empresas del sector del metal. Son capaces de valorar los retos sociales y personales utilizando herramientas de diagnóstico profesional; <br>• coordinan las tareas y los contenidos didácticos con los retos corporativos y curriculares. Preparan la instrucción en términos de didáctica para responder al nivel de exigencia de los alumnos; <br>• desarrollan y aplican métodos seleccionados para favorecer los procesos de autoaprendizaje; <br>• explican los objetivos de las lecciones, proyectos, campos de aprendizaje / contenidos holísticos, que ayudan a los estudiantes a comprender las relaciones con otros objetivos y temas. |

| PR 1 | Preguntas clave | Prácticas que requieren una mejora | Objetivo deseado: Papel deseado de profesores / formadores | Medidas adecuadas de remodelación (estándares) |
|---|---|---|---|---|
| **1C** Enseñanza basada en la didáctica. | ¿Qué conocimientos especializados, pedagógicos y didácticos y ayudas docentes aplican los profesores / formadores? | Las ayudas al aprendizaje y la docencia están dominadas por métodos unidireccionales. No se está utilizando la variedad de métodos existente. | Los profesores / formadores son capaces de trabajar con distintos sistemas metodológicos, para favorecer los procesos de aprendizaje, y pueden seleccionar métodos docentes adecuados según sean los objetivos de aprendizaje y las características de los estudiantes. | Los profesores / formadores: • identifican los enfoques didáctico-metodológicos apropiados para sus entornos de aprendizaje y los aplican orientándolos al alumno; • se centran en una variedad de métodos que tienen en cuenta los distintos niveles de rendimiento de los estudiantes; • se aseguran de que los contenidos especializados e impartidos sean modernos y relevantes profesionalmente. |
| **1D** Reflexión sobre distintos requisitos. | ¿Cómo se puede hacer frente a los distintos niveles de rendimiento y ayudarles al éxito? | Los profesores tienen problemas para prestar apoyos diferenciados según sea el rendimiento. A menudo y por ello se desatiende este apoyo. | Los alumnos con distintos niveles de rendimiento reciben apoyo para su progreso y así lograr los objetivos educativos. | Los profesores / formadores: • trabajan en un sistema que diferencia según rendimiento y aplican una pluralidad de métodos (distintas formas de trabajo en clase / aula de prácticas, p.ej. aprendizaje individual / aprendizaje en empresa); • transforman requisitos laborales complejos de acuerdo con principios didácticos (de simples a complejos, de conocidos a desconocidos, de concretos a abstractos) según el nivel de los aprendices. |
| **1E** Trabajo en equipo. | ¿Los maestros toman la responsabilidad de enseñar y tutelar las buenas prácticas a los estudiantes? | Sólo unos pocos profesores demuestran aptitudes individuales para la tutoría individual dirigida a los estudiantes. | Todos los profesores deben desarrollar aptitudes de tutoría para mejorar la experiencia del aprendizaje. | Los procesos de aprendizaje: • Mejoran las tutorías • Mejoran el trabajo en equipo de los profesores |

## 3. EL PAPEL DE LOS ESTUDIANTES / PROCESOS DE APRENDIZAJE (DIRECTRIZ: LOS PROCESOS DE APRENDIZAJE CUBREN LAS NECESIDADES DE LOS ALUMNOS)

| PR 2 | Preguntas clave | Prácticas que requieren una mejora | Objetivo deseado: El papel deseado de los estudiantes | Medidas adecuadas de remodelación (estándares) |
|---|---|---|---|---|
| **2A** Autenticidad. | ¿Identifican los estudiantes la relación directa entre las medidas de formación y sus requisitos laborales? ¿Los estudiantes se responsabilizan de su aprendizaje y se identifican con su formación profesional? | El aprendizaje está demasiado orientado a una instrucción tradicional de la tecnología, impartida por un profesor. Los estudiantes sólo tienen oportunidades limitadas para trabajar por su cuenta. | Los contenidos se tratan de una forma auténtica: <br>• los estudiantes pueden plantear preguntas que surjan durant su actividad en la empresa; <br>• los contenidos consideran el contexto regional e incluyen visitas a empresas regionales; <br>• el aprendizaje y el trabajo se realizan con la ayuda de situaciones originales. <br>Los estudiantes comprenden las asignaturas que se les enseñan, el objetivo de las tareas y de las actividades docentes y se identifican con ellas. | Los procesos de aprendizaje: <br>• se remodelan adoptando ejemplos de empresas junto a las demandas relevantes del proceso empresarial y laboral; <br>• respetan una estrecha interrelación entre el trabajo y el aprendizaje; <br>• mantienen una estrecha colaboración entre el aprendizaje en la escuela y en la empresa; <br>• se remodelan teniendo en cuenta herramientas, métodos, tecnología y la organización laboral de las empresas como basc; <br>• van acompañados de ofertas de asesoramiento profesional en la escuela. |

| PR 2 | Preguntas clave | Prácticas que requieren una mejora | Objetivo deseado: El papel deseado de los estudiantes | Medidas adecuadas de remodelación (estándares) |
|---|---|---|---|---|
| **2B** Orientación laboral del aprendizaje. | ¿Se da la oportunidad a los estudiantes de reflexionar sobre su situación laboral y de utilizarla para su aprendizaje? | Los contenidos de la instrucción y las situaciones laborales reales a menudo difieren considerablemente. Los estudiantes a menudo no saben cómo aprovechar los conocimientos adquiridos. La lección comienza "in medias res" con el tema a tratar. | Los estudiantes se enfrentan a actividades laborales bien seleccionadas. Se sienten motivados para hacer frente a estas tareas laborales. Las actividades laborales y los problemas profesionales son campos de cristalización para el aprendizaje (las tareas de aprendizaje tienen vinculación directa con tareas laborales). Se anima a los estudiantes a buscar soluciones por su cuenta y con la ayuda de actividades laborales. | Los procesos de aprendizaje: <br> • se basan en la identificación de situaciones laborales reales de los aprendices en las empresas; <br> • indican el vínculo entre las actividades en la empresa / laborales y los currículos; <br> • tienen lugar en empresas y escuelas que coordinan un sistema para la enseñanza de actividades laborales adecuadas. |
| **2C** Aprendizaje orientado a la acción. | ¿La instrucción en la escuela y la formación en la empresa están diseñadas de modo que motiven a los estudiantes para un aprendizaje independiente orientado a la acción? | La instrucción y el aprendizaje se basan en procesos muy bien estructurados y lineales, con poco espacio para el aprendizaje independiente. | Los profesores / formadores introducen a los estudiantes en el trabajo con proyectos y crean un marco para un aprendizaje independiente y orientado a la acción. | Los procesos de aprendizaje: <br> • están diseñados para proporcionar espacio de aprendizaje en la escuela y en la empresa que permita un aprendizaje independiente y orientado a la acción; <br> • están diseñados para crear un entorno de espacios y medios que favorezcan un aprendizaje independiente y orientado a la acción. |
| **2D** Implicación de los estudiantes. | ¿Pueden aportar los estudiantes sus ideas para el aprendizaje? ¿Tienen la oportunidad de coparticipar? | El estudiante consume y no puede cambiar a un aprendizaje independiente sin problemas. | Se crea una cultura del aprendizaje que permite las experiencias del estudiante durante el aprendizaje. Se favorece así una cultura del aprendizaje acogedora para el estudiante sin rebajar los requisitos de rendimiento. El desarrollo de una perspectiva de vida y de una coparticipación activa forma parte de este proceso. | Los procesos de aprendizaje: <br> • crean oportunidades para implicar a los estudiantes en la coparticipación y evitar que sólo los profesores aporten sus ideas y conceptos; <br> • están imbuidos de una cultura del aprendizaje orientada al estudiante. Los estudiantes apoyan los procesos de aprendizaje. |

## 4. MÉTODOS DE FORMACIÓN Y ENSEÑANZA (DIRECTRIZ: LOS MÉTODOS DE FORMACIÓN Y ENSEÑANZA APOYAN LA ACCIÓN DE LOS ESTUDIANTES SEGÚN SEA SU CAPACIDAD)

| PR 3 | Preguntas clave | Prácticas que requieren una mejora | Objetivo deseado: Métodos de formación y enseñanza deseados | Medidas adecuadas de remodelación (estándares) |
|---|---|---|---|---|
| **3A** Diversidad de métodos. | ¿Se utilizan métodos diversos para permitir espacios donde aprender independientemente y de un modo orientado a la mejora? | El repertorio de métodos aplicados es limitado. Los profesores y formadores confían en un número muy pequeño de métodos muy regularizados, especialmente para impartir contenidos especializados. | Se aplican métodos que no sólo apoyan el aprendizaje y las actividades independientes de los estudiantes, sino que también ofrecen la oportunidad de moldear el propio proceso de aprendizaje. | Los métodos: <br>• aplicados son muy diversos y se seleccionan para que sean los más adecuados en cada situación de aprendizaje; <br>• se imparten a los estudiantes los métodos que más faciliten un aprendizaje adecuado para el nivel de aprendizaje y que favorezcan especialmente un aprendizaje laboral. |
| **3B** Fomento de las competencias personales y sociales. | ¿Cómo se favorecen las competencias personales y sociales? ¿Se seleccionan iniciativas con este fin? ¿Cómo se apoya a los estudiantes a aprender para su vida personal, ciudadana y profesional? | A menudo dominan los contenidos especializados y se imparten con métodos adecuados. Se desatiende a menudo, sin embargo, la impartición de competencias clave (personales y sociales). | Se aplican métodos para la promoción de competencias personales y sociales que facilitan el trabajo en grupo y el aprendizaje independiente. | Los métodos: <br>• son apropiados para la impartición de competencias personales y sociales; <br>• se seleccionan de modo que las competencias personales y sociales se impartan vinculándolas a los campos importantes apropiados; <br>• ayudan a crear oportunidades para un autogobierno democrático de los estudiantes. |

| PR 3 | Preguntas clave | Prácticas que requieren una mejora | Objetivo deseado: Métodos de formación y enseñanza deseados | Medidas adecuadas de remodelación (estándares) |
|---|---|---|---|---|
| **3C** Métodos utilizados en relación con los campos profesionales y de aprendizaje. | ¿El proceso de enseñanza / formación garantiza una formación orientada al proceso laboral? ¿Se imparten los contenidos relevantes para la especialización con una clara vinculación con su campo profesional y de aprendizaje? | Los métodos regularizados utilizados con frecuencia sólo son aptos para la impartición de contenidos funcionales sencillos. No se puede acceder a los procesos laborales con estos métodos. | La utilización de métodos que permitan un aprendizaje orientado al proceso laboral con una vinculación con los campos profesionales. El aprendizaje científico aporta principios científicos y conocimientos apropiados para un aprendizaje orientado al proceso laboral. El equipamiento de las instalaciones de formación de la escuela / empresa garantizan el acceso a los procesos laborales. | Los métodos: • asegurar que todo el proceso se ve reflejado y se aplica para permitir un aprendizaje científico que favorezca la autonomía. • Los estudiantes acceden a las competencias del proceso laboral mediante tareas laborales y utilizando métodos seleccionados. • Aprenden a identificar y solucionar lo que funciona mal. |
| **3D** Enfoque holístico. | ¿Cómo se puede acceder didácticamente a los campos de aprendizaje / contenidos orientados al proceso laboral? | Por estándar, los campos de aprendizaje / contenidos orientados al proceso laboral se separan en segmentos a los que luego se accede con métodos tradicionales. | La demanda holística de campos de aprendizaje / contenidos orientados al proceso laboral se cubre mediante la aplicación multifuncional de métodos. | Los métodos • desarrollados son prácticos y adecuados para acceder a los campos de aprendizaje orientados al contenido y al proceso laboral. |

## 5. CONTENIDOS DE LA FORMACIÓN Y LA ENSEÑANZA (DIRECTRIZ: LOS CONTENIDOS DOCENTES ESTÁN ORIENTADOS AL PROCESO LABORAL, ADAPTADOS AL NIVEL DE DESARROLLO DE LOS ESTUDIANTES Y SON EL RESULTADO DE PROCESOS DE ESTRUCTURACIÓN DEL TRABAJO EN EQUIPO)

| PR 4 | Preguntas clave | Prácticas que requieren una mejora | Objetivo deseado: Métodos de formación y enseñanza deseados | Medidas adecuadas de remodelación (estándares) |
|---|---|---|---|---|
| **4A** Trabajo en equipo. | ¿Los profesores / formadores trabajan en equipo cuando se preparan para impartir contenidos especializados de tecnología del metal? | Los profesores / formadores prefieren trabajar solos en su campo de especialización (en este caso: tecnología del metal). | Los profesores / formadores también se adhieren al concepto de equipo cuando se trata de contenidos especializados. | Los contenidos especializados: <br> • se negocian a través de equipos y los profesores / formadores reciben formación adicional para adquirir la capacidad de trabajar en equipo; <br> • la organización escolar y la planificación del trabajo en la escuela son el resultado de un trabajo en equipo; <br> • los equipos crean sus propias directrices para una instrucción de gran calidad; <br> Los equipos planifican y preparan conjuntamente su instrucción. |
| **4B** Estructuración lógica de los progresos. | ¿Cómo se eligen los contenidos de la formación? | Los contenidos se relacionan de los planes profesionales establecidos y en muchos casos se separan en temas principales. La orientación hacia el mundo laboral e incluso hacia los procesos laborales no se tiene en cuenta. | Los contenidos de los campos de aprendizaje / currículos deberían relacionarse con los procesos laborales para reforzar su multi-dimensionalidad. Los contenidos orientados al proceso laboral se estructuran según un sistema lógico de progresos (se reconoce el nivel de progreso desde un principiante hasta un experto). | Los contenidos: <br> • se identifican en los procesos laborales de las empresas y deberían ser típicos del sector profesional; <br> • deberían estructurarse en un sistema lógico de progresos para acceder a las dimensiones holísticas durante el proceso de aprendizaje. |

| PR 4 | Preguntas clave | Prácticas que requieren una mejora | Objetivo deseado: Métodos de formación y enseñanza deseados | Medidas adecuadas de remodelación (estándares) |
|---|---|---|---|---|
| **4C** Orientación del proceso. | ¿Los contenidos de aprendizaje se describen de un modo orientado al proceso? | Los contenidos están mencionados en los campos didácticos / contenidos orientados al proceso laboral; sin embargo, no se preparan de un modo orientado al proceso. | Para promover un aprendizaje global y holístico, los contenidos deben prepararse de un modo orientado al proceso. | Los contenidos<br>• tienen que ser identificados por profesores y formadores a partir de los procesos laborales con la ayuda de actividades didácticas y laborales (tareas profesionales) y deben remodelarse de modo que permitan un aprendizaje orientado al proceso laboral. |
| **4D** Integración de disciplinas. | ¿Como se imparten los contenidos de matemáticas, física y lenguay se relacionan con la orientación al proceso? | Las matemáticas y la física ya no se ofrecen como asignaturas separadas, sino integradas en los contenidos del campo de aprendizaje. Las lenguas suelen ser una asignatura aparte. Los contenidos especiales pueden, sin embargo, impartirse también dentro de los campos de aprendizaje / contenidos orientados al proceso laboral. | Es obvio que los contenidos especiales de matemáticas, física y lenguas se integran tanto como sea posible en otros contenidos docentes. | Los contenidos<br>• deben determinarse de modo que la formación actual se base en los avances de las empresas, industrias y oficios manuales y esté de acuerdo con los currículos y los perfiles profesionales;<br>• deben estar integrados en el perfil profesional que representa el statu quo de la tecnología del metal. |
| **4E** Actualidad. | ¿Cómo se puede garantizar que se elijan contenidos necesarios y actualizados? | Los profesores / formadores utilizan contenidos obsoletos aunque no forman parte del currículo oficial. | Los perfiles curriculares y profesionales dejan lugar a la interpretación, lo que debería utilizarse para convertir los contenidos relevantes en objeto del aprendizaje. | Los contenidos:<br>• deben determinarse de modo que la formación actual se base en los avances de las empresas, industrias y oficios manuales y esté de acuerdo con los currículos y los perfiles ocupacionales;<br>• incluyen contenidos relevantes de alta tecnología actual dentro del sector del metal. |

## 6. EL DESARROLLO DE LOS ENTORNOS DE APRENDIZAJE Y LAS CONDICIONES ESTRUCTURALES PARA LA FORMACIÓN EN LA EMPRESA Y LA ENSEÑANZA EN LA ESCUELA (DIRECTRIZ: TODAS LAS DIMENSIONES DEL ENTORNO ESCOLAR FAVORECEN EL PROCESO DE APRENDIZAJE)

| PR 5 | Preguntas clave | Prácticas que requieren una mejora | Objetivo deseado: Remodelación deseada de los entornos de aprendizaje y las condiciones estructurales | Medidas adecuadas de remodelación (estándares) |
|---|---|---|---|---|
| 5A Respeto. | ¿Los profesores, director y estudiantes demuestran respeto por el papel de cada cual y por el entorno de aprendizaje? | No hay confianza, no hay igualdad (entorno social, género, origen). La actitud positiva hacia los estudiantes y su vocación no son temas de debate entre los profesores y el director. La cultura escolar favorece la competitividad y la desconfianza entre estudiantes. | La relación entre profesores, directores y estudiantes viene determinada por el respeto mutuo. El entorno y el equipamiento escolar se utilizan con cuidado y respeto. | El entorno de aprendizaje / condiciones estructurales: <br>• se remodelan de modo que se favorezca el potencial de cada estudiante para progresar hacia un nivel de excelencia; <br>• fomentan un nivel alto de asistencia y puntualidad; <br>• promueven la igualdad de oportunidad y tratan activamente cuestiones de igualdad de género, raza y con discapacitados; <br>• se diseñan de modo que se fomente la colaboración y la confianza entre estudiantes; <br>• se diseñan de modo que se fomente una buena comunicación entre todas las personas como clave para solucionar conflictos; <br>• se diseñan de modo que profesores y alumnos dan forma al edificio y a las aulas en las distintas fases del proyecto; <br>• se diseñan de modo que el edificio de la escuela y las aulas estén limpios y tengan una atmósfera acogedora y agradable. |

| PR 5 | Preguntas clave | Prácticas que requieren una mejora | Objetivo deseado: Remodelación deseada de los entornos de aprendizaje y las condiciones estructurales | Medidas adecuadas de remodelación (estándares) |
|---|---|---|---|---|
| **5B** Colaboración. | ¿Cómo hay que remodelar la organización escolar para facilitar la colaboración con las empresas? | Por ahora, sólo profesores individuales o la dirección de la escuela están colaborando con las empresas. Por tanto, el resto de personas quedan automáticamente excluidas de esta colaboración, aunque manifiesten su voluntad de colaborar. En la escuela, la instrucción en las aulas, laboratorios y talleres no se relaciona. | Habría que crear estructuras de colaboración laboral con las empresas. Las escuelas crean aulas integradas para la instrucción especializada que cuentan con un equipamiento moderno. Máquinas, herramientas y otras ayudas a la enseñanza deberían estar disponibles. | El entorno de aprendizaje / condiciones estructurales:<br>• las escuelas crean aulas integradas para la instrucción especializada que cuentan con equipamiento moderno donde equipos de profesores guían y acompañan a los estudiantes hacia un aprendizaje independiente.<br>• existen estructuras idóneas de comunicación y colaboración entre la escuela y las empresas.<br>• escuelas y empresas se complementan entre sí en términos de maquinaria y aparatos técnicos. |
| **5C** Planificación flexible del tiempo. | ¿Cómo deberían remodelarse los horarios para favorecer un aprendizaje orientado al estudiante? | Por norma, las horas de instrucción se planifican según el currículo, sin ninguna orientación al proceso. | Hay que abandonar si es posible la planificación / horario de la instrucción y dejarla a discreción de los equipos docentes. Estos equipos planifican los procesos de instrucción en colaboración con las empresas con el objetivo de lograr una formación de alta calidad. | El entorno de aprendizaje / condiciones estructurales:<br>• posibilitan una planificación independiente del curso de formación con el objetivo de lograr la calidad de formación más alta posible. |

| PR 5 | Preguntas clave | Prácticas que requieren una mejora | Objetivo deseado: Remodelación deseada de los entornos de aprendizaje y las condiciones estructurales | Medidas adecuadas de remodelación (estándares) |
|---|---|---|---|---|
| **5D** Trabajo en red. | ¿Cómo se coordina el aprendizaje entre los entornos de aprendizaje de la escuela y de la empresa? | Visto tradicionalmente, la colaboración entre escuela y empresa es bastante accidental. Por tanto, la calidad y el éxito son considerablemente diferentes. | Escuelas y empresas crean una red que favorece una coordinación continua del aprendizaje en la escuela y en la empresa. | El entorno de aprendizaje / condiciones estructurales <br>• se remodelan para crear una estructura que garantice una coordinación continua del aprendizaje en los entornos de aprendizaje: escuela, empresa y otros. <br>• son remodelados por la escuela, la empresa y otras instituciones para asegurar la estructura organizativa necesaria para esta coordinación. |
| **5E** Entorno de aprendizaje. | ¿Cómo se puede asegurar el trabajo en proyectos y el trabajo en equipo en los dos entornos de aprendizaje? | El aprendizaje tiene lugar de forma aislada en los dos entornos de aprendizaje. Se desatienden los procesos laborales, sobre todo en la escuela. | Se garantiza la coordinación del aprendizaje entre los entornos de aprendizaje relevantes para lograr la mejor calidad posible de la formación. | El entorno de aprendizaje / condiciones estructurales: <br>• Con la ayuda de los equipos escolares, se puede llevar a cabo muy bien el trabajo con proyectos. La colaboración entre empresas, escuelas y otras instituciones relevantes puede mejorar mediante la elección adecuada de los contenidos de los proyectos. |

# 7. REFLEXIÓN SOBRE LA ENSEÑANZA Y EL APRENDIZAJE (DIRECTRIZ: LA REFLEXIÓN DA LA POSIBILIDAD SISTEMÁTICA DE DETECTAR ACCIONES QUE DEBEN MEJORAR)

| PR 6 | Preguntas clave | Prácticas que requieren una mejora | Objetivo deseado: Reflexión deseada sobre la formación y la enseñanza | Medidas adecuadas de remodelación (estándares) |
|---|---|---|---|---|
| **6A** Super- visión y tutoría. | ¿Utilizan los profesores / formadores algún tipo de supervisión y tutoría? | Los profesores raramente partici- pan en cursos de formación para profesores. | Los profesores se implican para estudiar su propia práctica (estudio de actuación). Las escuelas cola- boran entre ellas y con expertos de la industria y del sector terciario. Los profeso- res recopilan, valoran, debaten e intercambian ejemplos de bue- nas prácticas. | La reflexión sobre la forma- ción y la instrucción: <br>• utilizan también la super- visión y la tutoría como formas sociales modernas de aprendizaje. |
| **6B** Inter- cambio de expe- riencias con colegas. | ¿Los profesores y formadores intercambian regularmente experiencias con sus colegas? | Los profesores no hablan de sus dilemas profe- sionales con sus colegas. | La comunidad profesional ha creado un sistema de aprendizaje continuado y de *feedback* entre profesores. | La reflexión sobre la forma- ción y la instrucción: <br>• utilizan los distintos elementos disponibles: mesas redondas, debates, contactos personales, observación entre iguales, circulación de correos electrónicos... |

| PR 6 | Preguntas clave | Prácticas que requieren una mejora | Objetivo deseado: Reflexión deseada sobre la formación y la enseñanza | Medidas adecuadas de remodelación (estándares) |
|---|---|---|---|---|
| **6C** Valoración y autoevaluación. | ¿Valoran los profesores / formadores los resultados del aprendizaje? ¿Reflexionan los profesores / formadores personalmente sobre la formación y la enseñanza? ¿Los profesores / formadores utilizan herramientas profesionales para la autovaloración y la autoevaluación? | No todos los cursos rellenan informes de autovaloración. Muchos de los informes que se presentan no pueden ser contrastados. | Los profesores se interesan por los conocimientos, aptitudes y actitudes de sus estudiantes cuando valoran los resultados del aprendizaje. Todos los cursos preparan una revisión de curso que identifica las áreas que hay que mejorar, áreas que se controlarán durante un período de tiempo determinado. | La reflexión sobre la formación y la instrucción: <br>• los profesores evalúan los resultados del aprendizaje de acuerdo con "su estándar individual propio". Se evaluan los resultados del aprendizaje de la clase y de los estudiantes individuales; <br>• desarrollo de la evaluación verbal, evaluación de escala o evaluación de porcentaje; <br>• los estudiantes son informados sobre los procesos y estándares de evaluación; <br>• los profesores evalúan conjuntamente con los estudiantes; <br>• autoevaluación de la gestión (p.ej. EFQM, estándares ISO, CAF, CPRF, IWA2); <br>• autoevaluación de los procesos de aprendizaje/ formación (p.ej. Q2E); <br>• se fomenta la satisfacción de los estudiantes con el estado de la educación, satisfacción de los profesores con el entorno de trabajo, la dirección, etc. |

| PR 6 | Preguntas clave | Prácticas que requieren una mejora | Objetivo deseado: Reflexión deseada sobre la formación y la enseñanza | Medidas adecuadas de remodelación (estándares) |
|---|---|---|---|---|
| **6D** *Feedback* entre estudiantes, padres, empresas, colegas, director, etc. | ¿Los profesores / formadores buscan el *feedback* entre estudiantes, padres, empresas, colegas, director, etc.? ¿Los profesores / formadores utilizan métodos como el "feedback" de 360 grados? ¿Los estudiantes evalúan su instrucción? | Hasta hoy, esto es más bien la excepción. | Los estudiantes dan *feedback* a profesores y formadores. Los profesores / formadores / estudiantes establecen un concepto de evaluación adecuado. | La reflexión sobre la formación y la instrucción: <br>• *feedback* personal (no anónimo); <br>• debates abiertos (entre estudiantes y administradores de la escuela, p.ej. en un sitio Web); <br>• reuniones de alumnos y profesores centradas en el progreso de los profesores; <br>• sitios Web de los alumnos de la escuela; <br>• se revisan los conceptos de evaluación existentes y se elige uno adecuado que luego se aplica tras otra optimización; <br>• los estudiantes aplican el concepto de evaluación a su instrucción. |
| **6E** Evaluación externa. | ¿Los profesores / formadores están interesados en participar en evaluaciones externas? | Los profesores / formadores no están interesados por participar en evaluaciones externas. | Profesores y formadores participan en evaluaciones externas para completar la información sobre la calidad del aprendizaje de la autovaloración y de la autoevaluación. | La reflexión sobre la formación y la instrucción: <br>• apoya la organización de evaluaciones externas (p.ej. creación de consciencia del director, autoridades escolares, colegas, etc.), participación en evaluaciones externas. |

## 8. REFERENCIAS BIBLIOGRÁFICAS

Altrichter, H.; Posch, P. (1990). *Lehrer erforschen ihren Unterricht. Eine Einführung in die Métodoen der Aktionsforschung.* Bad Heilbronn.

Becker, M.; Spöttl, G.; Dreher, R. (2003). *GQM – Gestaltungsorientiertes Qualitätsmanagement für die Entwicklung von Unterrichtsqualität in berufsbildenden Schulen.* Flensburg.

CEDEFOP (2003) (ed.). *Calidad en la formación. Glosario.* Noviembre de 2003.

CE (2004). *Fundamentos de un 'Marco Común de Garantía de Calidad' (CPRF) para la FP en Europa.* Comisión Europea (Actualizado 29/09/05).

ITEA (2000) (ed.). *Estándares para un alfabetismo tecnológico: Contenidos para el estudio de la tecnología.* Reston (ISBN 1-887101-02-0).

KMK (2000) (ed.). Handreichungen für die Erarbeitung von Rahmenlehrplänen der Kultusministerkonferenz (KMK) für den berufsbezogenen Unterricht in der Berufsschule und ihre Abstimmung mit Ausbildungsordnungen des Bundes für anerkannte Ausbildungsberufe.

Schwippert, K. (2005). *Vergleichende Lernstandsuntersuchungen, Bildungsstandards und die Steuerung von schulischen Bildungsprozessen.* In: bwp@ Nr. 8.

Spöttl, G. (2006). *Europäische Kernberufe – nach wie vor eine europäische Perspektive für eine europäisierte Berufsbildung?* In: Grollmann, Ph.; Spöttl, G.; Rauner, F. (Hrsg.): *Europäisierung Beruflicher Bildung – eine Gestaltungsaufgabe.* LIT Verlag, Hamburg, S. 157-172.

Windelband, L.; Spöttl, G. (2003). *Indicadores para la identificación de la necesidad de una aptitud. Informe 2.* Leonardo da Vinci, Proyecto Early Bird, Flensburg.

## 9. ANEXO

**Ejemplo para la utilización de indicadores de calidad orientados a la remodelación para la mejora de la calidad de un proyecto de instrucción / formación (Alemania)**

*Alexander Maschmann*, Berufliche Schulen des Kreises Schleswig-Flensburg (Escuela profesional)

**Proyecto FP: Realización de una puerta enrollable automática para garaje**

1. Condiciones estructurales

El proyecto lo lleva a cabo la Clase de Nivel Superior de Técnicos del Metal (3º año de aprendizaje)

| Extracto del año escolar 2006/2007 | Plan de bloque Grupo especializado de técnicos del metal |
|---|---|
| | Construcción metálica |
| 12/03-16/03. | CA 10a |
| 19/03-23/03. | |
| 26/03-30/03. | 100h |
| 02/04-16/04. | Vacaciones de primavera |
| 17/04-20/04. | |

2. Situación del proyecto

Los aprendices reciben el encargo de planificar, instalar y hacer funcionar una puerta enrollable automática para garaje que puede ser controlada por distintos sensores. Como no se dispone de un "garaje para prácticas", se construye una maqueta.

La estructura del modelo, una persiana enrollable como simulación de la puerta enrollable, partes de una caja de engranajes, un motor, diversos sensores y dispositivos electrónicos y una unidad de control están a disposición de los aprendices.

3. Finalidad del proyecto: Capacidad para actuar (aptitud profesional)

El objetivo más importante de esta parte de la instrucción del campo de aprendizaje 10a es la adquisición de competencias que capaciten al aprendiz para trabajar con éxito en tareas de tecnología de control en el campo de la construcción con metal.

Las competencias especializadas a adquirir se pueden ver en la definición de objetivos del campo de aprendizaje:

| **Formulación de objetivos de tecnología de control de acuerdo con el currículo** |
|---|
| **Campo de aprendizaje 10a construcción con metal**<br>**"Producción de puertas, verjas y rejas"** |
| Los aprendices planifican las funciones generales y parciales para puertas y verjas controladas y desarrollan el plan de funcionamiento. Deducen las señales de entrada y salida necesarias y desarrollan la lógica conexión entre estas señales. Seleccionan sistemas de control y equipamiento técnico de acuerdo con la futura aplicación. Determinan los componentes, dibujan los diagramas de cableado, construyen los controles y los hacen funcionar. |

Paralelamente a la instrucción del proyecto, el desarrollo de competencias personales del aprendiz se centra en un refuerzo del trabajo autónomo, la confianza y el sentido de la responsabilidad. Con la presentación del proyecto planificado se refuerzan más si cabe la responsabilidad para una buena finalización del encargo y la confianza en uno mismo, tan importante para el desempeño profesional.

El hecho de que el encargo haya que realizarlo mediante un proyecto en equipo comporta un refuerzo de la competencia social de los aprendices. El aprendiz tiene que identificarse con el objetivo común y estar dispuesto a relacionarse con sus compañeros/as aprendices de un modo responsable.

## Indicadores de calidad para el proyecto de formación

**El papel de formadores y profesores (PR 1)**
¿Qué tipo de autoconcepto favorece la calidad de la formación?
Directriz: **"El formador / profesor abre el camino de una buena formación / enseñanza".**

| Preguntas clave | Prácticas que requieren una mejora (posibles situaciones actuales) | Situación final deseada | Medidas adecuadas de remodelación que describen ejemplos concretos del proyecto actual |
|---|---|---|---|
| 1. ¿Intenta el profesor alcanzar el objetivo junto a otros colegas? | • Los contenidos de la instrucción se planifican en solitario y por separado. <br>• No hay una coordinación de la distribución de contenidos. <br>• No se reflexiona sobre el éxito de la instrucción en un campo de aprendizaje. | • Los profesores planifican, llevan a cabo y evalúan conjuntamente la instrucción del campo de aprendizaje de la tecnología del metal. | • selección conjunta del proyecto del campo de aprendizaje; <br>• planificación conjunta del curso de instrucción dentro del proyecto del campo de aprendizaje; <br>• coordinación de los horarios de las clases a impartir; <br>• enseñar a trabajar en equipo; <br>• planificación del equipamiento técnico para todas las ocupaciones. |
| | • No hay intercambio sobre los progresos de los aprendices. | • Los profesores acompañan y apoyan a los aprendices en un equipo. | • Debate sobre los progresos y las oportunidades de promoción de los aprendices. <br>• Coordinación con medidas de ordenanza. |
| 2. ¿El profesor aplica conocimientos pedagógicos y especializados modernos? | • Los contenidos del campo de aprendizaje se distribuyen entre los profesores sin importancia <br>• o cada profesor imparte paralelamente los contenidos de una disciplina distinta. | • El concepto de campos de aprendizaje / contenidos holísticos se implementa de acuerdo con las estipulaciones del currículo. <br>• Existe un proyecto del campo de aprendizaje como base para la instrucción. | • Los contenidos de aprendizaje se imparten dentro del marco de la formulación buscada en el campo de aprendizaje 10a. <br>• La distribución de contenidos depende del progreso del proyecto del campo de aprendizaje. <br>• Se seleccionó el proyecto "control de una puerta enrollable de garaje". |
| | • No se tienen en cuenta los avances técnicos. <br>• No se utilizan programas de aplicaciones. | • Posterior formación independiente en contenidos especializados. <br>• Se utilizan aplicaciones informáticas. | • Se han estudiado los avances técnicos en sistemas de tecnología de control y se han incluido en la serie de tareas. <br>• Se utiliza software de planificación para la tecnología de control. |

| Preguntas clave | Prácticas que requieren una mejora (posibles situaciones actuales) | Situación final deseada | Medidas adecuadas de remodelación que describen ejemplos concretos del proyecto actual |
|---|---|---|---|
| 3. ¿El profesor centra sus actuaciones en el progreso de los aprendices? | • Sólo se trabaja sobre contenidos especializados de acuerdo con el criterio del profesor.<br>• Sólo el profesor decide las condiciones marco del aprendizaje. | • El profesor motiva al aprendiz a ahondar en el conjunto de tareas y subraya la importancia de un desempeño profesional | • Se explican las aplicaciones prácticas de la tecnología de control.<br>• Se subraya la importancia de las tecnologías de control dentro del campo profesional del metal y más allá. |
| | | • Coordinación del conjunto de tareas y contenidos didácticos con el nivel de progreso del aprendiz. | • En el tercer año de formación, el conjunto de tareas se corresponde con el nivel de rendimiento.<br>• Los aprendices codeterminan la profundidad y el ritmo de implementación del conjunto de tareas "puerta enrollable". |
| | | • Se tienen en cuenta las situaciones sociales y laborales de cada aprendiz individual. | • En caso necesario, el aprendiz recibe ayuda individualizada por parte del profesor.<br>• Se ha coordinado el curso de formación en la empresa sobre tecnología de control con el campo de aprendizaje 10a en la escuela. |
| 4. ¿El profesor considera que la formación profesional forma parte de la carrera educativa del aprendiz? | • El único objetivo es la impartición de los contenidos teóricos y prácticos especializados para el curso actual dentro del período lectivo. | • Se facilita el progreso del aprendiz en competencias holísticas.<br>• El objetivo principal es la adquisición de aptitudes profesionales. | • El trabajo en el conjunto de tareas de tecnologías de control requiere una actuación holística del aprendiz.<br>• Fomento de las competencias sociales mediante el trabajo en grupo.<br>• El encargo del proyecto refleja un ejemplo de situación de desempeño profesional. |
| | | • Los contenidos docentes generales de continuación se adquieren durante el trabajo en el proyecto. | • Se ahonda puntualmente en los contenidos de matemáticas, lenguas y sociales |

**El papel del estudiante / remodelación del proceso de aprendizaje (PR 2)**
¿Cómo se sitúa al estudiante en el centro del proceso de aprendizaje?
Directriz: **"El formador / profesor debería ser un tutor / asesor de aprendizaje".**

| Preguntas clave | Prácticas que requieren una mejora (posibles situaciones actuales) | Situación final deseada | Medidas adecuadas de remodelación que describen ejemplos concretos del proyecto actual |
|---|---|---|---|
| 1. ¿El aprendiz está preparado para encargarse de una serie de tareas por su cuenta? | • El aprendiz pasivo espera impulsos e instrucciones del profesor. | • El aprendiz aborda activamente el conjunto de tareas.<br>• Utiliza sus conocimientos y aptitudes especializadas para la solución.<br>• Utiliza las ayudas docentes a su disposición para ampliar sus conocimientos. | • El aprendiz evalúa el conjunto de tareas y la documentación técnica sobre "puertas enrollables".<br>• Comunica sus conocimientos al grupo durante la planificación del mecanismo técnico de control.<br>• Amplía sus conocimientos estudiando libros especializados y por Internet.<br>• Utiliza sus conocimientos para la construcción y la instalación del mecanismo.<br>• Utiliza software de aplicación para la planificación del sistema tecnológico de control. |
| 2. ¿El aprendiz trabaja con formalidad y obediencia? | • Hay que recordarle regularmente que prosiga con su trabajo. | • Trabaja orientado al objetivo para poder resolver el problema. | • El aprendiz planifica, construye y pone en marcha el mecanismo tecnológico de control de un modo orientado al objetivo. |
| | • No respeta los acuerdos o compromisos. | • Respeta los compromisos y acuerdos. | • Las tareas parciales se asumen con formalidad.<br>• Se respetan los tiempos acordados. |
| | • Nunca llega puntual y se olvida de traer la documentación necesaria. | • Siempre llega puntual y bien preparado para la instrucción. | • La documentación técnica y los resultados del trabajo siempre están disponibles.<br>• Ha resuelto las situaciones parciales por su cuenta. |

| Preguntas clave | Prácticas que requieren una mejora (posibles situaciones actuales) | Situación final deseada | Medidas adecuadas de remodelación que describen ejemplos concretos del proyecto actual |
|---|---|---|---|
| 3. ¿El aprendiz trabaja responsablemente en equipo? | • El aprendiz reacciona con susceptibilidad ante la crítica. | • El aprendiz sabe aceptar la crítica | • El aprendiz no se toma las críticas a sus propuestas para la planificación, construcción y puesta en funcionamiento de proyectos de tecnología de control como algo personal, sino que intenta aprender de ellas. |
| | • Tiene tendencia a tratar agresivamente a sus compañeros. | • Trata a sus compañeros de un modo racional y responsable | • Ayuda a quienes tienen un rendimiento inferior sin desvalorizarlos.<br>• Acepta las explicaciones sobre los contenidos de tecnología de control de sus compañeros si tiene dificultades para comprenderlos. |
| | • Desvaloriza el resultado del grupo a su favor . | • Actúa solidariamente | • El resultado del grupo "puerta enrollable" se presenta como un resultado común.<br>• El éxito o el fracaso se aceptan conjuntamente. |
| 4. ¿Percibe el aprendiz su proceso de aprendizaje? | • El aprendiz no tiene una carpeta del campo de aprendizaje. Sólo tiene una colección de hojas sueltas.<br>• Simplemente se mira los contenidos antes de un examen.<br>• Pregunta: "¿Para qué me sirve?" o dice: "De todos modos nuestra empresa ya no lo hace." | • El aprendiz se documenta y reflexiona sobre su proceso de aprendizaje.<br>• Aplica conscientemente los métodos de aprendizaje.<br>• Se prepara para los exámenes de un modo orientado al objetivo.<br>• Valora su aprendizaje con el telón de foro de la planificación de una posible vida laboral. | • Los pasos y resultados de los trabajos de la tarea "puerta enrollable" se documentan y evalúan en una carpeta del proyecto.<br>• Se debaten los puntos fuertes y débiles con los aprendices.<br>• Se ponen distintas fuentes de aprendizaje a disposición de los estudiantes.<br>• Se ofrecen consejos y ejercicios para ahondar en los contenidos de aprendizaje.<br>• Se destaca la importancia de dominar las tecnologías de control. |

**Los métodos de formación y enseñanza (PR 3)**
¿Qué características de método mejoran la calidad de la enseñanza?
Directriz: **"El formador / profesor selecciona métodos que favorezcan la capacidad de actuar de los aprendices".**

| Preguntas clave | Prácticas que requieren una mejora (posibles situaciones actuales) | Situación final deseada | Medidas adecuadas de remodelación que describen ejemplos concretos del proyecto actual |
|---|---|---|---|
| 1. ¿Los métodos promueven la capacidad de los estudiantes de actuar autónomamente? | • La forma de solucionar un problema se muestra en pequeños pasos con una serie de tareas. • Instrucción con explicaciones en cl aula y libros de texto. • Todos los aprendices tienen que trabajar simultáneamente en cada paso del aprendizaje. | • Los aprendices pueden codeterminar el tipo de problema y la forma de solucionarlo. • Deben actuar por su cuenta durante la resolución del problema (orientación a la actuación). | • La instrucción del campo de aprendizaje 10a se diseña como un proyecto. • El resultado, la implementación de la unidad de control, se puede remodelar de una manera relativamente abierta. • Se ofrecen fuentes de información, no conocimientos especializados preconcebidos. |
| | | • Los aprendices reciben más apoyo que instrucción con sus tareas. | • El profesor está a disposición de los aprendices en caso de preguntas sobre tecnologías de control. Sin embargo, no proporciona soluciones para el mecanismo. |
| | | • Se proporcionan los complementos y aulas de aprendizaje necesarios. | • Se ofrecen talleres, aulas y aplicaciones de software. |
| 2. ¿Es posible un aprendizaje holístico? | • Se imparten contenidos especializados por separado. | • El conjunto de tareas simulan una situación laboral. | • La tarea "puerta enrollable " origina un planteamiento profesional del problema. |
| | | • Se requiere un proceso laboral completo.. • Los conocimientos teóricos especializados se integran con las aptitudes prácticas. | • Se requiere planificación, producción, control, evaluación/ documentación, presentación del mecanismo tecnológico de control. • El encargo del proyecto simula un encargo de un cliente. |

| Preguntas clave | Prácticas que requieren una mejora (posibles situaciones actuales) | Situación final deseada | Medidas adecuadas de remodelación que describen ejemplos concretos del proyecto actual |
|---|---|---|---|
| 6. ¿El aprendiz adquiere competencias (especializada, personal y social) que le ayudan en la vida y su carrera profesional? | • Sólo se imparten contenidos teóricos especializados. | • Se imparte la competencia especializada a lo largo del método.<br>• Se fomenta la competencia personal.<br>• Se amplía la competencia social. | • La formulación buscada del campo de aprendizaje 10a se implementa con la tarea "puerta enrollable".<br>• El trabajo en equipo es indispensable.<br>• La tarea es muy seria / El resultado es necesario.<br>• Una presentación del proyecto favorece la identificación con la tarea y el resultado.<br>• Existe una necesidad de compromiso y de trabajo orientado al objetivo. |

**Contenidos de la formación / instrucción (La estructuración lógica del desarrollo de los contenidos de la formación) (PR 4)**

¿Cuál de las características de estructuración de los contenidos de formación comporta el desarrollo de la competencia en los estudiantes según su nivel de progreso?

Directriz: **"El formador / profesor estructura los contenidos de la instrucción en un sistema lógico de progreso".**

| Preguntas clave | Prácticas que requieren una mejora (posibles situaciones actuales) | Situación final deseada | Medidas adecuadas de remodelación que describen ejemplos concretos del proyecto actual |
|---|---|---|---|
| 1. ¿Los contenidos se seleccionan sobre la base de una situación de desempeño laboral? | • Los contenidos especializados se imparten sin relevancia.<br>• Los contenidos especializados sólo se consideran teóricamente. | • Los contenidos están vinculados a una serie de tareas laborales.<br>• Los aprendices son capaces de convertir la serie de tareas en acciones prácticas. | • Se seleccionó el control de una puerta enrollable como conjunto de tareas laborales para el proyecto.<br>• Los contenidos teóricos sobre tecnologías de control se convierten en la construcción y puesta en funcionamiento del mecanismo. |
| 2. ¿Los contenidos se integran en una actuación laboral completa (orientados al proceso)? | • Los contenidos de aprendizaje de los currículos se tratan de uno en uno de modo teórico.<br>• No se requiere una actuación laboral. | • La formulación deseada de un currículo lógicamente estructurado para el progreso se traslada a una actuación laboral completa. | • La base es la formulación deseada del campo de aprendizaje 10a, "planificar, desarrollar, seleccionar, construir y hacer funcionar un sistema de control."<br>• La simulación laboral llega hasta la presentación al cliente de los resultados. |

| Preguntas clave | Prácticas que requieren una mejora (posibles situaciones actuales) | Situación final deseada | Medidas adecuadas de remodelación que describen ejemplos concretos del proyecto actual |
|---|---|---|---|
| 3. ¿Se imparten contenidos de educación general de continuidad? | • Sólo se imparten contenidos ocupacionales especializados. | • Los contenidos de educación general de continuidad se adquieren durante el trabajo en el proyecto. | • Se ahonda puntualmente en los contenidos de matemáticas, lenguas y sociales. |
| 4. ¿Se tiene en cuenta el nivel de progreso de los aprendices? | • Los contenidos se imparten siguiendo a rajatabla las "estipulaciones del libro de texto". | • Los contenidos impartidos se adaptan al nivel de rendimiento de los aprendices en términos de complejidad y profundidad (reducción didáctica orientada al destinatario). | • El conjunto de tareas se corresponde con el nivel de rendimiento del tercer año de formación. <br> • Se ahonda en los contenidos más allá de los objetivos básicos según cual sea el desarrollo y los progresos del proyecto. |

**La remodelación de los entornos de aprendizaje y las condiciones estructurales (PR 5)**
¿Cómo hay que remodelar los entornos de aprendizaje (entornos de aprendizaje y condiciones estructurales) para mejorar la calidad de la formación y la enseñanza?
Directriz: **"El formador / profesor optimiza el entorno de aprendizaje de los aprendices dentro del marco de su capacidad de influencia inmediata".**

| Preguntas clave | Prácticas que requieren una mejora (posibles situaciones actuales) | Situación final deseada | Medidas adecuadas de remodelación que describen ejemplos concretos del proyecto actual |
|---|---|---|---|
| 1. ¿Se puede relacionar el conocimiento especializado con la práctica laboral? | • Las aulas y los talleres están claramente separados entre sí. <br> • Teoría y práctica se imparten por separado. | • Se dispone de aulas integradas. <br> • Los profesores de teoría y de práctica trabajan juntos. | • Se dispone simultáneamente de aula, laboratorio de tecnologías de control y taller. <br> • Existe una estrecha coordinación de los contenidos de aprendizaje y una planificación común de los proyectos entre los profesores de teoría y de prácticas. |
| 2. ¿El equipamiento se corresponde con los avances profesionales actuales? | • El equipamiento técnico no se corresponde con los estándares actuales. <br> • Libros de texto anticuados. <br> • No hay software de aplicación. | • Se puede procurar equipamiento técnico moderno. <br> • Se reserva un presupuesto suficiente para complementos técnicos. | • Los elementos para el mecanismo de control de este proyecto son de adquisición reciente. <br> • Se proporcionan libros de texto y documentación técnica. <br> • Se utiliza software de aplicación. |

| Preguntas clave | Prácticas que requieren una mejora (posibles situaciones actuales) | Situación final deseada | Medidas adecuadas de remodelación que describen ejemplos concretos del proyecto actual |
|---|---|---|---|
| 3. ¿Se apoya el trabajo en equipo? | • Los horarios no tienen en cuenta a los equipos y sólo se planifican centralizadamente.<br>• No hay aulas de reunión.<br>• El equipo no tiene un presupuesto propio.<br>• La estructura de la escuela no tiene en cuenta los equipos. | • Durante la planificación de los horarios se tiene en cuenta a los equipos.<br>• Todos los miembros de equipos tienen cierto tiempo disponible en su horario para realizar reuniones de grupo.<br>• Cada equipo tiene presupuesto propio.<br>• La estructura escolar apoya los equipos y los tiene en cuenta a la hora de tomar decisiones. | • Se ha llevado a cabo una planificación común del proyecto, alterna y bilateralmente.<br>• No hay un horario común para el equipo de construcción con metal.<br>• No se dispone de presupuesto propio. Aun así, se ha aprobado las ayudas económicas solicitadas.<br>• No resulta posible una comunicación electrónica intraescolar entre los miembros del equipo. |
| 4. ¿La organización escolar está diseñada para el apoyo de la instrucción? | • Los subprocesos necesarios (administración, adquisición, procesamiento de datos, mantenimiento de aparatos técnicos…) deforman la preparación y el curso de la instrucción.<br>• Los profesores llevan a cabo tareas adicionales como "llaneros solitarios". | • Los profesores están exentos al máximo posible de los subprocesos.<br>• Se aplican procedimientos eficaces para las tareas a realizar por parte de los profesores de acuerdo con su cometido.<br>• Existen unidades de apoyo que ofrecen tareas de servicio. | • El procesamiento de datos de los estudiantes está centralizado.<br>• El profesor puede realizar directamente pequeñas modificaciones (p.ej. cambio de número de teléfono del aprendiz).<br>• Existen estándares para los procedimientos de adquisición.<br>• El propio departamento asegura el mantenimiento de los aparatos de tecnología del metal.<br>• Se introdujo un procedimiento para reparar los fallos de las copiadoras.<br>• Un departamento de procesamiento de datos y secretaría ayuda a los profesores y se encarga de parte de sus tareas (p.ej. distribución de libros de texto). |

| Preguntas clave | Prácticas que requieren una mejora (posibles situaciones actuales) | Situación final deseada | Medidas adecuadas de remodelación que describen ejemplos concretos del proyecto actual |
|---|---|---|---|
| 5. ¿Cómo se asegura un aprendizaje orientado al proceso laboral por parte de los aprendices? | • El horario se divide estrictamente por asignaturas.<br>• Los aprendices están limitados a procesos de aprendizaje definidos según las condiciones estructurales. | • Se flexibilizan las lecciones en clase.<br>• Los aprendices colaboran en la remodelación de las tareas.<br>• Reacción flexible a las necesidades de los aprendices. | • El proyecto "puerta enrollable" tiene una continuidad dentro del marco de las lecciones especializadas para el campo de aprendizaje 10a.<br>• Los profesores deben atenerse a las lecciones, pero no a los contenidos.<br>• Se puede planificar y ejecutar independientemente el proyecto dentro del marco del conjunto de tareas.<br>• Se pueden comprar más recambios.<br>• Se pueden proporcionar ayudas docentes si hace falta. |
| 6. ¿Existe coordinación entre los entornos de aprendizaje? | • Escuela y empresa trabajan paralelamente sin ninguna coordinación. | • Como prevén los currículos y el plan de formación, la educación y la formación en la empresa y la escuela están estrechamente vinculadas.<br>• Los cursos de formación en la empresa se coordinan con los contenidos holísticos y del campo de aprendizaje.<br>• Si es necesario, se realizan cursos de formación conjuntos.<br>• El progreso de los aprendices se realiza conjuntamente (competencia social y personal). | • En términos de horario y contenidos, el bloque 10a del campo de aprendizaje y el curso de formación sobre tecnologías de control se coordinan.<br>• El conjunto de tareas de la escuela y la institución de formación en la empresa (asociación) se complementan entre sí.<br>• Algunos de los campos de aprendizaje/contenidos holísticos y los cursos de formación se realizan conjuntamente en la escuela o la institución formativa. |

# Capítulo X
# Gestión del cambio a través de la organización en equipos en las escuelas de Formación Profesional, la clave para mejorar la calidad de la enseñanza

Georg Spöttl, Klaus Prütz, Torsten Grantz

# 1. ORGANIZACIÓN EN EQUIPOS COMO ELEMENTO DE LA GESTIÓN DEL CAMBIO

Vamos a eliminar los rumores de raíz: la Gestión del cambio no significa un cambio de la dirección escolar. Significa, más bien, un cambio en su papel, en la concepción misma de la dirección escolar, de los profesores y todos los empleados de la escuela, centrado en la voluntad de éstos para afrontar también dentro de las escuelas los cambios en el entorno. Este artículo describe los retos a los que se enfrentan las escuelas de Formación Profesional, y expone el modo de afrontar estos cambios con una estructura escolar más flexible.

El término Gestión del cambio (*Change Management*) tiene su origen en el campo de la economía de empresa:

> *"La Gestión del cambio comprende todas las medidas necesarias a la hora de iniciar e implantar nuevas estrategias, nuevas estructuras, nuevos sistemas y patrones de conducta"* (cf. Al-Ani 2001).

Según esta definición, la Gestión del cambio incluye medidas cuyo objetivo es conseguir, anticipar e implementar el cambio. Básicamente describe un nivel funcional de cambios, con la creación de unas condiciones estructurales e infraestructurales. Más allá de esta definición metódica, la Gestión del cambio en las escuelas se puede percibir como la suma de todos los cambios planificados en los procesos y estructuras organizativas, con el objetivo de adaptarlas a las cambiantes condiciones ambientales. El sistema necesita una dinamización. Por lo tanto, una Gestión del cambio diferenciada debe afrontar, entre otros, los problemas de organización, gestión de personal, dirección escolar, comunicación e información (cf. Lemmenmeier

2005). Una de las formas posibles para dinamizar los procesos y los cursos de una organización es introducir el concepto organizativo de estructuras de equipo.

La necesidad de introducir una Gestión del cambio en las escuelas de Formación Profesional Técnica se justifica por el hecho de que el desarrollo apremiante del mundo profesional continuamente lanza nuevos retos a las escuelas. La presente evolución cada vez más acelerada de las estructuras cambiantes de trabajo, de la tecnología y de los empleos obliga a la enseñanza y a la formación profesional a adaptarse a estos cambios, también a la luz de la incipiente globalización. La rígida estructura burocrática y jerárquica del sistema de enseñanza de las escuelas de formación profesional no permite la adaptación adecuada, flexible y tan necesaria de las estructuras ocupacionales ni de las aptitudes que se deben impartir.

La formación profesional, sin embargo, debe reaccionar de inmediato ante los cambios del mundo laboral y antes los cambios en la sociedad y, de este modo, evitar el vacío existente entre la escuela y el mercado laboral con la modernización de la formación. Los trabajadores capacitados deben recibir una formación adecuada a las futuras exigencias.

Además, el cambio estructural en el mundo económico y laboral conduce a que la idea de un empleo de por vida –es decir, en el que los empleados permanezcan en la misma compañía desde su formación hasta la jubilación– haya dejado de ser la norma. Por ello, el concepto de formación permanente adquiere un nuevo papel, más importante, igual que la educación avanzada.

Especialmente en las regiones particularmente sensibles a los cambios culturales resulta necesario que los empleados y los trabajadores cualificados se adapten a las nuevas condiciones de los mercados laborales dándoles una formación extra o completamente nueva. Dentro de las regiones –y especialmente en las regiones estructuralmente débiles– las escuelas de formación profesional actúan como instituciones cruciales tanto a nivel de educación profesional como de educación avanzada. Estas instituciones deberían poder influir de forma activa y autónoma en el proceso de reestructuración. Para que las escuelas tengan el poder para jugar este papel de forma activa, deben reaccionar ante estos cambios de una forma dinámica y flexible.

Esto se conseguirá, entre otras formas, con un mayor grado de autonomía de las escuelas. Las escuelas deberían poder reaccionar de forma flexible ante los cambios estructurales regionales y adaptar su programa de enseñanza para adecuarlo a estos. Una posibilidad para dinamizar su organización es la introducción de la organización en equipos. Más adelante detallaremos este concepto. Su atención debería centrarse siempre en los objetivos primordiales, como un incremento de la calidad y la eficacia del programa educativo. Todas las medidas deberían orientarse a conseguir estos objetivos.

## 2. DOCE PUNTOS CLAVES PARA EL DESARROLLO DE LAS ESCUELAS

1. Los profesores viven en un proceso constante de aprendizaje permanente, parecido al de sus estudiantes.
2. Las organizaciones deben aprender a reaccionar ante las nuevas y cambiantes exigencias.
3. Como muchas otras organizaciones, las escuelas tienden a repetir las actividades rutinarias para insistir en metas concretas.
4. Una escuela de enseñanza pasa por procesos de aprendizaje para adaptarse a los cambios en las condiciones estructurales y para dar forma al programa educativo de modo eficaz.
5. Esto requiere un estilo de liderazgo cooperativo; la delegación de responsabilidades; una multitud de oportunidades de participación de todos los actores; así como una gran cantidad de espacio para el desarrollo y autonomía para los profesores.
6. La directiva de la escuela debe desarrollar una cultura de liderazgo que promueva la identificación del personal docente con la escuela, que establezca un ambiente de apertura y que estimule la experimentación y los proyectos innovadores.
7. Esto implica conocimiento de la región, de los usuarios de la escuela y de sus demandas, expectativas y postulados.
8. Para ello se necesitan una serie de instrumentos: instrumentos de auto-guía dentro del marco de desarrollo cualitativo de la escuela, instrumentos de responsabilidad e instrumentos de participación para la transformación y desarrollo conjunto de la escuela.
9. Las medidas individuales no vinculadas a un concepto general a largo plazo y que no reciben el apoyo de estrategias a medio plazo, no suelen conducir al éxito y generan frustración. El desarrollo escolar sólo puede llevar al éxito con un planteamiento holístico y una identidad corporativa respaldada por el personal docente.
10. La forma más fácil de lograr una gestión cualitativa del programa educativo es mediante equipos de colegas autónomos. Esta forma de organización garantiza el uso intensivo del potencial y del conocimiento explícito de los

miembros del equipo y por lo tanto incrementa las oportunidades de un rendimiento innovador.

11. Las condiciones necesarias para un trabajo fructuoso y sostenible de los equipos son una confianza de planificación de varios años y una clara posición del equipo dentro de la estructura escolar.

12. Tanto los equipos como los grupos de trabajo desarrollan sus tareas en una escuela. Los equipos cooperan a largo plazo y se centran en la planificación, la ejecución y la valoración del programa educativo. Los grupos de trabajo, en cambio, o bien cuentan con un tiempo limitado y un orden de trabajo claramente definido dentro del área de la escuela o bien trabajan de forma interdisciplinaria.

## 3. CAMBIOS Y PELIGROS DE LA INTRODUCCIÓN DE ESTRUCTURAS DE EQUIPO DENTRO DEL MARCO DEL PROCESO DE GESTIÓN DEL CAMBIO

Hasta ahora, la cultura organizativa aplicada a escuelas de formación profesional se ha basado muy poco en estructuras de equipo. Los profesores se ven a sí mismos como "guerreros solitarios". Los nuevos currículos que establecen el concepto de *campo de aprendizaje* requieren una mayor coordinación entre profesores. Pero estos equipos autónomos, tal y como se establecen en una estructura organizativa de equipo, han sido la excepción en las escuelas hasta ahora. El término "equipo" es más bien aplicable a profesores individuales que a grupos.

Como norma, y siguiendo el modelo burocrático clásico, el sistema escolar se estructura como una organización de desconfianzas. Esto se refleja, por ejemplo, en el desarrollo de ciertas organizaciones y del tradicional sistema de supervisión extraescolar. Es este sistema el que –al tomar el control de determinadas condiciones- preserva este status quo y no promueve las innovaciones en las escuelas técnicas profesionales (cf. Schratz 1999, p. 77ff.).

Sin embargo, conseguir que las organizaciones escolares reciban más confianza es necesario para poder alcanzar el objetivo de una estructura escolar dinámica y flexible. Esta estructura hasta ahora predominante en el puesto de trabajo de los profesores, ha llevado a que los profesores se vean a sí mismos como "guerreros solitarios" estructurales. La asistencia obligatoria a la escuela sólo se cumple, casi exclusivamente, durante las horas lectivas de los profesores. Y es por esto que no suelen estar en la escuela si no tiene clases. Esto viene apuntalado por la falta de unas condiciones de trabajo adecuadas para llevar a cabo la preparación, el seguimiento y la coordinación del programa educativo. No existen los lugares de trabajo, materiales, accesos a Internet, etc., adecuados. Además, la organización de las escuelas provoca un cambio constante de los profesores. La responsabilidad pedagógica de la enseñanza recae en los profesores individualmente. Por ello, los profesores suelen ser personas precociales con respecto a la escuela.

Ante la introducción de un nuevo concepto organizativo, es lícita la pregunta de si es ventajoso con respecto al viejo concepto, de si el trabajo que hasta ahora ha realizado el personal docente no ha sido peor por ser "guerreros solitarios". Aquí presentamos los activos de la estructura escolar tradicional.

- Rutinas de trabajo bien ensayadas.
- Una gran autonomía con respecto al diseño del programa educativo;
- Mucho tiempo disponible.
- Preparación y seguimiento del programa educativo, al que el profesor puede hacer correcciones cuando quiere, más que por obligación: un mayor grado de concentración y la voluntad de rendir.
- Poco control social a través de equipos ni otros.

Esto opuesto al hecho de que el profesor debe trabajar en solitario. Esto también es cierto ante los problemas con el programa educativo y su preparación y seguimiento. Un pequeño intercambio de información con otros miembros del personal docente no obtiene aportaciones de los colegas. El profesor solitario se enfrenta a una mayor necesidad de disciplina de trabajo en la forma de organización tradicional ya que debe motivarse a sí mismo para realizar sus tareas. Como consecuencia, los profesores a menudo creen que su trabajo no acaba nunca. En cambio, el trabajo en equipo conduce a un mayor intercambio de experiencias y a una mejor coordinación de la formación.

Sin embargo, el hecho de coordinar su trabajo con otros colegas en la escuela va a resultar una experiencia nueva para parte del personal docente. En general, la necesidad comunicativa en la escuela aumentará, porque un cambio en las competencias requiere que a la hora de tomar decisiones el conocimiento circule dentro de la organización. Por lo tanto, el tiempo invertido en una organización en equipo aumentará al principio durante la fase de implementación. Además los profesores experimentarán el control social desconocido de un equipo.

Existe un gran número de argumentos que contradicen estas críticas:

1. Los equipos de colegas con una amplia autonomía tomarán la responsabilidad del desarrollo de las áreas de trabajo relacionadas con el programa educativo y

por lo tanto harán una contribución crucial al desarrollo de la escuela centrado en la formación.

2. Los profesores se apoyan unos a otros en la planificación concreta de la formación, su realización y valoración y por lo tanto aseguran que los procesos de trabajo de la escuela tomen forma efectiva a largo plazo.

3. El trabajo en equipo incrementa las oportunidades de desarrollo de la formación debido a una mayor variedad de ideas y un intercambio intensivo de experiencias con otros colegas: el equipo sabe más y motiva.

4. Si los equipos se adhieren de forma consistente al concepto general acordado conjuntamente, el impacto de la formación aumenta por su claridad y coherencia.

5. El trabajo en equipo ayuda a afrontar situaciones conflictivas ya que los estudiantes pueden dirigirse a distintos compañeros de trabajo que se comunican entre ellos: El equipo equilibra.

6. Los miembros del equipo desarrollan aún más su propia capacidad de diagnóstico gracias a los debates sobre posibles soluciones a un conflicto. Esto tiene un impacto inmediato en la calidad del trabajo escolar.

7. La comunicación entre profesores es más cercana y más intensa en un equipo. Los nuevos colegas se integran más fácilmente a la vida de la escuela. La ausencia por baja de un profesor es mucho más fácil de compensar.

8. La práctica de una organización en equipo vital se transmite al trabajo en equipo cooperativo de los estudiantes.

9. La cooperación en un equipo apoya la competencia social de todos los miembros del equipo y crea un campo de reuniones especializadas entre los miembros del personal. El individualismo y los "guerreros solitarios" descienden y se incrementa la interacción entre el personal docente.

10. Dentro de los equipos, las tareas se distribuyen de acuerdo con la experiencia de los miembros del equipo. Esto incrementa la calidad del trabajo escolar y la eficacia del trabajo de todo el equipo.

11. Los equipos organizan la cooperación entre iniciativas de forma más efectiva mediante la delegación interna. A medio plazo esto conduce a una reducción del tiempo invertido por profesor.

12. La participación de un profesor en, por ejemplo, dos equipos que crean una red entre equipos, da impulso a la coordinación estructural de los equipos e intensifica el intercambio de información dentro de la escuela.

Uno de los retos de la implementación de una organización en equipo es la formación de grupos, resultado de jerarquías planas y estructuras que se consideran ineficientes. Estos grupos a veces aparentan una estructura de equipo ya en funcionamiento en la escuela. Si una organización en equipos en una escuela va a ofrecer todo el abanico de ventajas, sin embargo, es necesario que los equipos de la escuela no trabajen juntos de forma informal sino que sean institucionalizados y profesionalizados.

En el mejor de los casos, cada profesor debería poder contar con un espacio de trabajo propio. Este lugar de trabajo es también la zona de contacto para los estudiantes. Además, sería muy razonable para la implantación de una organización en equipos si los profesores se encontraran en la escuela durante todas las horas de trabajo. Sin embargo, las oportunidades que un planteamiento así se lleve a cabo son escasas debido a razones financieras y a la posible resistencia a ello. Por lo tanto, las siguientes ideas ilustran como anclar una estructura de equipo dentro de la organización de la escuela:

Los principios del Gestión del cambio apoyan la introducción de la organización en equipo:

**Principio 1:** El cambio es un proceso, no un acontecimiento.

**Principio 2:** La escuela es la unidad primaria para los procesos de cambio.

**Principio 3:** Una organización no cambia hasta que los individuos que la componen inician el proceso de cambio.

**Principio 4:** Las innovaciones siempre se implementan a una intensidad muy distinta.

**Principio 5:** Las intervenciones son siempre necesarias y la clave para un proceso de cambios fructífero.

**Principio 6:** Aunque las estrategias de abajo hacia arriba y de arriba hacia abajo pueden conducir al éxito, el objetivo debe ser una perspectiva horizontal.

**Principio 7:** El liderazgo administrativo es esencial para el éxito del proceso de cambio a largo plazo.

**Principio 8:** La asignación de mandatos puede contribuir al éxito.

**Principio 9:** Existe un vacío muy importante entre lo que debería lograrse y lo que se implementa en realidad.

**Principio 10:** Es tarea del equipo allanar el camino para los procesos de cambio.

**Principio 11:** Las intervenciones "adaptadas" reducen de forma extraordinaria los desafíos durante los cambios.

**Principio 12:** El contexto de la escuela tiene una influencia considerable en el proceso de cambio (basado en G. E. Hall / Sh. M. Hord, 2001).

## 4. EL EQUIPO COMO UN ELEMENTO DE LA ORGANIZACIÓN DE LA ESCUELA

Si una escuela quiere asegurar su misión pedagógica para los estudiantes debe estructurarse de forma adecuada en términos de organización de trabajo. Esto es crucial a la hora de hacer frente a las tareas de rutina. Por otro lado, la organización debe reaccionar con rapidez ante las iniciativas de los profesores, estudiantes y socios externos y debe mostrarse extremamente sensible ante los nuevos retos (cf. Feser; Flieger 2002, p. 26). La escuela necesita un equilibrio dinámico entre estabilidad y flexibilidad durante el proceso de desarrollo. Esto conducirá a la cuestión de si la ubicación tradicional de los estudiantes en grupos de edad o en grupos de prácticas por edades con periodos determinados generalmente sigue siendo una solución aceptable para las generaciones de estudiantes de hoy y sus problemas de aprendizaje (cf. Thurler 2006, p. 286). La tarea tras esta cuestión cada vez parece más clara, al imaginar que la implementación de los conceptos de aprendizaje orientados a los estudiantes con fases de aprendizaje autoguiado en centros de enseñanza abierta sigue siendo un desafío considerable para la organización en línea del Centro de Formación Técnica Profesional.

Para poder hacer frente a los requisitos cada vez más complejos con condiciones de estructura cada vez más variables, la cooperación profesional de los profesores debe intensificarse. Todas las características que estorban las innovaciones, como los "guerreros solitarios" y la poca voluntad de discutir los problemas, deben reducirse. Por otro lado, las medidas para incrementar la motivación como la colegiabilidad, la cooperación y el intercambio continuado de experiencias en el caso de los problemas profesionales debe potenciarse (cf. Thurler 2006, p. 289).

El objetivo básico es la implementación y el apoyo a una cultura de cooperación profesional de todo el personal docente que sólo podrá prosperar a través de una cultura de equipo de profesores eficaz. La cooperación y la colaboración entre los profesores son condiciones importantes para mejorar el grado de calidad de las escuelas (cf. Burhen; Killus; Kirchhoff; Müller 1999, p. 21). Sólo entonces, las escuelas serán capaces de manejar la complejidad en aumento y la variabilidad de los cambios actuales.

Schwenger ha ubicado la complejidad de las tareas a su variabilidad en el siguiente esquema (cf. Figura 1).

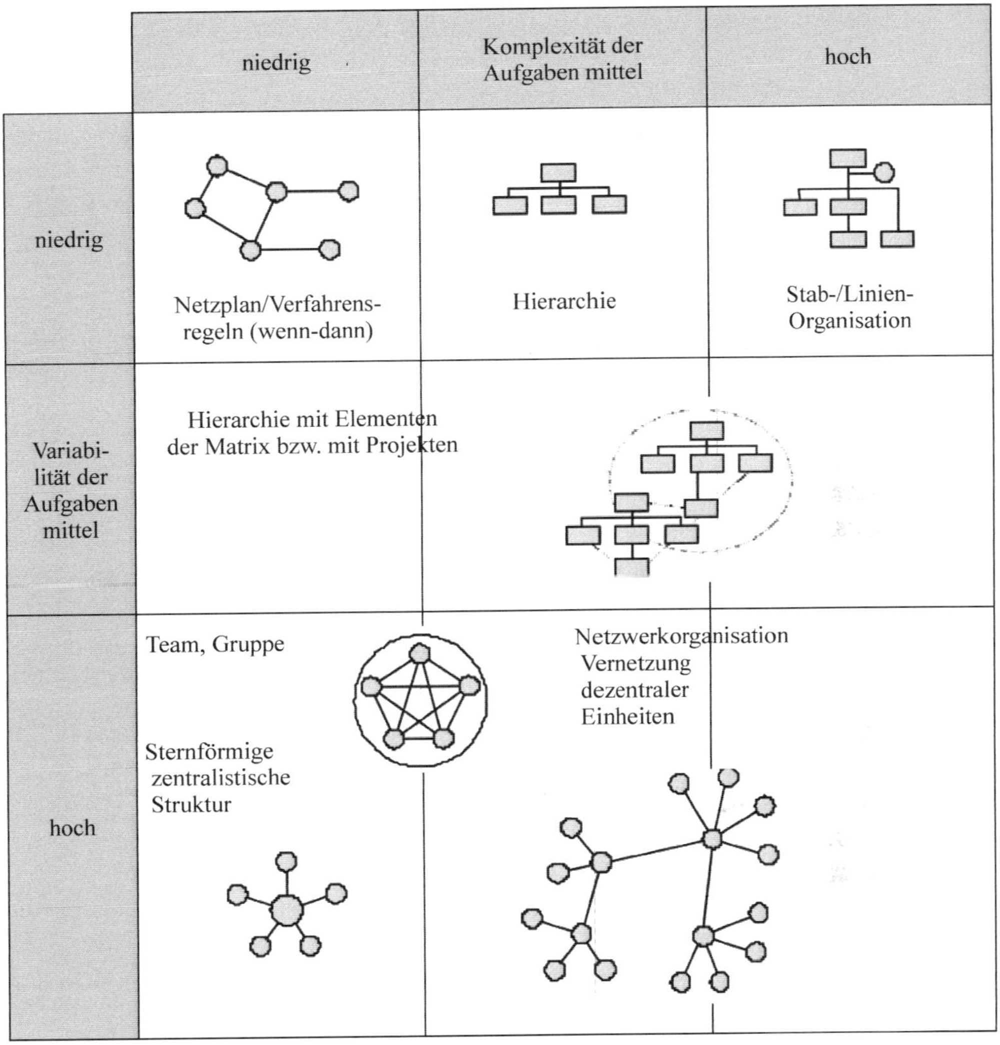

| | niedrig | Komplexität der Aufgaben mittel | hoch |
|---|---|---|---|
| niedrig | Netzplan/Verfahrens-regeln (wenn-dann) | Hierarchie | Stab-/Linien-Organisation |
| Variabi-lität der Aufgaben mittel | Hierarchie mit Elementen der Matrix bzw. mit Projekten | | |
| hoch | Team, Gruppe<br><br>Sternförmige zentralistische Struktur | Netzwerkorganisation Vernetzung dezentraler Einheiten | |

**Figura 1:** Estructuras organizativas en escuelas. Ulrich Schwenger /Nicolaus-August-Otto-Berufskolleg Cologne (Amenania)

Las tareas cada vez más complejas son, por ejemplo, las cuestiones de diagnóstico, la diferenciación interna en grupos de trabajo heterogéneos o el trabajo en los campos de aprendizaje. La variabilidad de las tareas se apuntala por el alcance de las redes internas y externas o la variedad de trabajos en proyectos. De este modo, el grado de complejidad y de variabilidad ejerce una clara influencia en la estructura organizativa de la escuela.

Schwenger afirma que la línea de organización permite hacer frente a las tareas complejas, sin embargo, sólo con una baja variabilidad. Tan pronto como la variabilidad de las tareas aumenta, junto con su alta complejidad, las instituciones con unidades descentralizadas vinculadas a una organización de redes son más favorables que una estructura en línea (cf. Schwenger 2006, p. 27). Schratz lo denomina organización heterárquica de estructura multi-céntrica (cf. Fischer, Schratz 1993, p. 140). Está formada por elementos autónomos pequeños en comparación, es decir, centros locales o equipos que se guían por acuerdos de objetivos y componentes formales de la red escolar.

El informe sobre la Escuela de Helene-Land describe claramente un planteamiento heterárquico de "escuela dentro de la escuela"

> "Para poder crear sistemas de orientación permanente pequeños y manejables para estudiantes y profesores, nuestra gran escuela sin nada a destacar se organiza en unidades por grupos de edad. Estas escuelas dentro de la escuela cuentan con un alto grado de responsabilidad y autonomía.... La jerarquía de la escuela ha quedado, a consecuencia de ello, más o menos abandonada, la responsabilidad se ha delegado en gran medida, los equipos individuales tienen asignada una gran variedad de tareas, comenzando por la redacción dcl plan anual de trabajo hasta la gestión de su propio presupuesto". (Becker; Kunze; Riegel; Weber 1997, p. 77).

En cuanto a las estructuras de equipo, se puede afirmar:

- Un equipo puede ser el elemento organizativo central de una escuela.
- El personal docente trabajando exclusivamente en equipos de profesores cambia la estructura de la escuela.
- La estructura de la escuela se puede orientar hacia la organización en línea o a una estructura en red descentralizada

  o según la estimación de complejidad y variabilidad de las tareas y
  o dependiendo del grado de autonomía que se otorgue al equipo.

Los futuros equipos deben encajar dentro de la organización de trabajo de la escuela cuya estructura va a ser cambiada. Hay que aclarar las siguientes cuestiones:

- ¿Los equipos de la línea tradicional se asignan al departamento respectivo?
- ¿Se incluyen en una organización de matriz de forma transversal en los departamentos?
- ¿Serán ubicados como islas dentro de la estructura en línea con el objeto de densificar cada vez más la red entre estas islas y diluir lentamente la línea?

- ¿O se trazará un organigrama –como el de BBS Vilshofen(cf. Figura 2)–? El círculo interior alinea los servicios administrativos. El círculo exterior revela los equipos ocupacionales y los equipos relacionados con el campo ocupacional que se benefician de los servicios necesarios del círculo interior (media, EDP etc.) por rotación (BLK 2006, . 203).

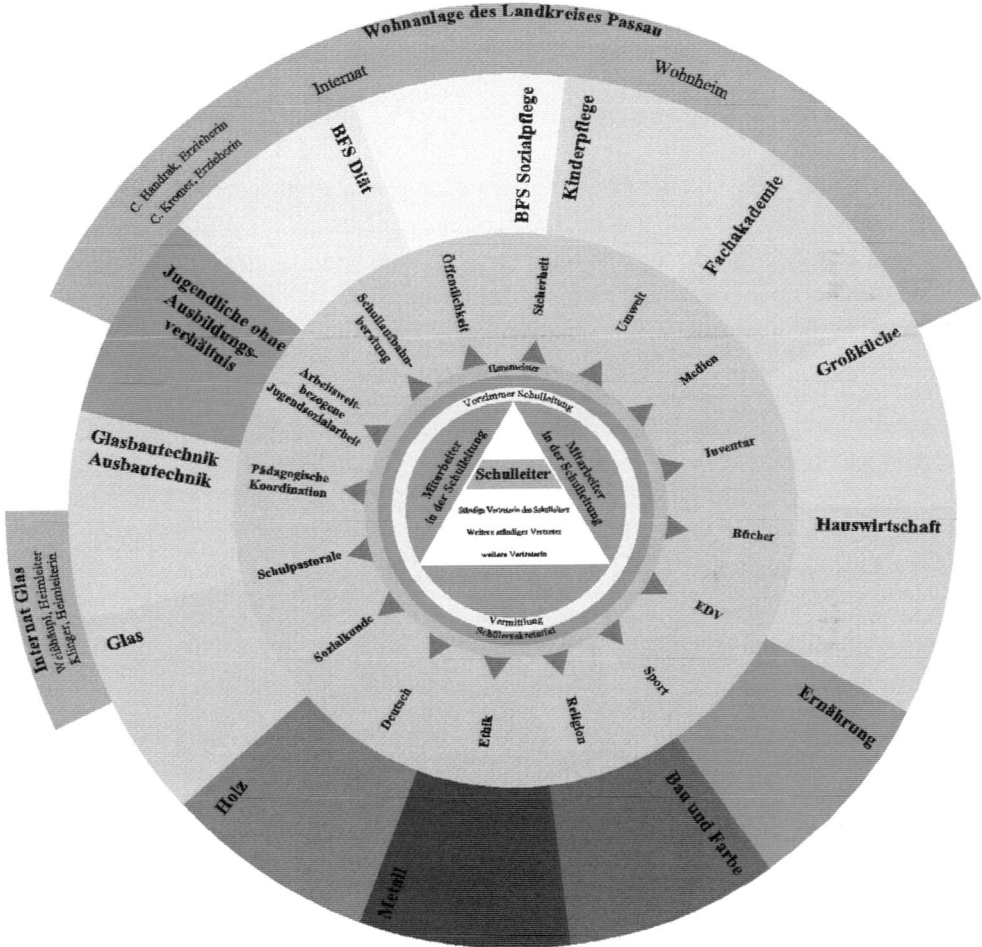

**Figura 2:** Organigrama de BBS Vilshofen (BLK 2006, p.203)

Si una escuela se propone convertirse en una escuela de equipos, el personal, ante todo debe afrontar y aclarar estas cuestiones antes de comenzar el proceso.

## Impulsos para el desarrollo de la escuela de equipos

El primer informe de valoración del proyecto piloto BLK UbS[105] afirmaba con respecto al desarrollo de equipos:

> "Los reflejos conceptúales y la planificación coordinada con toda la escuela no son casi nunca la razón para la implementación del concepto de equipos en las escuelas estudiadas. Los equipos existentes se pueden caracterizar como comunidades prácticas generadas por su trabajo diario" (Becker; Bering; Dreher; Spöttl 2003, p. 10).

La frase contiene una clara crítica pero también la petición nada ambigua de que el camino hacia una escuela de equipos requiere una planificación cuidadosa del concepto de equipo dentro del contexto del desarrollo escolar y una implementación metódica. La dirección de la escuela debería prestar mucha atención y comprometerse al máximo con la construcción del concepto de equipo y debería adherirse claramente al planteamiento participativo.

- ¿En qué campo deberían instalarse los equipos?
- ¿Cuáles son los centros de cristalización, los reclamos, para la construcción de equipos?
- ¿Cuál será el grado de autonomía de los equipos?
- ¿Cómo afectarán los equipos a las condiciones de trabajo y al área de trabajo?
- ¿Qué rango se asigna al desarrollo del programa educativo?
- ¿Cómo se incorporaran los equipos a la estructura de la escuela y cómo se vincularán entre ellos?
- ¿Cómo podemos asegurar el diálogo institucionalizado de los equipos con los comités de las escuelas y sobre todo con la dirección?
- ¿Qué sistema de incentivos deberíamos crear?
- ¿Qué equipos de trabajo de apoyo deberían implementarse y cómo deberían instalarse a nivel estructural?
- ¿Se valorará el proceso de forma continua para hacer ajustes cuando sea necesario?

Antes de iniciar el proyecto –y esto es imperativo– hay que asegurar el voto positivo de la mayor parte de la comunidad respecto a esta cuestión.

---

105. BLK – Proyecto piloto UbS, medidas en la formación de profesorado para la reestructuración de las escuelas de formación profesional técnica, estructuras para incorporar la segunda y tercera fases.

Será más fácil seguir el camino de forma voluntaria si las personas involucradas creen en los beneficios concretos para ellos y para la institución. Los profesores podrán disfrutar de estos beneficios tan pronto como inicien su trabajo en equipos autónomos y experimenten el trabajo en equipo como un recurso adicional para la solución de problemas inminentes.

Siempre que la dirección de la escuela favorezca este planteamiento, los equipos pueden convertirse en talleres donde se lleven a cabo investigaciones en cuestión de currículo, didáctica, métodos y cuestiones sociales.

El trabajo en equipo puede disminuir la dispersión de logros de los profesores y generalmente incrementar el grado de rendimiento (cf. Rulff 2006, sin pág.). Esto no solo es cierto para un equipo sino que se puede aplicar a toda la red de equipos a largo plazo. Este efecto positivo presupone un compromiso claro por parte de la dirección de la escuela hacia el desarrollo de los equipos. Directores de escuela han dado la siguiente opinión dentro del marco de estudio del desarrollo de RBZ en Schleswig-Holstein: "Es sabido que a los profesores no les gusta trabajar en equipo. Por lo tanto, es crucial para el trabajo de desarrollo de la escuela trabajar en la formación de equipos" (Becker; Dreher 2006, p. 8).

Arnold apuntala esta afirmación lanzando dudas sobre el hecho de que "la formación de un profesor de ciencias garantiza el desarrollo de competencias sociales y emocionales exhaustivas además de los conocimientos básicos para el cambio" (Arnold; Pätzold 2006, p. 66).

En esta situación es necesario que la dirección de la escuela dé un impulso claro al desarrollo de equipos. Hay que establecer una cultura de confianza, diálogo y cooperación. La valoración de la colegiabilidad, la confianza sostenible, la comunicación clara, la participación en los procesos centrales y la delegación de responsabilidad deben hacerse operativos repetidamente en reuniones para tratar estos temas.

Este planteamiento requiere unas medidas muy concretas de apoyo:

- Formación de profesores para prepararse para trabajar en equipo, para usar a nivel profesional las herramientas necesarias para el trabajo en equipo, incluido el ocuparse de acuerdos externos e internos,
- La formación del grupo conductor con el objeto de diseñar de forma profesional los cambios estructurales en la escuela,
- Formación de asesores para desarrollar procedimientos evaluadores o para adaptarlos según el estado de desarrollo e implementarlos en la escuela.

Ciertas estructuras de equipo son elementos cruciales para incrementar la eficacia de la enseñanza como punto central de la calidad de la escuela (cf. Becker; Dreher 2006, p. 7).

"El desarrollo de la instrucción requiere que el equipo sea un foro de reflexión de un programa educativo que cambia y evoluciona" (Bastian 2006, p. 65). Éste es un proceso largo y lleno de obstáculos que exige firmeza. Una escuela de equipos no se puede desarrollar a partir de un primer planteamiento simplemente integrando a los profesores con la ayuda de un curso en dinámica de grupo sin cambiar la organización estructural de la escuela. Una escuela de equipos no se puede crear tampoco si la organización estructural de la escuela se reestructura de acuerdo con el concepto de equipo, es decir, creando los equipos y colocándolos en sus intersecciones respectivas de organización. Ninguno de los dos planteamientos funcionará –ni por sí mismo ni como síntesis– porque falta un requisito indispensable: para que estén convencidos, capacitados y dispuestos a trabajar de un modo sostenible, los profesores deben darse cuenta de la perspectiva motivadora y significativa de su tarea pedagógica. Es algo más que una tarea conciente intencionada que tiene por fin un rendimiento eficaz (cf. Gessler 2006, p. 1).

Deben cumplirse 12 condiciones para que un trabajo colegial de equipo funcione[106]:

1. Colegas de equipos con una amplia autonomía toman la responsabilidad de desarrollar las áreas de trabajo relacionadas con el programa docente y por lo tanto, realizan una contribución crucial para el desarrollo de una escuela centrada en el programa docente.
2. Los profesores se apoyan mutuamente con la planificación concreta del programa docente, su puesta en marcha y su valoración y por lo tanto aseguran que los procesos de trabajo de la escuela tomen forma de forma efectiva a largo plazo.
3. El trabajo en equipo aumenta las oportunidades de desarrollo futuro de la formación gracias a un incremento de las ideas y al intercambio de experiencias con otros colegas: el equipo sabe más y motiva.
4. Si los equipos se adhieren de forma consistente al concepto general acordado conjuntamente, el impacto de la formación aumenta por su claridad y coherencia.
5. El trabajo en equipo ayuda a afrontar situaciones conflictivas ya que los estudiantes pueden dirigirse a distintos compañeros de trabajo que se comunican entre ellos: El equipo equilibra.
6. Los miembros del equipo desarrollan aún más su propia capacidad de diagnóstico gracias a los debates sobre posibles soluciones a un conflicto. Esto tiene un impacto inmediato en la calidad del trabajo escolar.

---

106. Cf.. Philipp, E. (2006). Teamentwicklung. In: Buchen, H., Rolff, H.-G. (Eds.). Professionswissen Schulleitung. Weinheim und Basel, p.728ff.

7. La comunicación entre profesores es más cercana y más intensa en un equipo. Los nuevos colegas se integran más fácilmente a la vida de la escuela. La ausencia por baja de un profesor es mucho más fácil de compensar.

8. La práctica de una organización de equipo vital se traslada al trabajo de equipo cooperativo de los estudiantes.

9. La cooperación en un equipo apoya la competencia social de todos los miembros del equipo y crea un campo de reuniones especializadas entre los miembros del personal. El individualismo y los "guerreros solitarios" descienden y se incrementa la interacción entre el personal docente.

10. Dentro de los equipos, las tareas se distribuyen de acuerdo con la experiencia de los miembros del equipo. Esto incrementa la calidad del trabajo escolar y la eficacia del trabajo de todo el equipo.

11. Los equipos organizan la cooperación entre iniciativas de forma más efectiva mediante la delegación interna. A medio plazo esto conduce a una reducción del tiempo invertido por profesor.

12. La participación de un profesor en, por ejemplo, dos equipos que crean una red entre equipos, da impulso a la coordinación estructural de los equipos e intensifica el intercambio de información dentro de la escuela

El Informe del proyecto "Guía y Estructuras Organizativas en Escuelas de Formación Profesional Técnica" en el condado de Berufskolleg Rheda-Wiedenbrück en el estado alemán de Gütersloh:

*"Una vez abandonada la jerarquía y la búsqueda del poder, se garantiza un mayor grado de libertad en la toma de decisiones, en cuanto los ejecutivos conceden espacio libre y consideran la delegación de una tarea una responsabilidad, se está allanando el camino hacia una mayor cooperación y por lo tanto, un programa docente más eficaz"* (Kohlruss; Schlegel 1999, p. 164).

# 5. REFERENCIAS BIBLIOGRÁFICAS

Al-Ani. A.; Gattermeyer W. (2001). Entwicklung und Umsetzung von Change Management Programmen. In: .Gattermeyer, W.; Al-Ani. A. (Eds.): *Change Management und Unternehmenserfolg*. Gabler, Wiesbaden.

Arnold, R.; Pätzold, H. (2006). *Individuen und Organisationen als Lernende*. Studienbrief SEM1020. Universität Kaiserslautern.

Bastian, J. (2006). *Unterrichtsentwicklung.* Studienbrief SEM1010. Universität Kaiserslautern.

Becker, M.; Spöttl, G.; Dreher, R. (2006). *BEAGLE-E, Berufsbildende Schulen als eigenständig agierende lernende Organisationen/Entwicklungsstand.* Bestandsaufnahme der RBZ.

Becker, M.; Bering, M.; Dreher, R.; Spöttl, G. (2003). Identifizierte Entwicklungsfelder in den RBZ - Modellschulen für die Lehrerbildung in der 2. und 3. Phase. Evaluationsbericht im Rahmen des Modellversuchs UbS. Flensburg.

Becker, G.; Kunze, A.; Riegel, A.; Weber, H. (1997). Die Helene-Lange-Schule Wiesbaden, Das andere Lernen, Entwurf und Wirklichkeit. Hamburg.

BLK (2006). Berufsbildende Schulen als eigenständig agierende Organisationen. Stand der Weiterentwicklung der berufsbildenden Schulen zu eigenständig agierenden lernenden Organisationen als Partner der regionalen Berufsbildung (BEAGLE). Heft 135. Bonn.

Buhren, C. G.; Killus, D.; Kirchhoff, D.; Müller, S. (1999). *Qualitätsindikatoren für Schule und Unterricht.* Dortmund.

Feser, H.-D.; Flieger, W. (2002). *Schulorganisation.* Begleitheft SEM1010. Universität Kaiserslautern.

Fischer, W. A.; Schratz, M.: (1993). *Schule leiten und gestalten.* Innsbruck.

Gessler, M. (2006). *Das 3-S-Modell zum Aufbau und zur Entwicklung einer teamorientierten Schule.* Paper ITB Bremen.

Hall, G. E.; Hord Sh. M. (2001). *Implementing Change. Principles, Patterns and Potholes,* Allyn & Bacon.

Kohlruss, W.; Schlegel, W. (1999). Teamarbeit und Unterrichtsentwicklung, in: Bertelsmann Stiftung/Ministerium für Schule und Weiterbildung, Wissenschaft und Forschung NRW (Hrsg.): Führungs- und Organisationsstrukturen in berufsbildenden Schulen – Abschlußbericht. Gütersloh.

Lemmenmeier, A.; Ochsenbein. G.: Change Management Prozesse, 2005, S. 3. http://www.fhso.ch/pdf/human/SNP%2026%20Change%20Management%20Prozesse.pdf

Nicolaus-August-Otto-Berufskolleg Köln, Schulprogramm 2000-2003 (o.J.)

Rulff, P. (2006). Teamarbeit im Lehreralltag – kaum etwas ist schwerer. Ernst – Litfaß - Schule / OSZ Druck- und Medientechnik. Handout. Berlin.

Schratz, M.; Steiner-Löffler, U (1999). *Die Lernende Schule – Arbeitsbuch pädagogische Schulentwicklung*, Beltz Pädagogik 1999.

Schwenger, U. (2006). *Qualitätsentwicklung und Qualitätsmanagement am Nicolaus-August- Otto-Berufskolleg*, Köln. Handout.

Thurler, M. G. (2006). Lehrerbild und Widerstand gegen Innovationen, in: Oser, F.; Kern, M. (Eds.): *Qualität der beruflichen Bildung - eine Forschungsbaustelle.* Bern.